JN063318

日商簿記2級
光速マスターNEO

商業簿記

テキスト

［第6版］

はしがき

　簿記とは、取引を帳簿に記入するための技術です。この簿記の学習を通じて、日々の帳簿記入から財務諸表を作成するまでの過程を理解することができます。財務諸表は、経理部門や財務部門に携わる方のみならず、経営者であれば「会社の経営判断」の材料、営業担当者であれば「取引先の状況判断」の材料、投資家であれば「投資先の投資判断」の材料として重要な役割を果たします。企業のIR活動が活発化する中、ビジネスパーソンにとって「財務諸表を読み取る能力」は必要不可欠なものとなっております。

　年々日本経済は、グローバル化が顕著に進行し、欧米型の新しい会計基準が次々と導入され、近年では、検定試験の出題内容は難易度が高まっています。本書は、そのような新しい会計基準や関係法令に完全対応し、はじめて簿記2級を学習される方が安心してお使いいただけるよう、合格に必要な知識を整理し解説した入門書です。

　本書は、長い間ご好評をいただいておりました弊社の大人気シリーズ「光速マスター」をベースに、新区分表への対応のみではなく、さらに「効率的に学習を進めること」をコンセプトとして「光速マスターNEO」を制作いたしました。短時間でポイントを押さえられるよう項目が細かく区切られているので、3分〜5分単位での学習も可能です。

　かつご自身の理解度、目標検定までの期間に合わせて「さっくり10日間」「しっかり15日間」「じっくり20日間」で学習を終えられるよう進度インデックス式を採用しました。また、各章の終わりには、「確認テスト」を掲載していますので知識の定着が図れます。

　また、今回の改訂では、2022年度から2級の試験範囲となった収益認識基準を反映させるなど、追加・削除された論点を反映させました。

　ぜひ本書を活用していただき、みなさまが合格の栄冠を勝ち取られることを祈念しております。

2022年3月吉日

株式会社　東京リーガルマインド
LEC総合研究所　日商簿記試験部

本書を使用するにあたって

❶ 学習を始める前に

簿記の学習は、次のものを準備して始めましょう。

> 準備するもの…鉛筆またはシャープペンシル、消しゴム、電卓

日商簿記検定は、自分で用意した電卓を持って受験します。また、鉛筆または シャープペンシルを使って答案を作成します。ですから、普段の学習も必ず これらを準備して行いましょう。

電卓は、日商簿記検定2級の受験に際しては、一般的に販売されているもの を使っていただいてかまいません。新たに購入するのであれば、12桁表示、 早打ち機能、00キー付きで、手のひらくらいの大きさのものが、大きく使い やすいでしょう。

❷ 勉強のすすめ方

本書は、日商簿記検定2級の学習を開始される方に、合格のために必要な知 識を解説する入門書です。また、テキストである本書の姉妹書として、テキス トで得た知識を用いて演習を行う『日商簿記2級光速マスターNEO商業簿記 問題集』を販売しています。

テキストと問題集を効果的に使用して、簿記の力を身につけていきましょう。

❶ テキストを用いて記帳方法を理解しましょう。

学習方法
各章、大見出しごとに「イントロダクション」がついています。ここでこれから学習し ていく内容のイメージをつかみましょう。本文中では、まず理論的な背景を説明してい るので、これを読んでから具体的な取引と記帳方法を「例題」で押さえます。「例題」の 「考え方」も参照し、必要であれば電卓を利用して数字を確かめてください。

学習の効果
「例題」を用いた具体的な記帳方法と、その理論的背景や考え方を並行して学習すること で、基本的な取引の記帳方法を理解し、また難易度の高い問題に対応するための応用力 を養うことができます。 ひとつひとつ理解しながら身につけていく学習が、簿記の力を着実に育てていきます。

❷ 「確認テスト」で論点を整理しましょう。

学習方法

各章の終わりの「確認テスト」を用いて、その章で学習した論点を整理し、問題演習を行いましょう。間違ってしまった場合は、もう一度本文に戻って理解の不足を補ってください。

学習の効果

論点を整理することで、日商簿記2級の学習内容のどの部分を学習したのかを把握できます。また、理解不足の論点がないかどうかを確かめることができます。

❸ 問題集を使って、問題演習を行いましょう。

学習方法

本書の姉妹書である「日商簿記2級光速マスターNEO商業簿記問題集」には、〈基本〉と〈応用〉に分けて、合計72題の問題を掲載しています。本書の1章目の学習を終えたら、対応する〈基本〉の問題を解きましょう。

他の章も同じように、対応する〈基本〉の問題を解く、といった順序でまずは学習を進めていきます。このような本書と問題集の〈基本〉の問題を用いた全18章の学習を終えたら、次に問題集の〈応用〉の問題を順に解いていきましょう。

学習の効果

テキストと問題集の〈基本〉問題の演習を並行した全18章の学習によって、充分な基礎力を獲得することができます。また、その後の問題集の〈応用〉問題の演習によって、本試験に対応していく実戦力を養います。

本書の効果的活用法

1 課税所得の算定方法

イントロダクション

実際に納付する税金はどのように計算するのでしょうか。今までは、税引前当期純利益に税率を掛けて法人税等を求めましたが、ここでは、厳密な納付額の計算方法を学習します。

ズレちゃってるよ...

1 会計と税務のズレ

納付する税金の金額を示す法人税等（法人税、住民税及び事業税）は、会計の利益の金額ではなく、税務上の課税所得の金額に一定の税率を掛けて算定します。

$$法 人 税 等 ＝ 課 税 所 得 × 税 率$$

課税所得とは税務上の利益の金額を示し、益金（税務上の収益）と損金（税務上の費用）の差額で計算するのに対し、会計の利益は収益と費用の差額で計算します。税務上の益金・損金の金額と会計上の収益・費用の金額はほぼ一致しますが、両者は完全に一致するわけではありません。そのため、算定される課税所得の金額と利益の金額にズレが生じます。

◆ 確認テスト

 確認テスト

問題

次の税効果会計に関する各仕訳をしなさい。なお、法人税等の実効税率は30%とする。

① ×1年度の決算時にあたり、受取手形に対する貸倒引当金繰入120,000円を計上したものの、繰入額全額について、税務上の課税所得の計算上、損金に算入することが認められなかった。
② 上記①の貸倒引当金繰入は、翌×2年度において、税務上の課税所得の計算にあたり損金算入が認められた。
③ ×2年度の決算にあたり、その他有価証券として保有する宮崎商事株式会社の株式3,000株を期末時価1株当たり6,000円に評価替えする。なお、宮崎商事株式会社の株式の取得原価は1株当たり6,200円である。また、その他有価証券は税務上、取得原価で評価される

永久差異の具体例

・交際費等の損金不算入額
⇒得意先等を接待した場合に、会計では交際費として計上しますが、税務においてはそのすべてが損金に算入されるわけではなく、それを原因として生じる差異
・受取配当金の益金不算入額
⇒子会社などから受取った配当金は、会計上は受取配当金として収益計上しますが、税務ではそのすべてが益金に算入されるわけではなく、それを原因として生じる差異

交際費をわざとたくさん支払って所得を少なくすることはできないんだね

所得を少なくすると、税金の支払額も少なくなるからね

◆  マーク

理解をさらに深める状況説明です。本文とあわせて読みましょう。

☆ 売却時の仕訳をしよう！！

 例15－4

問題 ① ×3年度の期首において、×1年度期首に10,000円で取得した備品を現金6,500円で売却した。なお、当該備品（間接法で記帳）の耐用年数は4年、残存価額ゼロ、定額法で計算する。また、当該備品の税務上の耐用年数は5年である。
② 法人税等の実効税率は30％とする。

お金に困って売っちゃったよ…

もしかして、貧乏？

【解答】
① （売却の仕訳）

借 方 科 目	金 額	貸 方 科 目	金 額
減 価 償 却 累 計 額	5,000	備 品	10,000
現 金	6,500	備 品 売 却 益	1,500

② （税効果の仕訳）

借 方 科 目	金 額	貸 方 科 目	金 額
法 人 税 等 調 整 額	300	繰 延 税 金 資 産	300

◆ 例

取引の内容を簡単な言葉で説明しています。ここで、どのような取引があったのかを理解しましょう。試験で用いられる専門的な言葉に慣れていきましょう。

◆学習進度の目安

さっくり10日間パターン
しっかり15日間パターン
じっくり20日間パターン

の進度インデックスです。
自分の学習ペースに合わせて選びましょう。

キャラクター相関図

鹿児島商事

銀行

借入れ

青森商店

りんご

仕入れ

運送会社

群馬商店

仕入れ

横浜商店

購入

合併

八百源

源さん　従業員

子会社

沖縄商店

静岡商店

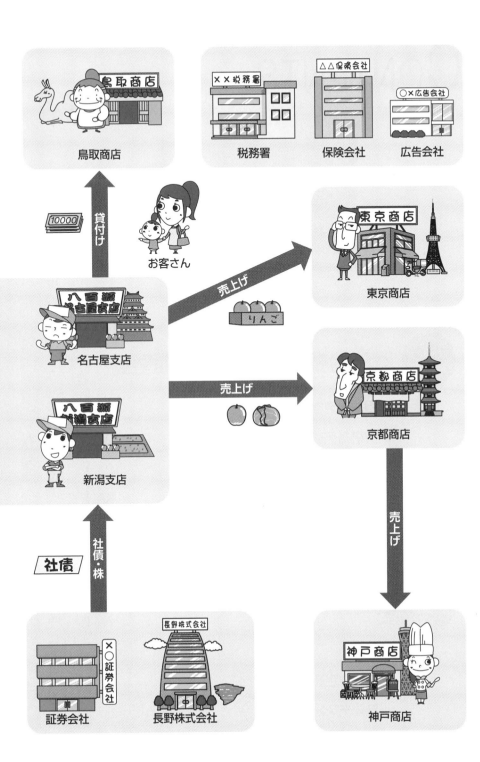

鳥取商店

税務署　　保険会社　　広告会社

貸付け
10000

お客さん

名古屋支店

売上げ
りんご

東京商店

新潟支店

売上げ

京都商店

社債　社債・株

売上げ

証券会社　　長野株式会社

神戸商店

CONTENTS

学習進度目安

さっくり 10日間	しっかり 15日間	じっくり 20日間

第1章 財務諸表・株式会社の純資産

第2章 現金預金

3日目

3日目

4日目

4日目

5日目

4日目

5日目

6日目

6日目

7日目

5日目
7日目
8日目

8日目
9日目

第18章 連結財務諸表Ⅲ

15日目

20日目

◉ 日商簿記2級の学習内容 ◉

準備

仕訳帳と
総勘定元帳を
用意します

仕訳帳と総勘定元帳は主要簿です。
主要簿の他に補助簿もあります。

取引

●古い車を新しい車に買換えます。

＼新車に買換えよう／

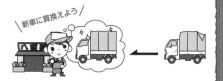

●使わなくなった建物を除却します。

もう使わない
から取壊そう

●退職する従業員に退職金を払います。

＼長い間、ご苦労さまでした／

●株式を発行します。

＼うちの株式、買ってくれませんか？／

この他にも、色々な取引があります。
1章から12章で、様々な取引について
詳しく学習します。

記録

今まで使っていた建物を
取壊したぞ

廃材が安い値段で
売れそうだ

取引をする前後で、何が増えて何が減ったのかを考えます

資産・負債・純資産・収益・費用の増減を読取って、ルールどおりに帳簿に記録をとります。

帳簿に記録をとります

先ず
仕訳帳に
仕訳します

次に
総勘定元帳に
転記します

支店を持っている会社では本店と支店で別々に記録をとることもあります。詳しくは14章で学習します。また、伝票を利用する場合もあります。これについては3級で学習済みです。

報告 帳簿の記録をもとに報告書を作ります

1年間書きためてきた帳簿の記録をもとにして、貸借対照表と損益計算書を作ります。
これについては、13章で詳しく学習します。

貸借対照表
会社の財政状態を表します

損益計算書
会社の経営成績を表します

◉ 勘定科目一覧 ◉

◉ 資産

◀左 資産に分類されるもの

貸借対照表		損益計算書	
資 産	負 債	費 用	収 益
	純資産		

営業外受取手形	商品以外の代金を手形で受取っていて、期日になったらお金をもらえる予定があるもの
仮払消費税	商品の仕入時などに当社が支払った消費税
仮払法人税等	先に支払っておいた法人税・住民税・事業税
関連会社株式	当社が株式の約20%〜50%を持っている会社の株式
機械装置	有形固定資産である機械
繰延税金資産	法人税等の前払いを意味する勘定科目
クレジット売掛金	クレジットカードで売上げた場合の売掛金
契約資産	収益の対価としてお金をもらえる権利のうち、債権ではない分
現金	現金およびそれに類するもの
建設仮勘定	建物等の建設の際に建物の完成・引渡しまでに支払ったお金等
工具器具	製品の生産上必要な工具や器具
構築物	建物以外の建造物

子会社株式	当社が株式の過半数を持っている会社の株式
差入保証金	取引先と取引を行うために取引先に予め預けておく担保金
仕掛品	サービスの提供に直接かかった費用のうち、サービス提供前に支出した分
借地権	土地を借りるときに払った金額
商標権	商標登録するときにかかった金額
その他有価証券	売買目的有価証券、満期保有目的債券、子会社株式、関連会社株式以外の有価証券
ソフトウェア	会計ソフトなど、コンピュータを機能させるためのプログラム
ソフトウェア仮勘定	ソフトウェアが完成するまでにかかったお金等
短期貸付金	決算日の翌日から1年以内に返済期限が到来する貸付金
長期貸付金	決算日の翌日から1年超返済期限が到来しない貸付金
長期前払費用	決算日の翌日から1年超の費用の前払い
貯蔵品	使わなくなった有形固定資産で、保管してあるもの等
電子記録債権	コンピュータで記録し、管理する債権
特許権	特許権を取得したときにかかった金額
のれん	他社をまるごと取得するなどのとき、その会社が持っている財産より余分にかかった代金

売買目的有価証券	売買するのを目的に持っている株式や公社債	未収還付消費税	支払った消費税のうち還付されることになった消費税
不渡手形	不渡りの手形を請求する権利	未収還付法人税等	期末において還付されることになった法人税等
別段預金	当座預金と区別しておく預金	有価証券	他の会社が発行している株式や社債など
満期保有目的債券	満期日まで保有し続ける予定の公社債	リース資産	借りている固定資産

●負債

▶右 負債に分類されるもの

貸借対照表		損益計算書	
資 産	負 債	費 用	収 益
	純資産		

預り保証金	保証金や敷金などの受取額	短期借入金	決算日の翌日から1年以内に支払日が到来する借入金
営業外支払手形	商品以外の代金として手形を使っていて、期日になったらお金を払う予定があるもの	長期借入金	決算日の翌日から1年超に支払日が到来する借入金
仮受消費税	商品の売上時などに当社が受取った消費税	長期未払金	決算日の翌日から1年超に支払日が到来する未払金
繰延税金負債	法人税等の未払いを意味する勘定科目	電子記録債務	コンピュータで記録し、管理する債務
契約負債	お客さんに商品やサービスを提供する前に受取った代金	返金負債	収益の対価のうち、お客さんに返金することが見込まれている分
修繕引当金	建物などの修繕のための支払いに備えてある分	未払消費税	未払いの消費税
商品保証引当金	商品の保証のために備えてある分	未払賞与	未払いの賞与
賞与引当金	従業員への賞与の支払いに備えてある分	未払税金	未払いの税金
製品保証引当金	製品の保証のために備えてある分	未払法人税等	支払わなければならない法人税・住民税・事業税
退職給付引当金	退職金の支払いに備えてある分	未払配当金	株主に支払わなければならない配当金
		役員預り金	役員の預り金
		役員賞与引当金	役員賞与の支払いに備えてある分
		リース債務	借りている固定資産の返済しなければならない残額

● 純資産

▶右 純資産に分類されるもの

貸借対照表

資　産	負　債
	純資産

損益計算書

費　用	収　益

株式申込証拠金	株式を発行するとき、株式を買いたいという人から払込まれたお金
繰越利益剰余金	今までの利益で、何に使うかまだ決めていない分
資本準備金	払込金額のうち資本金としなかった分
資本剰余金	連結上の資本に関する剰余金
修繕積立金	将来の修繕のために、利益の一部をとってある分
新築積立金	将来の建物建設のために、利益の一部をとってある分
その他資本剰余金	資本準備金以外の資本剰余金のこと
その他有価証券評価差額金	その他有価証券の時価と帳簿価額との差額
配当平均積立金	将来の配当のために、利益の一部をとってある分
非支配株主持分	連結上の子会社のうち親会社以外の株主の持分
別途積立金	特に目的はないが、利益の一部をとってある分
利益準備金	利益の一部を配当するとき、とっておかなければならない分
利益剰余金	連結上の利益に関する剰余金

● 収益

▶右 収益に分類されるもの

貸借対照表

資　産	負　債
	純資産

損益計算書

費　用	収　益

受取配当金	株式を持っている時にもらえるお金
役務収益	サービス業での売上げのこと
工事負担金受贈益	公益事業を行うに際して必要な建物等を作るためにもらう補助金
国庫補助金受贈益	国からもらう補助金
修繕引当金戻入	予定していた修繕を行わず、修繕への備えを取消すもの
商品保証引当金戻入	予定していた保証がなされず、保証への備えを取消すもの
投資有価証券売却益	その他有価証券などの投資有価証券を売ったときの儲け
負ののれん発生益	他社をまるごと取得するなどのとき、その会社が持っている財産より安く買えた部分
保険差益	火災などで資産を失ったとき、もらえる保険金が失った価値より大きい分

有価証券 運用益	株式や公社債を売ったり、配当や利息をもらって得した分	有価証券 評価益	持っている株式や公社債の値段が上がって得した分
有価証券 売却益	売買目的有価証券を売ったときの儲け	有価証券 利息	国債や社債を持っている時にもらえるお金

● 費用

◀左 費用に分類されるもの

貸借対照表　　　損益計算書

資　産	負　債		費　用	収　益
	純資産			

売上原価	売れた商品の原価	固定資産 廃棄損	有形固定資産を廃棄したときに失われた価値
役務原価	サービスの提供に直接かかった費用のうち、提供されたサービスに対応する分	支払 リース料	リース料の支払い
開業費	会社を設立した後、営業を開始するまでにかかる様々なお金	修繕引当 金繰入	建物などの修繕のための支払いへの備えを用意する分
開発費	新しい技術の開発などにかかる様々なお金	商品 評価損	期末商品の時価が下がって損をした分
火災損失	火災で資産を失ったとき、失った価値がもらえる保険金より大きい分	商品 保証費	商品の保証のための修理などのお金
株式 交付費	新株を発行するときにかかる様々なお金	商品保証 引当金 繰入	商品の保証への備えを用意する分
還付 法人税等	還付されることになった法人税等	賞与	賞与（ボーナス）のこと
給料	従業員の給料	賞与引当 金繰入	従業員の賞与引当金を設定したときに計上する費用
研究 開発費	研究開発のためにかかる様々なお金	製品保証 引当金 繰入	製品の保証への備えを用意する分
固定資産 圧縮損	国から補助金をもらった際にその分固定資産の金額を減額した分	創立費	会社を設立するときにかかる様々なお金
固定資産 除却損	有形固定資産を除却したときに失われた価値	ソフトウ ェア償却	ソフトウェアのうち当期の費用として計上する分
		退職給付 費用	退職金の支払いへの備えを用意する分
		棚卸 減耗損	なくなってしまった商品の原価
		追徴 法人税等	追加で納めることとなった法人税

手形売却損	持っている手形を銀行に買い取ってもらう時に支払う手数料		補修費	商品や製品の補修（修理）にかかるお金
電子記録債権売却損	電子記録債権を譲渡する場合に、もらえるお金が少ないときの損失		役員賞与引当金繰入	役員賞与の支払いへの備えを用意する分
投資有価証券売却損	その他有価証券などの投資有価証券を売ったときの損失		有価証券運用損	株式や公社債を売ったりして損した分
特許権償却	特許権のうち当期の費用として計上するもの		有価証券売却損	売買目的有価証券を売ったときの損失
のれん償却	のれんのうち当期の費用として計上する分		有価証券評価損	持っている株式や公社債の値段が下がって損した分

● その他

◀左右▶ その他				
火災未決算	火災により、もらえる保険金がいくらか確定するまで記録しておく勘定		法人税等調整額	税効果会計において法人税等に加減する金額
為替差損益	為替の取引で発生する差額		保証債務	ほかの人の債務を保証する際の備忘記録
仕入割戻	たくさん仕入れたときに、安くしてもらった分		保証債務見返	ほかの人の債務を保証する際の備忘記録
支店	支店に対する債権・債務		本店	本店に対する債権・債務
支店へ売上	支店へ売上げた商品の売り値		本店へ売上	本店へ売上げた商品の売り値
支店より仕入	支店から仕入れた商品の仕入れ値		本店より仕入	本店から仕入れた商品の仕入れ値
非支配株主に帰属する当期純損失	子会社の損失のうち親会社以外の株主に帰属する部分		未決算	もらえる保険金がいくらか確定するまで記録しておく勘定
非支配株主に帰属する当期純利益	子会社の利益のうち親会社以外の株主に帰属する部分		有価証券運用損益	有価証券の運用に係るもの
法人税等	納めなければならない法人税・住民税・事業税		有価証券評価損益	売買目的有価証券を期末時価評価した際の損益

◉日商簿記2級検定ガイド◉

「ネット試験（CBT方式）」導入でますます受験しやすい検定試験に!!

　日商簿記2級検定試験は、高校程度の商業簿記および工業簿記（初歩的な原価計算を含む）を習得している程度の出題がなされます。すなわち、中規模程度の株式会社の簿記と考えてください。

　合格点は70点です。競争試験ではありませんので、十分な対策・勉強をすることで合格できる試験といえます。

　日商簿記検定試験2級は、2020年11月の検定試験までは「答案用紙」に解答を記入する「ペーパー試験」（以下、「統一試験」）のみで実施されていましたが、安定した受験機会の確保やデジタル社会にふさわしい試験とするために、2020年12月からは「ネット試験（CBT方式）」も始まりました。

　「統一試験」は従来どおり実施されていますので、受験機会や方法の選択肢が増えたことになります。これにより、たとえば「統一試験」を受験する予定で勉強をすすめている途中でも、実力がついたところで「統一試験」を待たずに「ネット試験」を受験するということも可能になります。選択肢が増えたことで、これまでにも増してますます受験しやすい試験となっています。

　以下、試験概要とそれぞれの受験までの流れについてご案内いたします。

1. 試験概要

　下記は、「ネット試験」「統一試験」共通です。

◉ 受験資格　年齢・性別・学歴・国籍による制限はありません。誰でも受験できます。

◉ 合格基準点　合格点　70点以上（100点満点）

◉ 試験科目　商業簿記・工業簿記（レベル中級）

◉ 「合格」の扱い　「ネット試験」「統一試験」の合格は同じ扱いになります。履歴書等には「日商簿記検定2級取得」と記載できます。

2.「ネット試験（CBT方式）」と「統一試験（ペーパー試験）」の申込みから受験までの流れ

	ネット試験（CBT方式）※1	統一試験（ペーパー試験）
試験日	試験センターが定める日時において随時受験可	6月第2週、11月第3週、2月第4週 ※2
試験会場	日本商工会議所が指定する試験センター	各商工会議所や指定の会場
受験申込み方法	「株式会社CBT-Solutionsの日商簿記申込専用ページ」から申込み https://cbt-s.com/examinee/examination/jcci.html ※受験希望日時、希望受験会場、受験者情報を入力し、受験料・申込み手数料を決済	各商工会議所の指定する方法で申込み（ネット・窓口・書店など）※2
試験時間・出題数	90分（5題出題） （出題内容は次ページ参照）	
出題範囲	日本商工会議所が定める「簿記検定出題区分表」に則して出題	
受験料	4,720円（ネット試験・統一試験とも同額）※3	
解答方法	①試験センター設置の端末に、受験者ごとに問題が配信される。 ②キーボード・マウスを使用して解答を入力（プルダウン＋入力式）	答案用紙に解答を記載。 ネット試験の「プルダウン式」や「入力式」と共通にするため、一覧から選択する方式となる問題もある。
合格発表	①試験終了後に自動採点され、パソコン画面に結果が表示される。 ②QRコードから<デジタル合格証>が即日取得できる。	実施後、2～3週間程度必要となる。
その他	計算用紙が2枚配付される。試験終了後に回収。	計算用紙は冊子に綴じ込まれています。

※1 「ネット試験」詳細は商工会議所検定（HP）の案内をご確認ください。
　　https://www.kentei.ne.jp/
※2 各商工会議所により申込期間および申込方法が異なりますので、最寄りの商工会議所の案内でご確認ください。
　　http://www5.cin.or.jp/examrefer/
※3 「統一試験」では、別途事務手数料が必要となる場合がございます。
　　詳細は商工会議所検定（HP）でご確認ください。

◉日商簿記2級傾向と対策◉

■ 試験の出題形式 ■

　日商簿記検定2級は、第1問から第5問までの5題の問題が出題されます。制限時間は90分です。100点満点で、70点以上得点できれば合格となります。第1問から第3問は商業簿記、第4・5問は工業簿記から出題されます。

第1問	[出題内容] 仕訳問題が5題 [配点] 20点	幅広い範囲から仕訳問題が5題出題されます。解答に使用する勘定科目は、語群やプルダウンから選択します。1題あたり2〜3分程度で解答する必要があるため、速さと正確性の両方を身に付ける必要があります。
第2問	[出題内容] 連結精算表、連結財務諸表、勘定記入、空欄補充などに関する問題 [配点] 20点	一つの論点を系統的に理解できているかを問う問題が出題されます。具体的には、連結会計、純資産会計、銀行勘定調整表、商品売買、有価証券、固定資産などが出題されます。
第3問	[出題内容] 個別財務諸表などの個別決算に関する問題 [配点] 20点	財務諸表を中心として、精算表や決算整理後残高試算表などの出題が想定されます。本支店会計では、本支店合併財務諸表や決算における帳簿上の処理が出題される可能性があります。出題される決算整理の多くはパターン化しているので、決算整理仕訳をしっかりと学習することが大切です。
第4問	[出題内容] (1)仕訳問題 (2)原価計算などの問題 [配点] 28点 　　　　 (1) 12点 　　　　 (2) 16点	(1)では仕訳問題が3題出題されます。勘定連絡図に基づいた工業簿記全体の仕組みを理解しているかが重要です。(2)では個別原価計算や総合原価計算に基づいた原価計算が出題の中心です。また、財務諸表作成や勘定記入も出題される可能性があります。
第5問	[出題内容] 標準原価計算の差異分析、CVP分析などの直接原価計算 [配点] 12点	標準原価計算における差異分析と直接原価計算におけるCVP分析(損益分岐点分析)が出題の中心です。直接原価計算に基づく損益計算書も出題される可能性があります。

【ネット試験における注意点】
1．仕訳問題における勘定科目は選択式（プルダウン方式）です。
2．金額を入力する時は数字のみ入力します。カンマを入力する必要はありません。
3．財務諸表作成などの問題で、科目名の入力が必要な場合もあります。

※その他「ネット試験」詳細は商工会議所の案内をご確認ください。
　https://www.kentei.ne.jp/

財務諸表・株式会社の純資産

1 損益計算書・貸借対照表

イントロダクション

会社は1年間の活動を報告するためにいくつかの成績表を作成します。その成績表である損益計算書・貸借対照表は3級でも学習しましたが、2級ではより細かな様式で作成します。

日商簿記2級は「株式会社」を前提とした簿記だよ

細かいのか〜

1 損益計算書と貸借対照表

　会社が1年間活動を行い、決算になると、その活動の成果（経営成績）を「損益計算書」という報告書に、また、期末時点にどれだけの財産があるのか（財政状態）を「貸借対照表」という報告書にまとめます。

　報告書をまとめた後に、会社の株主や経営者に報告します。

📖 3級で学習した勘定式の損益計算書・貸借対照表

3級で学習した形式は勘定式といい、以下のようになります。

損 益 計 算 書

八百源　　　　　　　　自×3年4月1日 至×4年3月31日　　　　（単位：円）

費　　用	金　　額	収　　益	金　　額
売 上 原 価	4,300	売 上 高	6,000
貸倒引当金繰入	60		
減 価 償 却 費	360		
当 期 純 利 益	1,280		
	6,000		6,000

貸 借 対 照 表

八百源　　　　　　　　　　×4年3月31日　　　　　　　　（単位：円）

資　　産	金　額		負債・純資産	金　額
現　　　　　金		2,120	買 掛 金	3,600
売 掛 金	8,000		資 本 金	8,000
貸 倒 引 当 金	160	7,840	繰越利益剰余金	1,280
商　　　　　品		2,000		
備　　　　　品	2,000			
減価償却累計額	1,080	920		
		12,880		12,880

📖 勘定科目と表示科目

　仕訳や総勘定元帳で使われる科目は「**勘定科目**」といい、会社の内部で使用されます。一方、損益計算書や貸借対照表で使われる科目は「**表示科目**」といい、外部の関係者に公表される報告書で使用されます。

　「**勘定科目**」は内部で使用される科目なので、科目名についての厳格なルールは特に設けられていません。これに対して、「**表示科目**」は正式な報告書で使用されるので、関係者が見たときに分かりやすいように科目についての一定のルールが設けられています。

　財務諸表の学習においては「表示科目」を正確に覚えることが必要です。特に、「繰越商品」と「商品」のように勘定科目と表示科目が異なる科目をきちんと覚えておきましょう。

勘定科目 ⟹ 内部管理用

表示科目 ⟹ 外部報告用

📖 経過勘定と表示科目

　3級の学習において、保険料の前払いがあった場合には前払保険料を計上しました。このように、翌期の費用について前払いしたときに前払○○を使う処理のことを、「**費用の繰延べ**」といいます。同様に、収益の前受けがあったときの処理は「**収益の繰延べ**」といいます。

　これに対して、支払利息の未払いがあった場合には、未払利息を計上しました。このように、当期の費用について未払いとなっているときに未払○○を使う処理のことを「**費用の見越し**」といいます。同様に、収益の未収があったときの処理は「**収益の見越し**」といいます。

　前払保険料など、費用・収益の繰延べや費用・収益の見越しの処理で登場する資産や負債の勘定のことを「**経過勘定**」といいます。経過勘定について勘定科目と表示科目をまとめると次のようになります。

項　　目	勘定科目	表示科目
費用の繰延べ	前払保険料、前払家賃など	前払費用
収益の繰延べ	前受手数料、前受家賃など	前受収益
費用の見越し	未払利息、未払給料など	未払費用
収益の見越し	未収利息、未収手数料など	未収収益

⚡ 試験ワンポイント

 「最近の２級の商業簿記はどんな問題がでるの？」

 「ちょろいぜ！」

 「だからどんな問題がでるの？」

 「最近は、損益計算書や貸借対照表を作成する総合問題が
　結構出題されている」

 「ちょろくないじゃん…」

 「しかも、損益計算書や貸借対照表を３級のときより細か
　く区分けしなければならない」

 「えっ…　区分けって…」

2 損益計算書の形式

　「**損益計算書**」は、１年間の経営成績を明らかにする報告書です。

　３級の学習では、費用・収益を借方・貸方に分けて記載する「**勘定
式の損益計算書**」を学習しましたが、２級の学習では「**報告式の損益
計算書**」を作成します。報告式の損益計算書では、収益を「売上高」
「営業外収益」「特別利益」に、費用を「売上原価」「販売費及び一般管
理費」「営業外費用」「特別損失」に分類して列挙します。

(1) **売上高**

総売上高から返品などを差し引いた純売上高を表示します。

(2) **売上原価**

「期首商品棚卸高」、「当期商品仕入高」、「期末商品棚卸高」を用いて売上原価を表示します。なお、売上原価は売上げた商品の原価を意味します。

(3) **販売費及び一般管理費**

商売をしているときに発生した費用の金額を列挙します。

(4) **営業外収益・営業外費用**

お金の貸し借りや有価証券（第4章で学習）の売買など、商売には直接関係のないことをしているときに発生した収益の金額を営業外収益として、費用の金額を営業外費用として列挙します。

(5) **特別利益・特別損失**

通常は発生しない収益の金額を特別利益として、費用の金額を特別損失として列挙します。

損益計算書の最後には、すべての収益からすべての費用を差引いた結果が表示されます。結果がプラスであれば「**当期純利益**」、マイナスであれば「**当期純損失**」と表示されます。

> 報告式の損益計算書の方が
> 見やすくていろんな人が理
> 解しやすいのよ！！

さっくり
1日目

しっかり
1日目

じっくり
1日目

コトバ

総売上高：返品などを控除する前の売上高

純売上高：返品などを控除した後の売上高

損 益 計 算 書

自×6年4月1日 至×7年3月31日 （単位：円）

I	売 上 高		10,000
II	売 上 原 価		
	1 期首商品棚卸高	1,900	算定
	2 当期商品仕入高 ⊕	6,000	
	合 計	7,900	
	3 期末商品棚卸高 ⊖	2,000	5,900
	売 上 総 利 益		4,100
III	**販売費及び一般管理費**		
	1 給 料	2,300	合計
	2 減 価 償 却 費	340	
	3 貸倒引当金繰入	360	3,000
	営 業 利 益		1,100

本業で儲けた利益

IV	営 業 外 収 益		
	1 有価証券売却益		500
V	営 業 外 費 用		
	1 支 払 利 息	150	合計
	2 有価証券売却損	50	200
	経 常 利 益		1,400

通常の事業活動で儲けた利益

VI	特 別 利 益		
	1 固定資産売却益		120
VII	特 別 損 失		
	1 固定資産売却損		70
	税引前当期純利益		1,450
	法 人 税 等		600
	当 期 純 利 益		850

配当の財源となる最終的な利益

📖 売上原価の算定

売上原価＝期首商品棚卸高＋当期商品仕入高－期末商品棚卸高

商品BOX図

期首商品	売上原価
当期仕入	
	期末商品

報告式の損益計算書は、商品の
BOX図を縦にならべて売上原価を
分かりやすく表示しているんだよ

📖 損益計算書の各区分に表示される具体的な科目

区分	表示科目
販売費及び一般管理費	給料、減価償却費、貸倒引当金繰入 など
営業外収益	有価証券売却益、受取利息、受取配当金 など
営業外費用	有価証券売却損、支払利息 など
特別利益	固定資産売却益、保険差益 など
特別損失	固定資産売却損、火災損失 など

今は知らない科目も、このあと
の2級の学習で覚えていこう！

さっくり
1日目

しっかり
1日目

じっくり
1日目

☆ 損益計算書を作ろう！

例1－1

問題 以下の損益勘定をもとに当期（×6年4月1日～×7年3月31日）の損益計算書（報告式）を作成しなさい。なお、商品に関する決算整理仕訳は次の資料に基づいており、仕入勘定で売上原価を計算している。また、法人税等はないものとする。

① 期首商品棚卸高　1,300円
② 当期商品仕入高　6,700円
③ 期末商品棚卸高　2,000円

			損	益			
3/31	仕	入	6,000	3/31	売	上	8,900
〃	給	料	1,120	〃	受 取 利 息		300
〃	減 価 償 却 費		1,400	〃	固定資産売却益		1,100
〃	支 払 利 息		480				
〃	固 定 資 産 売 却 損		750				
〃	繰 越 利 益 剰 余 金		550				
			10,300				10,300

【解答】

損　益　計　算　書

自×6年4月1日　至×7年3月31日　（単位：円）

I	売　　　上　　　高			（　8,900　）
II	売　上　原　価			
	1　期 首 商 品 棚 卸 高	（　1,300　）		
	2　当 期 商 品 仕 入 高	（　6,700　）		
	合　　　　　　計	（　8,000　）		
	3　期 末 商 品 棚 卸 高	（　2,000　）	（　6,000　）	
	売　上　総　利　益			（　2,900　）
III	販売費及び一般管理費			
	1　給　　　　　　料	（　1,120　）		
	2　減 価 償 却 費	（　1,400　）	（　2,520　）	
	営　業　利　益			（　　380　）
IV	営　業　外　収　益			
	1　受　取　利　息			（　　300　）
V	営　業　外　費　用			
	1　支　払　利　息			（　　480　）
	経　常　利　益			（　　200　）
VI	特　別　利　益			
	1　固 定 資 産 売 却 益			（　1,100　）
VII	特　別　損　失			
	1　固 定 資 産 売 却 損			（　　750　）
	当　期　純　利　益			（　　550　）

さっくり
1日目

しっかり
1日目

じっくり
1日目

【考え方】

　損益勘定のうち「仕入6,000」以外は、そのまま損益計算書に表示します。ここで、「仕入6,000」は売上原価を表しますが、勘定式の損益計算書のように一行で表示するのではなく、報告式の損益計算書では6,000円を算出する計算過程も示します。売上原価6,000円は以下の決算整理仕訳を行って、仕入勘定で計算しています。

借　方　科　目	金　額	貸　方　科　目	金　額
仕　　　　　入	1,300	繰　越　商　品	1,300
繰　越　商　品	2,000	仕　　　　　入	2,000

期首商品分

期末商品分

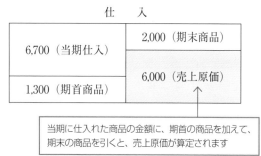

仕　入

6,700（当期仕入）	2,000（期末商品）
	6,000（売上原価）
1,300（期首商品）	

当期に仕入れた商品の金額に、期首の商品を加えて、期末の商品を引くと、売上原価が算定されます

　このように売上原価は、当期商品仕入高6,700円＋期首商品棚卸高1,300円－期末商品棚卸高2,000円＝6,000円と求めます。この計算式を損益計算書の「Ⅱ 売上原価」の部分に表示します。

3　貸借対照表の形式

「**貸借対照表**」は、1年間の活動を終えた期末時点の財政状態を明らかにする報告書です。

資産を「流動資産」「固定資産」に、負債を「流動負債」「固定負債」に、純資産を「資本金」「資本剰余金」「利益剰余金」に分類して列挙します。

(1)　**流動資産・流動負債**

営業活動から発生した資産（売掛金など）や1年以内に現金化される資産を流動資産に、営業活動から発生した負債（買掛金など）や支払期日が1年以内の負債を流動負債に分類して列挙します。

(2)　**固定資産・固定負債**

建物など長期的に保有する資産や1年を超えて現金化される資産を固定資産に、支払期日が1年を超えて到来する負債を固定負債に分類して列挙します。

(3)　**資本金**

会社の設立や新株発行の際に株主から支払われた（出資を受けた）金額です。

(4)　**資本剰余金**

株主から出資を受けた金額のうち資本金としなかった部分を資本準備金で表します。資本準備金は、資本剰余金の区分に記載します。

(5)　**利益剰余金**

商売をして稼いだ利益を利益剰余金に分類して列挙します。利益剰余金は利益準備金とその他利益剰余金に分類され、さらにその他利益剰余金の内訳として別途積立金や繰越利益剰余金を列挙します。

×7年3月31日 (単位：円)

資 産 の 部			負 債 の 部		
I 流 動 資 産			I 流 動 負 債		
1 現 金 預 金		1,200	1 支 払 手 形		2,500
2 売 掛 金	4,000		2 買 掛 金		1,100
貸 倒 引 当 金	80	3,920	流動負債合計		3,600
3 有 価 証 券		500	II 固 定 負 債		
4 商 品		2,000	1 長 期 借 入 金		9,800
5 前 払 費 用		100	固定負債合計		9,800
流動資産合計		7,720	負 債 合 計		13,400
II 固 定 資 産			純 資 産 の 部		
1 車 両	6,400		I 資 本 金		5,000
減価償却累計額	1,250	5,150	II 資本剰余金		
2 土 地		11,000	1 資 本 準 備 金		2,000
固定資産合計		16,150	III 利益剰余金		
			1 利 益 準 備 金		1,500
			2 その他利益剰余金		
			(1)別途積立金	1,000	
			(2)繰越利益剰余金	970	1,970
			純 資 産 合 計		10,470
資 産 合 計		23,870	負債・純資産合計		23,870

📖 資産の分類

資産の部は「流動資産」と「固定資産」に分かれますが、厳密に分類すると、資産の部は「流動資産」・「固定資産」・「繰延資産（1級の学習範囲）」に分かれます。さらに固定資産は「有形固定資産」・「無形固定資産」・「投資その他の資産」に分かれます。「投資その他の資産」には、長期貸付金、長期前払費用、投資有価証券（第4章参照）などが表示されます。

資産の部	流動資産	
	固定資産	有形固定資産
		無形固定資産
		投資その他の資産
	繰延資産	

厳密な貸借対照表は第13章で学習するよ！！

貸借対照表

さっくり 1日目

しっかり 1日目

じっくり 1日目

4 流動と固定に分類する基準は？

　資産・負債を流動と固定に区分するときには、「**正常営業循環基準**」と「**一年基準**」という2つの基準で区分します。この2つの基準はどちらを先に適用するかの順番が決まっていて、先に「正常営業循環基準」を適用します。

> コトバ
>
> 正常営業循環基準：企業の正常な営業活動の循環内で生じる資産
> 　　　　　　　　　または負債はすべて流動項目に区分する基準

　その後、企業の正常な営業活動の循環内に入らない資産・負債は「一年基準」で判断します。

> コトバ
>
> 一年基準：決算日の翌日から起算して1年以内に入金または支
> 　　　　　払いの期限が到来するものは、流動項目とし、入金
> 　　　　　または支払いの期限が1年を超えて到来するもの
> 　　　　　は、固定項目とする基準

例えば、借入金の返済期限が決算日の翌日から数えて1年以内に到来する場合、その借入金は「**短期借入金**」という科目で「**流動負債**」の区分に表示します。もし、借入金の返済期限が決算日の翌日から数えて1年を超えて到来するのであれば、その借入金は「**長期借入金**」という科目で「**固定負債**」の区分に表示します。

Kazu

借入金は流動に区分された場合と固定に区分された場合で科目の名前が変わるよ。ただ、流動や固定で科目の名前が変わらない場合もあるよ

📖 **貸借対照表の各区分に表示される具体的な科目**

区分	表示科目
流動資産	現金、売掛金、受取手形、商品など
流動負債	支払手形、買掛金、短期借入金など
固定資産	土地、建物、備品など
固定負債	長期借入金など

さっくり
1日目

しっかり
1日目

じっくり
1日目

☆ 貸借対照表を作ろう！

例1－2

問題 以下の繰越試算表をもとに当期（×6年4月1日～×7年3月31日）の貸借対照表（勘定式）を作成しなさい。

作れるかなー

繰 越 試 算 表

×7年3月31日　　　（単位：円）

借　　方	勘定科目	貸　　方
1,600	現　　　　　金	
2,200	売　掛　金	
680	繰　越　商　品	
3,240	建　　　　　物	
3,880	土　　　　　地	
	支　払　手　形	2,350
	買　掛　金	1,850
	貸　倒　引　当　金	140
	減価償却累計額	1,080
	資　本　金	4,510
	繰越利益剰余金	1,670
11,600		11,600

（注）繰越試算表は、資産・負債・純資産の各勘定について期末残高を一覧表にしたものです。

【解答】

貸 借 対 照 表

×7年3月31日　　　　　　　　（単位：円）

資 産 の 部			負 債 の 部		
Ⅰ　流 動 資 産			Ⅰ　流 動 負 債		
1　現 金 預 金		（　1,600）	1　支 払 手 形		（　2,350）
2　売　　掛　　金	（2,200）		2　買　　掛　　金		（　1,850）
貸倒引当金	（　140）	（　2,060）	流動負債合計		（　4,200）
3　商　　　　　品		（　680）	負 債 合 計		（　4,200）
流動資産合計		（　4,340）	純 資 産 の 部		
Ⅱ　固 定 資 産			Ⅰ　資　本　金		（　4,510）
1　建　　　　物	（3,240）		Ⅱ　利 益 剰 余 金		
減価償却累計額	（1,080）	（　2,160）	1　繰越利益剰余金		（　1,670）
2　土　　　　地		（　3,880）	純資産合計		6,180
固定資産合計		（　6,040）			
資 産 合 計		（10,380）	負債·純資産合計		（10,380）

正式な貸借対照表は試算表と違う
名前になる科目があるぜ

「貸倒引当金」や「減価償却累計額」は
資産から控除する形式で表示するよ

さっくり
1日目

しっかり
1日目

じっくり
1日目

☆ 仕訳をして、貸借対照表を作ろう！

例 1－3

問題 ① ×2年2月1日に銀行から現金6,000円を借入れ、毎月
末に250円ずつ24回にわたって返済することとした。な
お、利息は考慮しなくてよい。
② ×2年2月28日、銀行に250円を現金で支払った。
③ ×2年3月31日、銀行に250円を現金で支払った。
④ ×2年3月31日、期末となり、貸借対照表を作成した。

借入金は、一年基準で
考えるんだったね！

Kazu

【解答】

①

借 方 科 目	金 額	貸 方 科 目	金 額
現 金	6,000	借 入 金	6,000

②

借 方 科 目	金 額	貸 方 科 目	金 額
借 入 金	250	現 金	250

③

借 方 科 目	金 額	貸 方 科 目	金 額
借 入 金	250	現 金	250

④

貸　借　対　照　表

×2年3月31日　　　　　　　　（単位：円）

資　産　の　部	負　債　の　部	
	I　　流　動　負　債	
	1　短期借入金	（　3,000）
	：	
	II　　固　定　負　債	
	1　長期借入金	（　2,500）

【考え方】

④ ①で計上した借入金6,000円は②で250円、③で250円減少しており、残り5,500円です。このうち1年以内に返す分（250円×12回＝3,000円）は「**短期借入金**」として「**流動負債**」に、一方、1年より先に返す分（250円×10回＝2,500円）は「**長期借入金**」として「**固定負債**」に表示します。

24回の支払いのうち2回は済んでいるので、残りは22回です。1ヶ月に1度支払うので、×3年度に支払うのは10回です

貸付金も同じように考え、「長期貸付金」として固定資産の「投資その他の資産」に表示します！

2 貸借対照表の純資産の部

貸借対照表の「純資産の部」は、3級で学習した区分よりも細かく区分されており、最終的にはこの区分を完全に頭に入れる必要がありますが、まずは、株主のものである「株主資本」の内容をしっかりと理解しましょう。

1 純資産の部の分類

貸借対照表の「**純資産の部**」は株式会社の株主のものである「**株主資本**」と株主のもの以外の「**株主資本以外**」に分けます。

「**株主資本**」は「**資本金**」「**資本剰余金**」「**利益剰余金**」の大きく3つに分類します。おおまかに言うと、株主に払い込んでもらったものは「資本金」や「資本剰余金」、商売をして稼いだ利益は「利益剰余金」となります。

さらに、資本剰余金は「**資本準備金**」と「**その他資本剰余金**」に、利益剰余金は「**利益準備金**」と「**その他利益剰余金**」に分類します。

> **重要** 純資産の定義
>
> 純資産は、会社法という法律で、「**資産と負債の差額**」と定義されています。
> 純資産の内容は、株主資本と株主資本以外に分かれますが、まずは、株主資本の内容をしっかり理解しましょう。

		資　本　金	
純資産	株主資本		
		資本剰余金	資本準備金
			その他資本剰余金
		利益剰余金	利益準備金
			その他利益剰余金
	株主資本以外　（これは第4章で詳しく学習するよ！）		

「その他資本剰余金」は1級でさらに詳しく学習するよ！

3級では、「資本金」、「繰越利益剰余金」、「利益準備金」をまとめて「資本」と区分していたけど、もっと細かく区分されるんだね。

　利益準備金は、会社法で積み立てなければならないと決められているものです。その他利益剰余金には、**「任意積立金」**と**「繰越利益剰余金」**があり、繰越利益剰余金の使い道は、株主が株主総会で話し合って決めます。

　一方、株式会社の株主のものではない「株主資本以外」には「評価・換算差額等」が該当し、具体的には「その他有価証券評価差額金」という科目がそこに区分されます。

「株主資本以外」は第4章で学習するよ！！

さっくり
1日目

しっかり
1日目

じっくり
1日目

3 株式の発行

イントロダクション

会社の活動でお金が必要になった場合、会社のオーナーである「株主さん」を募集してお金を集める方法があります。オーナーとなってもらいお金を出資してもらうので、集めたお金は返済する必要はありません。その代わりに、配当金をあげたり、会社の会議に参加してもらったりします。

1 株式を発行して資金を集める!

　会社をつくるときや、会社をつくった後しばらくしてからもっと経営を拡大したいと考えたとき、資金を集めるために株式を発行し、お金を払い込んでもらいます。払い込んでもらったお金は、すべて資本金とするのが原則ですが、半分までなら、資本金にしないで資本準備金とすることもできます。なお、資本準備金の代わりに、株式払込剰余金を用いることもあります。

株主からの出資は、お金ではなく商売で使うもの(たとえば土地や建物など)を現物で出資する場合もあるのよ。

「現物出資」っていうんだろ、知ってるよ！

払い込んでもらったお金のうち、最低でも半分は資本金にしなければいけないぜ！

問題文では「会社法で認められている最低限度額」っていう表現がよく使われていますね

【払い込んでもらったお金をすべて資本金とするとき（原則）】

借　方　科　目	金　額	貸　方　科　目	金　額
現 金 預 金 等		資　　本　　金	×××

純資産の増加

【払い込んでもらったお金の半分を資本金とするとき（容認）】

借　方　科　目	金　額	貸　方　科　目	金　額
現 金 預 金 等		資　　本　　金	×××
		資 本 準 備 金	×××

純資産の増加

「資本準備金」の代わりに、「**株式払込剰余金**」を使うこともあります

　また、会社をつくってしばらくしてから行う株式の発行を「**新株発行**」といいます。ただ、新株発行は何株でもできるわけではありません。その会社が発行することのできる株式には上限があり、会社をつくるときにその一部を発行し、残りの未だ発行していない株式数（**未発行株式**といいます）の範囲内で新株発行を行います。

コトバ

　新株発行：会社をつくった後しばらくしてから行う株式の発行

さっくり
1日目

しっかり
1日目

じっくり
1日目

☆ 仕訳をしてみよう！

例 1 − 4

問題 八百源は未発行株式のうち100株を1株あたり30円で発行し、払込金額を当座預金とした。なお、資本金組入額は会社法の原則通りとする。

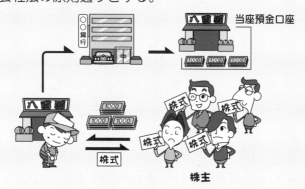

当座預金口座

株主

【解答】

借　方　科　目	金　額	貸　方　科　目	金　額
当　座　預　金	3,000	資　　本　　金	3,000

【考え方】

① 未発行株式のうち100株を発行した ＝ 新株の発行
　⇒ 資本金（純資産）の増加

② 100株を1株につき30円で発行
　＝ ＠30円×100株（＝3,000円）を払い込んでもらう
　⇒ 3,000円の増加

③ 資本金組入額は会社法の原則通り
　＝ 払込金額全額を資本金に組み入れる
　⇒ 3,000円すべてを資本金の増加とする

☆　仕訳をしてみよう！

例1－5

問題　八百源は未発行株式のうち100株を1株あたり30円で発行し、払込金額を当座預金とした。なお、資本金組入額は会社法で認められている最低限度額とする。

【解答】

借　方　科　目	金　額	貸　方　科　目	金　額
当　座　預　金	3,000	資　　本　　金	1,500
		資　本　準　備　金	1,500

【考え方】

① 未発行株式のうち100株を発行した ＝ 新株の発行

　　⇒ 資本金（純資産）の増加

② 100株を1株につき30円で発行

　　＝ @30円×100株（ ＝ 3,000円）を払い込んでもらう

　　⇒ 3,000円の増加

③ 資本金組入額は会社法で認められている最低限度額

　　＝ 最低でも払込額の半分は資本金に組み入れる

　　⇒ 3,000円÷2 ＝ 1,500円より、1500円を資本金の増加とし、残りの1,500円を資本準備金の増加とする

さっくり
1日目

しっかり
1日目

じっくり
1日目

第1章

財務諸表・株式会社の純資産

2 払込期日前に払い込まれたお金は…

　新株を発行するとき、払込期日が到来すると新株を引受けた人は株主となります。しかし、払込期日が到来する前はまだ株主ではありません。そのため、払込期日よりも前に払い込まれたお金は資本金とはしないで、「**株式申込証拠金**」（純資産）として処理します。また、会社の通常の預金と区別するために、払込期日が到来するまでは「**別段預金**」（資産）といって一時的に特別な預金として処理します。

【払込時】

借　方　科　目	金　　額	貸　方　科　目	金　　額
別　段　預　金	×××	**株式申込証拠金**	×××

　資産の増加　　　　　　　　純資産の増加

　払込期日が到来したら、株主からの払込みということになるので、「株式申込証拠金」を資本金や資本準備金に、「別段預金」を当座預金や普通預金に振替えます。

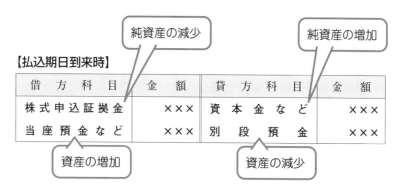

純資産の減少　　　　　　　　　　純資産の増加

【払込期日到来時】

借　方　科　目	金　　額	貸　方　科　目	金　　額
株式申込証拠金	×××	資　本　金　な　ど	×××
当　座　預　金　など	×××	別　段　預　金	×××

　資産の増加　　　　　　　　資産の減少

☆ 仕訳をしてみよう！

例1－6

問題 八百源が未発行株式のうち100株を1株あたり30円で募
集したところ、全株式が申込まれ、払込金額の全額を申込
証拠金として受入れ、別段預金とした。

別段預金口座

当座預金口座

株主

【解答】

借 方 科 目	金 額	貸 方 科 目	金 額
別 段 預 金	3,000	株式申込証拠金	3,000

【考え方】
① 未発行株式のうち100株を発行した = 新株の発行
　⇒ 申込証拠金として受入れた
　⇒ 株式申込証拠金（純資産）の増加
② 100株を1株につき30円で発行
　= @30円×100株（ = 3,000円）を払込んでもらう
　⇒ 3,000円の増加
③ 申込証拠金として受入れ、別段預金とした
　= 株主になる前の引受人からの払込み
　⇒ 別段預金（資産）の増加

株主になる前は
「資本金」には
できないんだ

さっくり
1日目

しっかり
1日目

じっくり
1日目

☆ 仕訳をしてみよう！

Q 例1-7

問題 【例1-6】のあとに払込期日を迎えた。別段預金を当座預金へ振替えるとともに株式申込証拠金の振替えも行った。なお、資本金組入額は会社法の原則通りとする。

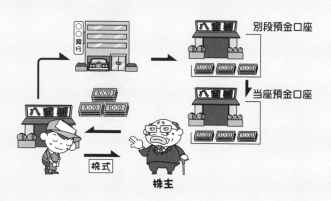

【解答】

借 方 科 目	金 額	貸 方 科 目	金 額
株 式 申 込 証 拠 金	3,000	資 本 金	3,000
当 座 預 金	3,000	別 段 預 金	3,000

【考え方】

① 払込期日が到来した = 引受人から株主へ
　⇒ 資本金（純資産）の増加
② 払込期日が到来した = 引受人から株主へ
　⇒ 当座預金（資産）の増加
③ 資本金組入額は会社法の原則通り
　= 払込金額全額を資本金に組み入れる
　⇒ 3,000円すべてを資本金の増加とする

3 会社の将来のためにかかったお金…

　会社をつくるときや新株を発行するときは、法律上の手続きを行ったり、株式を発行する公告を出したりするなど、会社を経営するにはいろいろなお金がかかります。このように会社の将来のための支出は支出した会計期間の費用として処理します。

科目名	意　　味	損益計算書の 表示区分
創立費	会社をつくるときの法律上の手続きや 株主を募集するときの公告にかかったお金	営業外費用
株式交付費	新株を発行するときにかかったお金	営業外費用
開業費	会社をつくった後、実際に商売を始めるまでに、店舗や事務所のための土地や建物を借りたり、公告にかかったお金	原則：営業外費用 容認：販売費及び 　　　一般管理費
開発費	新しい市場を開拓したり、新しい技術や経営組織を採用したりするために特別にかかったお金	販売費及び一般管理費

株式の発行のときにかかったお金でも、会社をつくるときにかかった分は創立費になるよ！

　会社の将来のためにお金を支出したときは、どのようなときにかかったお金かという点に着目して勘定科目を使い分けて、費用を計上します。

【支出時】

支出に合わせた科目

借　方　科　目	金　　額	貸　方　科　目	金　　額
○　　　○　　　費	×××	現　金　預　金	×××

費用の増加

さっくり
1日目

しっかり
1日目

じっくり
1日目

☆ 仕訳をしてみよう！

例 1 － 8

問題 八百源は会社の設立時に、会社の設立のための法律上の手
続きをするために150円を現金で支払った。

【解答】

借　方　科　目	金　額	貸　方　科　目	金　額
創　立　費	150	現　　　金	150

【考え方】

① 会社の設立のための法律上の手続きをするために現金を支払った
　⇒ 創立費（費用）の増加

どんなとき、何のために支出したかで科目を使い分けよう！

4 研究活動や開発活動にかかったお金!

　会社が行った研究活動や開発活動にかかったお金も、すべて発生時に費用として処理します。具体的には「**研究開発費**」(販売費及び一般管理費) という科目で表します。

【支出時】

借　方　科　目	金　　額	貸　方　科　目	金　　額
研　究　開　発　費	×××	現　金　預　金	×××

費用の増加(販売費及び一般管理費)

　なお、研究開発費には、研究活動及び開発活動にかかった人件費、材料費、減価償却費など、研究開発にかかったすべての費用が該当します。

📖 研究開発目的にのみ使用される資産は…

　研究開発目的にのみ使用される資産で、他の目的に使用できない資産を取得した場合は、取得時に支払ったお金をすべて「研究開発費」として費用処理します。つまり、資産には計上しません。

さっくり
1日目

しっかり
1日目

じっくり
1日目

☆ 仕訳をしてみよう！

問題 当期において、八百源は、研究活動および開発活動のために人件費480円、材料費220円を現金で支払った。また、研究活動のみにしか使用されない機械を取得するときに780円を現金で支払った。

研究開発は
大切だね！

【解答】

借　方　科　目	金　額	貸　方　科　目	金　額
研　究　開　発　費	1,480	現　　　　金	1,480

【考え方】

① 研究活動および開発活動のための人件費を現金で支払った
　⇒ 研究開発費（費用）の増加

② 研究活動および開発活動のための材料費を現金で支払った
　⇒ 研究開発費（費用）の増加

③ 研究活動のみにしか使用されない機械を取得するときに現金を支払った
　⇒ 研究開発費（費用）の増加

繰延資産は1級
で学習するよ！

コラム 〜繰延資産〜

「創立費」「株式交付費」「開業費」「開発費」は、会社の将来の
ための支出なので、支出した会計期間だけではなく、そのお金
が役立っていると考えられるその後の会計期間にわたって費用
とすることが認められています。この場合は、支出した金額を
いったん「繰延資産」として資産に計上しておき、その後何年
間かにわたって少しずつ費用としていきます。

費用なのに資産
になるんだ！

まじでぇ！！！
超お得じゃん！

4 繰越利益剰余金

イントロダクション

会社が１年間の活動で利益を獲得したら、オーナーである株主に配当したり、将来に備えてため込んだりします。また、株主に配当するためには厳しいルールがあります。ここではそのルールをしっかりと覚えましょう！

1 株主に配当しよう!!

　繰越利益剰余金の一部を配当金として支払うときは、**「利益準備金」**（純資産）を増やしますが、その金額は、通常、配当金の10分の１の金額になります。

　しかし、この10分の１の金額の積立ては、会社法という法律で**「資本準備金と利益準備金の合計」**が**「資本金の４分の１」**に達するまで行うと決められています。つまり、①配当額の10分の１と②「資本準備金と利益準備金の合計」が「資本金の４分の１」に達するまでの金額のどちらか小さい方が利益準備金の積立額になります。

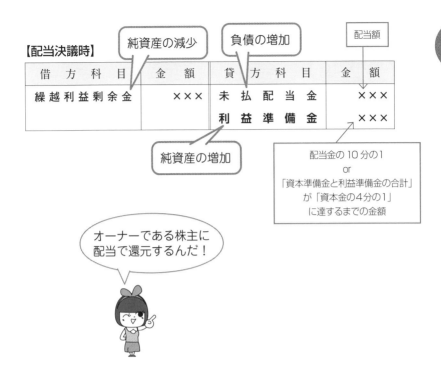

【配当決議時】

純資産の減少

負債の増加

配当額

借 方 科 目	金 額	貸 方 科 目	金 額
繰 越 利 益 剰 余 金	×××	未 払 配 当 金	×××
		利 益 準 備 金	×××

純資産の増加

配当金の10分の1
or
「資本準備金と利益準備金の合計」
が「資本金の4分の1」
に達するまでの金額

オーナーである株主に
配当で還元するんだ！

重要　**利益準備金の積立額**

いずれか
小さい方
{ 配当金の10分の1
{ 資本金×4分の1－（資本準備金＋利益準備金）

さっくり
1日目

しっかり
1日目

じっくり
2日目

☆ 仕訳をしてみよう！

例1-10

問題 ×2年6月15日の株主総会で繰越利益剰余金の配当が決議され、利益準備金を積立て、配当金として1,000円を支払うこととなった。なお、資本金、資本準備金、利益準備金、繰越利益剰余金勘定の残高はそれぞれ貸方残高6,000円、200円、300円、2,500円であった。

【解答】

借 方 科 目	金　額	貸 方 科 目	金　額
繰 越 利 益 剰 余 金	1,100	未 払 配 当 金	1,000
		利 益 準 備 金	100

【考え方】

① 繰越利益剰余金の配当が決議された

　⇒ 繰越利益剰余金（純資産）の減少

② 利益準備金を積立て、配当金を支払うこととなった

　⇒ 未払配当金（負債）の増加、利益準備金（純資産）の増加

③「配当金の10分の1（1,000円×1/10＝100円）」の金額だけ利益準備金を積立てても、「資本準備金と利益準備金の合計（200円＋300円 +100円 ＝ 600円）」が、「資本金の4分の1（6,000円×1/4 ＝ 1,500円）」を超えないので、「配当金の10分の1」の100円を積立てます。

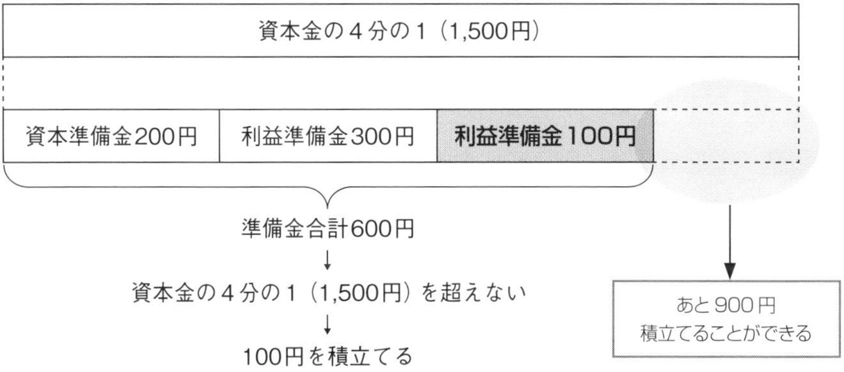

配当決議時の各勘定への転記は以下のようになり、繰越利益剰余金勘定は貸方残高1,400円となります。このあと、×２年度の期末（×３年３月31日）になると、当期純利益もしくは当期純損失が再度計上されます。

利益準備金

	前期繰越　300
	繰越利益剰余金　100

未払配当金

	繰越利益剰余金　1,000

繰越利益剰余金

未払配当金　1,000	前期繰越　2,500
利益準備金　100	
貸方残高1,400	

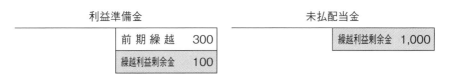

☆ 仕訳をしてみよう！

例 1 － 11

問題 ×2年6月15日の株主総会で繰越利益剰余金の配当が決議され、利益準備金を積立て、配当金として1,000円を支払うこととなった。なお、資本金、資本準備金、利益準備金、繰越利益剰余金勘定の残高はそれぞれ貸方残高6,000円、200円、1,240円、2,500円であった。

【解答】

借 方 科 目	金 額	貸 方 科 目	金 額
繰 越 利 益 剰 余 金	1,060	未 払 配 当 金	1,000
		利 益 準 備 金	60

【考え方】

① 繰越利益剰余金の配当が決議された
　⇒ 繰越利益剰余金（純資産）の減少

② 利益準備金を積立て、配当金を支払うこととなった
　⇒ 未払配当金（負債）の増加、利益準備金（純資産）の増加

③ 「配当金の10分の1（100円）」の金額だけ利益準備金を積立てると「資本準備金と利益準備金の合計（200円＋1,240円 ＋100円 ＝ 1,540円）」が、「資本金の4分の1（1,500円）」を超えてしまうので、「資本金の4分の1（1,500円）」に達するまでの金額（1,500円－1,440円 ＝ 60円）を積立てます。

【積立前】

仮に、利益準備金を配当金の10分の1（100円）の金額だけ積立てると、資本準備金と利益準備金の合計額は1,540円になり、40円積立て過ぎになります。

【配当金の10分の1を積立てると…】

そのため、資本準備金と利益準備金の合計が資本金の4分の1に達するまでの金額（60円）を積立てます。

【資本準備金と利益準備金の合計が資本金の4分の1に達するまでの
金額を積立てる】

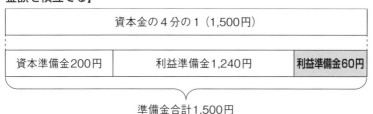

📖 その他資本剰余金からの配当

　　配当は、繰越利益剰余金からだけではなく、その他資本剰余金からも行われます。もし、その他資本剰余金から配当が行われた場合は、利益準備金ではなく、資本準備金を積立てます。仮に【例1－11】における株主総会でその他資本剰余金の配当が決議されたのであれば、解答の仕訳は以下のようになります。

借　方　科　目	金　　額	貸　方　科　目	金　　額
その他資本剰余金	1,060	未　払　配　当　金	1,000
		資　本　準　備　金	60

　　繰越利益剰余金から配当が行われた場合と比べると、準備金を積立てる金額は同じですが、利益準備金ではなく、資本準備金を積立てることが異なります。

2 積立金の積立て・取崩し

　会社は、稼いだ利益を配当せずに、様々な目的のために任意積立金として、社内に残しておくことができます。このとき、繰越利益剰余金（純資産）を減らし、「**任意積立金**」（純資産）を増やします。任意積立金の科目名は積立目的により異なります。例えば、将来の建物の建設に備えるために積立てる場合は「新築積立金」（純資産）という科目で仕訳します。

【積立時】

借　方　科　目	金　額	貸　方　科　目	金　額
繰越利益剰余金	×××	○　○　積　立　金	×××

　純資産の減少　　　　　　　純資産の増加

　また、会社は必要に応じて積立てた積立金を取り崩します。このとき、積立てた積立金を減少させ、繰越利益剰余金を増やします。

【取崩時】

借　方　科　目	金　額	貸　方　科　目	金　額
○　○　積　立　金	×××	繰越利益剰余金	×××

　純資産の減少　　　　　　　純資産の増加

さっくり 1日目
しっかり 1日目
じっくり 2日目

📖 任意積立金の具体例

科目名	積 立 目 的
配当平均積立金	将来の配当原資を確保するため
新築積立金	将来の建物の建設に備えるため
修繕積立金	将来の資産の修繕に備えるため
別途積立金	特定の使途はない

利益の使い方は
決まったのかな？

エグゼクティブ松沢

☆ 仕訳をしてみよう！

例1−12

問題 ×3年6月15日の株主総会で繰越利益剰余金の配当等が決議され、配当金を1,000円支払い、利益準備金を100円積立て、別途積立金を250円積立てることとなった。

【解答】

借 方 科 目	金 額	貸 方 科 目	金 額
繰 越 利 益 剰 余 金	1,350	未 払 配 当 金	1,000
		利 益 準 備 金	100
		別 途 積 立 金	250

【考え方】

① 配当金を支払い、利益準備金を積立てることになった

　⇒ 未払配当金（負債）の増加、利益準備金（純資産）の増加

② 別途積立金を積立てることになった

　⇒ 別途積立金（純資産）の増加

③ 繰越利益剰余金の使い道が決議された

　⇒ 繰越利益剰余金（純資産）の減少

さっくり
1日目

しっかり
1日目

じっくり
2日目

☆ 仕訳をしてみよう！

🔍 例1－13

問題　×4年6月15日の株主総会で前期末から繰越されていた
繰越利益剰余金勘定の借方残高350円について、別途積立
金250円を取崩して繰越利益剰余金を填補することが決議
された。

【解答】

借　方　科　目	金　額	貸　方　科　目	金　額
別　途　積　立　金	250	繰　越　利　益　剰　余　金	250

【考え方】

① 株主総会で別途積立金を取崩した

　⇒ 別途積立金（純資産）の減少

② 株主総会で別途積立金を取崩して繰越利益剰余金を填補した

　⇒ 繰越利益剰余金（純資産）の増加

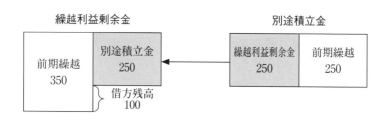

46　LEC東京リーガルマインド　日商簿記2級 光速マスターNEO 商業簿記テキスト〈第6版〉

5 株主資本

イントロダクション

　ここでは、会社の純資産がどのように変化したのかを一覧表にした「株主資本等変動計算書」という新しい成績表を学習します。損益計算書や貸借対照表のように財務諸表の1つです。

でも、
簡単だわ

新しい表だー

1 株主資本とは?

　純資産の中でも「**資本金**」「**資本剰余金**」「**利益剰余金**」をまとめて「**株主資本**」と呼びましたが、株主資本は、株式会社のオーナーである株主に帰属する部分を表します。

コトバ

株主資本：純資産のうち株主に帰属する部分

さっくり
1日目

しっかり
2日目

じっくり
2日目

2 株主資本の計数の変動

　会社は、株主総会の決議により、株主資本のうち資本金、準備金及び剰余金の間で金額の内訳を変えることができます。これを「**株主資本の計数の変動**」といいます。

　例えば、別途積立金を減らして、繰越利益剰余金を増やすことができます。

借　方　科　目	金　　額	貸　方　科　目	金　　額
別　途　積　立　金	×× ×	繰　越　利　益　剰　余　金	×× ×

純資産の減少　　　　　　　　純資産の増加

資本準備金を減らして、資本金を増やすことなどもできます。

借　方　科　目	金　　額	貸　方　科　目	金　　額
資　本　準　備　金	×× ×	資　　　本　　　金	×× ×

純資産の減少　　　　　　　　　　　　純資産の増加

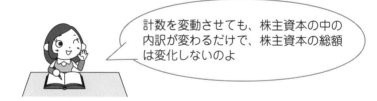

計数を変動させても、株主資本の中の内訳が変わるだけで、株主資本の総額は変化しないのよ

　株主資本の計数の変動は、「資本金」「資本準備金」「その他資本剰余金」の中での計数の変動や、「利益準備金」「○○積立金」「繰越利益剰余金」の中での計数の変動は認められますが、それを超える計数の変動は原則として認められません。ただし、例外的に、利益剰余金を資本金に振替えることは認められます。

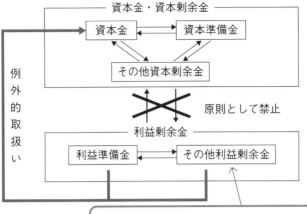

「その他利益剰余金」は、「任意積立金」
と「繰越利益剰余金」に分かれるよ！

📖 認められる計数の変動

	減少項目	増加項目
「資本金」 「資本剰余金」 の中での計数 の変動	資 本 金 ⇒ 資 本 準 備 金	
	資 本 金 ⇒ その他資本剰余金	
	資 本 準 備 金 ⇒ 資 本 金	
	資 本 準 備 金 ⇒ その他資本剰余金	
	その他資本剰余金 ⇒ 資 本 金	
	その他資本剰余金 ⇒ 資 本 準 備 金	
「利益剰余金」 の中での計数 の変動	利 益 準 備 金 ⇒ 繰越利益剰余金	
	○ ○ 積 立 金 ⇒ 繰越利益剰余金	
	繰 越 利 益 剰 余 金 ⇒ 利 益 準 備 金	
	繰 越 利 益 剰 余 金 ⇒ ○ ○ 積 立 金	
例外的取扱い （利益剰余金から資本金へ）	利 益 準 備 金 ⇒ 資 本 金	
	繰 越 利 益 剰 余 金 ⇒ 資 本 金	

さっくり
1日目

しっかり
2日目

じっくり
2日目

☆ 仕訳をしてみよう！

例 1 － 14

問題 株主総会により、欠損填補のため別途積立金2,000円と利益準備金3,500円を取崩すことが決議された。

補填
しなきゃ

【解答】

借　方　科　目	金　額	貸　方　科　目	金　額
別　途　積　立　金	2,000	繰　越　利　益　剰　余　金	5,500
利　益　準　備　金	3,500		

【考え方】
① 別途積立金を取崩すことが決議された
　⇒ 別途積立金（純資産）の減少
② 利益準備金を取崩すことが決議された
　⇒ 利益準備金（純資産）の減少
③ 欠損填補が決議された
　⇒ 繰越利益剰余金（純資産）の増加

コトバ

欠損：これまでの利益の累計がマイナス（赤字）の状態のこと
欠損填補：赤字を補填すること

☆　仕訳をしてみよう！

例1−15

問題　株主総会により、資本準備金4,000円を減少させて、資本金の額を同額増加させることを決議した。

内訳が変わるだけだね

どうなるかな〜

Kazu

【解答】

借　方　科　目	金　　額	貸　方　科　目	金　　額
資　本　準　備　金	4,000	資　　本　　金	4,000

【考え方】

① 資本準備金を減少させて、資本金の額を同額増加させることを決議した

⇒ 資本準備金（純資産）の減少
　　資本金（純資産）の増加

📖 任意積立金と利益準備金の間での変動

　「○○積立金」から「利益準備金」への変動及び「利益準備金」から「○○積立金」への変動を直接行うことはできません。この場合、いったん「繰越利益剰余金」に振替えてから行います。

さっくり
1日目

しっかり
2日目

じっくり
2日目

---

3 | 株主資本等変動計算書

　会社は、損益計算書や貸借対照表などの報告書のほかに「**株主資本等変動計算書**」という報告書もつくらなければいけません。株主資本等変動計算書は、会社の純資産の動きを記録する報告書です。つまり、純資産の部の内訳明細表といえます。

　純資産の中でも、株主資本は会社のオーナーである株主の取り分と考えられ、重要性が高いので、株主資本以外とは表示方法が異なります。

株主資本の各項目	当期変動額を変動事由ごとに表示
株主資本以外の各項目	原則として、当期変動額を純額で表示

　また、表示形式はそれぞれの科目の期首残高に当期の変動額を加えたり、差し引いたりして当期末残高を求める形式になります。

	資本金	資本準備金	…
当期首残高	1,000	500	…
当期変動額	200	△150	…
当期末残高	1,200	350	…

実際は「当期変動額」に具体的な変動事由が記入されます！

コトバ

株主資本等変動計算書：貸借対照表の純資産の部の一会計期間における変動額のうち、主として、株主に帰属する部分である株主資本の各項目の変動事由を報告するために作成する財務諸表

株主資本以外の項目は
第4章で学習します

	株主資本									評価・換算差額等		純資産合計
		資本剰余金			利益剰余金					その他有価証券評価差額金	評価・換算差額等合計	
						その他利益剰余金						
	資本金	資本準備金	その他資本剰余金	資本剰余金合計	利益準備金	○○積立金	繰越利益剰余金	利益剰余金合計	株主資本合計			
当期首残高	XXX	XXX	XXX	XXX	XXX	XXX	XXX	XXX	XXX	XXX	XXX	XXX
当期変動額												
新株の発行	XXX	XXX		XXX					XXX			XXX
剰余金の配当等 ××××					XX	XX	△XX	△XX	△XX			△XX
当期純利益							XXX	XXX	XXX			XXX
株主資本以外の項目の当期変動額（純額）										XXX	XXX	XXX
当期変動額合計	XXX	XXX	−	XXX	XXX	−	XXX	XXX	XXX	XXX	XXX	XXX
当期末残高	XXX	XXX	XXX	XXX	XXX	XXX	XXX	XXX	XXX	XXX	XXX	XXX

これら以外にも色々な変動
事由が記入されます

さっくり 1日目
しっかり 2日目
じっくり 2日目

☆ 株主資本等変動計算書をつくろう！

例1-16

問題 以下の資料にもとづいて八百源の×3年度（×3年4月1日～×4年3月31日）の株主資本等変動計算書を作成しなさい。

① 前期の決算時に作成した貸借対照表によると、純資産の部に記載された項目の金額は以下の通りであった。

資 本 金	10,000円	資本準備金	1,200円
その他資本剰余金	0円	利益準備金	500円
別途積立金	75円	繰越利益剰余金	1,500円

② ×3年6月15日に開催された株主総会において、以下の事項が決議された。

（1）株主への利益剰余金の配当が500円と決議された。

（2）会社法で規定された額の利益準備金を計上する。

（3）別途積立金100円を積立てる。

③ ×3年10月1日に新株発行を行い3,750円を現金で受取った。なお、資本金組入額は会社法規定の最低限度額とした。

④ ×4年2月1日の株主総会で資本準備金200円を資本金に振替える株主資本の計数の変動が決議された。

⑤ ×4年3月31日、決算の結果、当期純利益は280円であることが判明した。

純資産
大好き！

【解答】

	株主資本									純資産合計
	資本金	資本剰余金			利益剰余金				株主資本合計	
		資本準備金	その他資本剰余金	資本剰余金合計	利益準備金	その他利益剰余金		利益剰余金合計		
						別途積立金	繰越利益剰余金			
当期首残高	10,000	1,200	0	1,200	500	75	1,500	2,075	13,275	13,275
当期変動額										
剰余金の配当等					50	100	△650	△500	△500	△500
新株の発行	1,875	1,875		1,875					3,750	3,750
資本準備金から資本金への振替	200	△200		△200					0	0
当期純利益							280	280	280	280
株主資本以外の項目の当期変動額（純額）										
当期変動額合計	2,075	1,675	0	1,675	50	100	△370	△220	3,530	3,530
当期末残高	12,075	2,875	0	2,875	550	175	1,130	1,855	16,805	16,805

【考え方】

② 剰余金の配当等

$$資本金の\frac{1}{4}-資本準備金と利益準備金の合計$$

$$=10,000円\times\frac{1}{4}-(1,200円+500円)=800円$$

$$配当金の\frac{1}{10}=500円\times\frac{1}{10}=50円<800円$$

借　方　科　目	金　額	貸　方　科　目	金　額
繰 越 利 益 剰 余 金	650	未 払 配 当 金	500
		利 益 準 備 金	50
		別 途 積 立 金	100

③ 新株の発行

資本金組入額は会社法規定の最低限度額

$\Rightarrow$ 資本金増加額：$3,750円 \times \dfrac{1}{2} = 1,875円$

$\Rightarrow$ 資本準備金増加額：$3,750円 - 1,875円 = 1,875円$

借　方　科　目	金　　額	貸　方　科　目	金　　額
現　　　　　金	3,750	資　　本　　金	1,875
		資　本　準　備　金	1,875

④ 資本準備金から資本金へ振替え

借　方　科　目	金　　額	貸　方　科　目	金　　額
資　本　準　備　金	200	資　　本　　金	200

⑤ 損益勘定から繰越利益剰余金勘定へ振替え

借　方　科　目	金　　額	貸　方　科　目	金　　額
損　　　　　益	280	繰　越　利　益　剰　余　金	280

確認テスト

 問 題

次の各取引について仕訳しなさい。

① 石和商事株式会社は、会社設立に際し、250株を発行し（払込金額 @¥80,000）、払込金額は当座預金とした。なお、払込金額のうち 会社法で認められる最低限度額を資本金に組み入れることにした。 また、株式発行のための費用¥1,000,000を現金で支払った。

② 中京物産株式会社は、増資にあたり1,200株を発行し（払込金額 @¥75,000）、払込金額は当座預金とした。なお、払込金額のうち 会社法で認められる最低限度額を資本金に組み入れることにした。 また、新株式発行のための費用¥180,000は小切手を振り出して支 払った。

③ 株主総会で繰越利益剰余金の配当等が決議され、利益準備金を積立 て、配当金として¥1,500,000支払い、別途積立金を¥200,000積 立てることとなった。なお、資本金、資本準備金、利益準備金、繰 越利益剰余金勘定の残高はそれぞれ貸方残高¥5,600,000、 ¥350,000、¥1,000,000、¥2,200,000であった。

④ 株主総会で決議した配当金¥1,500,000を小切手を振出して支 払った。

さっくり
1日目

しっかり
2日目

じっくり
2日目

	借 方 科 目	金 額	貸 方 科 目	金 額
①				
②				
③				
④				

第1章 財務諸表・株式会社の純資産

 解答

	借 方 科 目	金 額	貸 方 科 目	金 額
①	当 座 預 金	20,000,000	資 本 金	10,000,000
			資 本 準 備 金	10,000,000
	創 立 費	1,000,000	現 金	1,000,000
②	当 座 預 金	90,000,000	資 本 金	45,000,000
			資 本 準 備 金	45,000,000
	株 式 交 付 費	180,000	当 座 預 金	180,000
③	繰 越 利 益 剰 余 金	1,750,000	未 払 配 当 金	1,500,000
			利 益 準 備 金	50,000
			別 途 積 立 金	200,000
④	未 払 配 当 金	1,500,000	当 座 預 金	1,500,000

 解説

① 会社設立の際の株式の発行費用は創立費（費用）で処理します。
〈資本金の計算〉

$$@¥80,000×250株×\frac{1}{2}=¥10,000,000$$

② 増資における株式の発行費用は株式交付費（費用）で処理します。
〈資本金の計算〉

$$@¥75,000×1,200株×\frac{1}{2}=¥45,000,000$$

さっくり 1日目
しっかり 2日目
じっくり 2日目

LEC東京リーガルマインド 日商簿記2級 光速マスターNEO 商業簿記テキスト〈第6版〉 59

③　配当金の10分の1：¥1,500,000×$\frac{1}{10}$＝¥150,000

　資本金の4分の1：¥5,600,000×$\frac{1}{4}$＝¥1,400,000

　資本準備金と利益準備金の合計：¥350,000＋¥1,000,000

　　　　　　　　　　　　　　　　　　＝¥1,350,000

　¥1,400,000－¥1,350,000より、あと¥50,000だけ積立てれば十分です。

④　③で決議した配当金¥1,500,000を支払います。

第2章 現金預金

第2章

●第2章で学習すること

学習進度目安

さっくり 10日間	しっかり 15日間	じっくり 20日間
2日目	2日目	3日目

① 現金

② 銀行勘定調整表

当座預金口座

ズレ

当座預金勘定の残高

銀行残高証明書の残高

1 現金

3級でも学習した「現金」ですが、簿記の世界の現金である通貨代用証券には、様々なものがあります。2級では、さらにそのバリエーションが増えます！

1 「現金」と呼ぶもの…

簿記の世界では日常生活で使用している通貨や紙幣以外でも「現金」と呼ぶものがあります。それらをまとめて「通貨代用証券」といいました。

通貨代用証券には、「**他人振出小切手**」「**送金小切手**」「**郵便為替証書**」「**期限の到来した公社債の利札**」「**配当金領収証**」などがあります。これらは、すぐにお金に換えてもらうことができる証券なので、簿記の世界で「**現金**」と呼ばれます。

2 公社債の利札とは…

　銀行や証券会社を通じて国や会社が発行している債券を取得することができます。簡単に言えば、債券を取得することは国や会社にお金を貸していることになり、取得する債券のことをまとめて公社債（国債、地方債や社債）と言います。

　また、お金を貸しているわけですから、公社債を持っていると、あらかじめ決められた利払日に利息をもらえます。利払日がきた後で、「利札」という小さな紙を銀行に持っていくと、すぐにお金に換えてもらえるため、「現金」（資産）が増加すると考えます。他方、利札と引き換えにお金がもらえるときは、**有価証券**である公社債から発生した利息であるため、「**有価証券利息**」（収益）という科目で利息部分の収益を表します。

【公社債の利札の期限が到来したとき】

借　方　科　目	金　額	貸　方　科　目	金　額
現　　　　　金	×××	**有 価 証 券 利 息**	×××

資産の増加　　　　　収益の増加

債券を取得するってことはお金を貸していることと同じなんだね

コトバ

有価証券：株式、債券、手形、小切手などの価値のある証券
公社債：国債、地方債、社債等をまとめた呼び名。国債と地方債をまと
　　　　めて公債と呼ぶ。
国債：国が発行する債券（国がする借金）
社債：会社が発行する債券（会社がする借金）
地方債：地方自治体が発行する債券（地方自治体がする借金）
利札：利息を受け取ることができる権利。債券に付いている札で、これ
　　　　を銀行に持っていくと、利息分の現金を受け取ることができる。

株式は１株、２株、３株…と数えるのか

Kazu

持っている株式が多ければ多いほど配当金をたくさんもらえるぜ！！

国や会社は多くの人からお金を借りるために債券を発行するんだね

☆ 仕訳をしてみよう！

問題　八百源がかねてから所有する長野株式会社の社債につき、利払日の到来した利札1,000円があったため処理する。

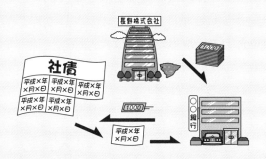

【解答】

借　方　科　目	金　　額	貸　方　科　目	金　　額
現　　　　　金	1,000	有　価　証　券　利　息	1,000

【考え方】

① 利払日の到来した利札があった

　　= 利払日の到来した社債の利札は「現金」

　　⇒ 現金（資産）の増加

② 利払日の到来した利札があった

　　= 社債の利札（有価証券）による収益は「有価証券利息」

　　⇒ 有価証券利息（収益）の増加

3 株式の配当金も…

　株式を持っていると配当金領収証が届き、これを銀行などへ持っていくと「配当金」と呼ばれるお金を受取ることができるため、これを「現金」（資産）として処理します。

　また、配当金として受取ったお金は、**「受取配当金」**（収益）で処理します。

【配当金領収書をもらったとき】

借　方　科　目	金　　額	貸　方　科　目	金　　額
現　　　　　金	×××	**受　取　配　当　金**	×××

現金 → 資産の増加
受取配当金 → 収益の増加

✏️**重要**　　簿記の世界の現金（通貨代用証券）

- ・通貨（硬貨・紙幣）
- ・他人振出小切手
- ・送金小切手
- ・郵便為替証書
- ・期限の到来した公社債の利札
- ・配当金領収証

日常生活と簿記の世界では「現金」の範囲が違うぜ

ま〜ちゃん

☆ 仕訳をしてみよう！

例 2 − 2

問題　八百源がかねてから所有する長野株式会社の株式につき、
配当金領収証1,000円が送られてきたため処理する。

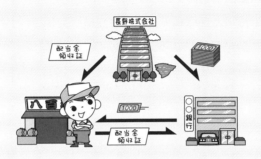

【解答】

借　方　科　目	金　額	貸　方　科　目	金　額
現　　　　　金	1,000	受　取　配　当　金	1,000

【考え方】

① 配当金領収証が送られてきた

　　= 配当金領収証は「現金」

　　⇒ 現金（資産）の増加

② 配当金領収証が送られてきた

　　= 配当金を受取ることによる収益は「受取配当金」

　　⇒ 受取配当金（収益）の増加

2 銀行勘定調整表

イントロダクション

会社は10,000円預金していると思っていても、銀行は8,000円しか預金がないと主張してくる場合があります。会社や銀行がウソをついているわけではありません。なぜズレてしまったのか原因を調査していきましょう！！

ズレていたら
どうしよう？

調査しなきゃ
ダメだぜー

---

1 銀行では口座にいくらお金があることになっているのか!?

　決算日になると、会社は当座預金口座の残高がいくら残っているかを調べるために、銀行に残高証明書を発行してもらいます。もし発行してもらった残高証明書の金額が総勘定元帳の当座預金の残高とズレていたら、その原因をすべて調べます。

コトバ
残高証明書：銀行が発行する当座預金口座の残高を証明する書類

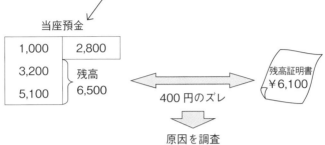

会社は当座預金勘定や当座預金出納帳で当座預金の残高を把握します。

当座預金

1,000	2,800
3,200	残高
5,100	6,500

残高証明書
¥6,100

400円のズレ

原因を調査

会社で帳簿に記録してある当座預金の残高と銀行が把握している当座預金の残高がズレてしまうことがあるんだ

知らないうちに400円なくなってる！

---

2 会社と銀行の金額がズレる原因は何だろう!?

　会社の当座預金勘定の残高と銀行から取り寄せた残高証明書の金額のズレには、会社に原因がある場合と銀行に原因がある場合があります。会社に原因がある場合は、修正の仕訳を行い、会社側でズレを修正します。一方、銀行に原因がある場合は、会社側で修正の仕訳を行う必要はありません。

しっかり2日目

じっくり3日目

☆　会社に原因がある場合　☆

① 未渡小切手

相手に渡すのを忘れたり、渡す日が変更になったりしてまだ渡せてない場合だね

エリート小林

　小切手を相手方に振出したと思って仕訳をしたが、実際には、まだ相手に渡していない小切手を「**未渡小切手**」といいます。この場合、小切手を振出したときに当座預金（資産）の減少を仕訳していますが、実際には渡していないので、それに気づいたときに減らしていた当座預金をもとに戻します。

まだ、もらってないけど…

よし！
これで今月の支払いは全部終わったぞ！

【小切手振出時】

借　方　科　目	金　　額	貸　方　科　目	金　　額
		当　座　預　金	×××

当座預金が減ったのは間違いだったんだ。もとに戻そう！

資産の減少

【未渡しに気づいたとき】

借　方　科　目	金　　額	貸　方　科　目	金　　額
当　座　預　金	×××		

資産の減少の取消し

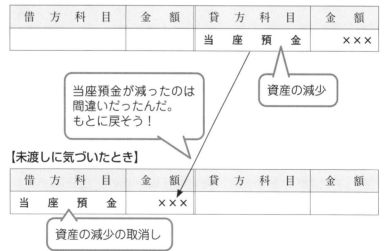

　小切手を振出した理由が掛代金の支払いのために振出したのか、それとも営業費などの会社の費用を支払うために振出したのかによって、未渡しに気づいたときの貸方の勘定科目が異なります。掛代金支払いのために小切手を振出していた場合は、小切手振出時に買掛金（負債）を減らしていますが、未渡しに気づいたときには、減らしていた買掛金をもとに戻します。

【小切手振出時】

借　方　科　目	金　　額	貸　方　科　目	金　　額
買　　掛　　金	×××	当　座　預　金	×××

負債の減少

【未渡しに気づいたとき】

借　方　科　目	金　　額	貸　方　科　目	金　　額
当　座　預　金	×××	買　　掛　　金	×××

負債の減少の取消し

買掛金が減ったのは間違いだったんだ。もとに戻そう！

一方、広告費などの費用の支払いや資産の購入のために小切手を振出していた場合は、費用や資産を計上しますが、未渡しに気づいたときには費用などを支払わなければいけない義務である「未払金」（負債）を計上します。例えば、費用の支払いのときは、以下のようになります。

【小切手振出時】

借　方　科　目	金　　額	貸　方　科　目	金　　額
○　　○　　費	×××	当　座　預　金	×××

費用の増加

【未渡しに気づいたとき】

借　方　科　目	金　　額	貸　方　科　目	金　　額
当　座　預　金	×××	未　　払　　金	×××

費用を取消さないように注意！

負債の増加

かかってしまった会社の費用を減らすことはできないんだね…

エリート小林

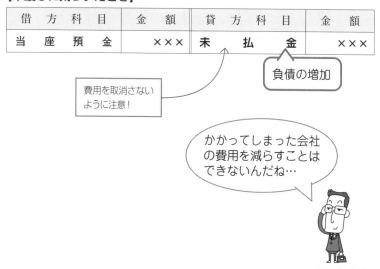

重要　　未渡小切手の貸方の会計処理

ここが
ポイント！

小切手を振出した原因	貸方の勘定科目
掛代金の支払い	買　掛　金
費用などの支払い	未　払　金

② 未記帳

　当座預金を増減する取引があったのに記帳するのを忘れてしまった場合、実際は当座預金が増えているか、または減っています。記帳していないことに気づいたときに、忘れていた仕訳を行い、当座預金を増加または減少させます。

③ 誤記帳

　当座預金を増減する取引があったのに仕訳の金額を間違えてしまったり、借方と貸方を反対に仕訳してしまった場合、実際の当座預金の金額とズレてしまいます。間違った仕訳に気づいたときに訂正仕訳を行い、実際の当座預金の金額に修正します。

☆　銀行に原因がある場合　☆

① 時間外預入

　　銀行の営業時間終了後などに当座預金口座に預け入れた場合、会社は当座預金が増えたと記帳しますが、銀行では当座預金が増えたことを把握できません。そのため、会社が把握している当座預金の金額と銀行の把握している当座預金の金額がズレてしまいます。ただ、この場合、次の営業日になれば銀行は当座預金が増えたことを確認し、記録するのでズレは解消されます。そのため、会社側で記帳する必要はありません。

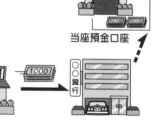

当座預金口座

② 未取付小切手

銀行が
近くにないのよ

小切手

　　掛代金を決済するなどのために会社が小切手を振出したとき、当座預金が減ったと記帳します。一方、小切手をもらった相手側がその小切手を銀行に持っていかないと、銀行は当座預金が減ったことを確認できません。このような小切手を「未取付小切手」といいます。

　　ただ、この場合、小切手をもらった相手側が銀行に小切手を持っていったときに、銀行は当座預金が減ったことを確認し、記録するのでズレは解消されます。そのため、会社側で記帳する必要はありません。

当座預金口座

小切手

小切手

青森商店

③ 未取立小切手

早く取立てろよ！

　　　小切手を銀行へもっていったとき、当座預金が増えたと記帳します。一方、小切手を受取った銀行がその小切手を取立て（相手の預金口座からお金を回収すること）ていなければ当座預金口座は増えません。このような小切手を「**未取立小切手**」といいます。ただ、この場合、いずれ銀行が小切手を取立てて当座預金口座に入金し、当座預金が増えたという処理をすることになるためズレは解消されます。そのため会社側で記帳する必要はありません。

当座預金口座

📖 会社と銀行の金額のズレ!!

原　因	当座預金の修正	
	会社	銀行
未渡小切手	減少の取消し（＝増加）	修正なし
未処理	増加 or 減少	修正なし
誤処理	増加 or 減少	修正なし
時間外預入	修正なし	増加
未取付小切手	修正なし	減少
未取立小切手	修正なし	増加

修正がないってことは正しく処理しているんだね！

さっくり 2日目

しっかり 2日目

じっくり 3日目

例 2 − 3

問題　決算（×2年3月31日）において、青森商店に対する買掛
　　　金決済のために振出した小切手900円と広告費支払いのた
　　　めに振出した小切手500円の両方が未渡しであったことが
　　　判明した。

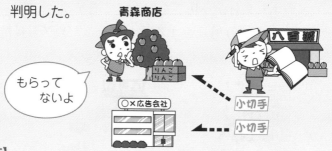

【解答】

借　方　科　目	金　　額	貸　方　科　目	金　　額
当　座　預　金	1,400	買　　掛　　金	900
		未　　払　　金	500

【考え方】

① 小切手が未渡しであった ＝ 未渡小切手

　　⇒ 当座預金の減少の取消し（当座預金の増加）

② 買掛金決済のために振出した小切手

　　⇒ 買掛金の減少の取消し（買掛金の増加）

③ 広告費支払いのために振出した小切手

　　⇒ 未払金（負債）の計上。「広告費」としないように注意！

なお、小切手を振出したときは次のように仕訳をしています。

借　方　科　目	金　　額	貸　方　科　目	金　　額
買　　掛　　金	900	当　座　預　金	1,400
広　　告　　費	500		

☆ 仕訳をしてみよう！

例2-4

問題 決算（×2年3月31日）において、東京商店から売掛金
400円が振込まれたが当社には連絡がなく未記帳であった
ことが判明した。

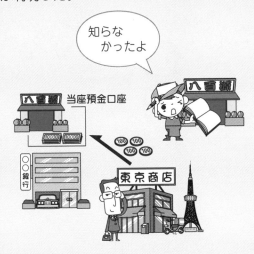

【解答】

借　方　科　目	金　額	貸　方　科　目	金　額
当　座　預　金	400	売　　掛　　金	400

【考え方】
① 未記帳であったことが判明した
　⇒ 修正が必要
② 売掛金の振込みが未記帳
　⇒ 当座預金（資産）の増加
　　売掛金（資産）の減少

☆ 仕訳をしてみよう！

問題 決算（×2年3月31日）において、東京商店から売掛金
1,100円が当座預金口座に振込まれたが当社は誤って
1,700円と記帳していたことが判明した。

全部ちがっ
てたわよ！

つい、うっかり
なんだよ…

【解答】

借 方 科 目	金 額	貸 方 科 目	金 額
売 掛 金	600	当 座 預 金	600

【考え方】

① 誤って記帳していたことが判明した
　⇒ 修正が必要

② 1,100円の振込みが1,700円と誤って記帳
　= 600円多く振込みが記帳されている
　⇒ 600円の当座預金（資産）の増加の取消し
　　（ = 当座預金の減少）
　　600円の売掛金（資産）の減少の取消し
　　（ = 売掛金の増加）

📖 誤記帳の処理の考え方

【誤った仕訳（もともと行われた）】

借　方　科　目	金　額	貸　方　科　目	金　額
当　座　預　金	1,700	売　　掛　　金	1,700

【本来あるべき仕訳】

借　方　科　目	金　額	貸　方　科　目	金　額
当　座　預　金	1,100	売　　掛　　金	1,100

誤った仕訳を本来あるべき仕訳に修正する仕訳が解答の仕訳になる

☆ 仕訳をしてみよう！

例2−6

問題 決算（×2年3月31日）において
　　　① ×2年3月31日に当座預金口座に預け入れた1,500円
　　　　が、銀行では営業時間終了後であったため、次の営業日
　　　　の入金として扱われていたことが判明した。
　　　② 青森商店に対する買掛金決済のため振出した小切手
　　　　1,200円が、銀行に未呈示であったことが判明した。
　　　③ 銀行に取立てを依頼した東京商店振出の小切手1,300
　　　　円が、まだ取立てられていなかったことが判明した。

【解答】①、②、③ともに

借　方　科　目	金　　額	貸　方　科　目	金　　額
仕　訳　な　し			

会社では正しい仕訳がおこなわれているから、修正はいらないんだね

【考え方】
① 営業時間終了後の入金は次の営業日に入金処理
　　＝ 時間外預入
　　⇒ 会社の修正は不要 ⇔ 銀行で当座預金の増加処理
② 買掛金決済のため振出した小切手1,200円が銀行に未呈示
　　＝ 未取付小切手
　　⇒ 会社の修正は不要 ⇔ 銀行で当座預金の減少処理
③ 銀行に取立てを依頼した小切手がまだ取立てられていない
　　＝ 未取立小切手
　　⇒ 会社の修正は不要 ⇔ 銀行で当座預金の増加処理

3 銀行勘定調整表とは…

　会社の当座預金勘定の金額と銀行の把握している当座預金口座の金額とのズレは「**銀行勘定調整表**」という表を作って確かめます。

　銀行勘定調整表には「**企業残高銀行残高区分調整法**」、「**銀行残高基準法**」、「**企業残高基準法**」の3種類があります。

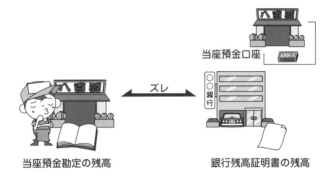

当座預金勘定の残高　　　　　　　　　銀行残高証明書の残高

① 企業残高銀行残高区分調整法

　会社が把握している金額と銀行が把握している金額をあるべき当座預金の金額に調整する方法

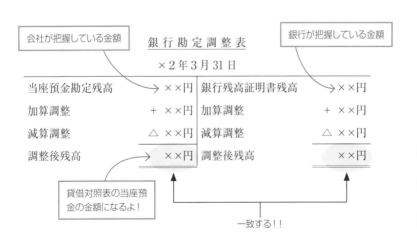

会社が把握している金額	銀 行 勘 定 調 整 表	銀行が把握している金額

×2年3月31日

当座預金勘定残高	××円	銀行残高証明書残高	××円
加算調整	＋ ××円	加算調整	＋ ××円
減算調整	△ ××円	減算調整	△ ××円
調整後残高	××円	調整後残高	××円

貸借対照表の当座預金の金額になるよ！

一致する！！

さっくり
2日目

しっかり
2日目

じっくり
3日目

② 銀行残高基準法

　銀行が把握している金額を会社の把握している金額に調整する方法

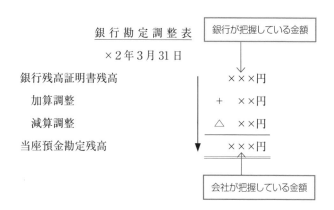

③ 企業残高基準法

　会社が把握している金額を銀行の把握している金額に調整する方法

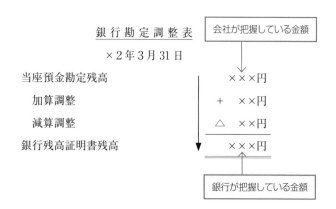

> コトバ
>
> 銀行勘定調整表：当座預金勘定の残高と残高証明書の金額の不
> 　　　　　　　一致原因を調整するための表

例2−7

問題 決算（×2年3月31日）において、当座預金勘定残高が5,600円であるのに対し、銀行残高証明書残高は5,200円であった。原因を調査したところ、【例2−3】から【例2−6】のことが判明した。これらに基づき銀行勘定調整表を作成しなさい。

ズレ

当座預金勘定の残高　　　　　銀行残高証明書の残高

【解答＆考え方】

① 企業残高銀行残高区分調整法の場合

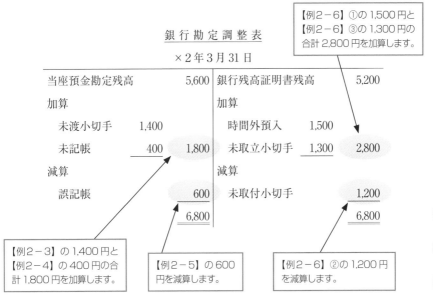

銀 行 勘 定 調 整 表

×2年3月31日

当座預金勘定残高		5,600	銀行残高証明書残高			5,200
加算			加算			
未渡小切手	1,400		時間外預入	1,500		
未記帳	400	1,800	未取立小切手	1,300		2,800
減算			減算			
誤記帳		600	未取付小切手			1,200
		6,800				6,800

【例2−6】①の 1,500 円と【例2−6】③の 1,300 円の合計 2,800 円を加算します。

【例2−3】の 1,400 円と【例2−4】の 400 円の合計 1,800 円を加算します。

【例2−5】の 600 円を減算します。

【例2−6】②の 1,200 円を減算します。

② 銀行残高基準法の場合

銀 行 勘 定 調 整 表

×2年3月31日

銀行残高証明書残高		5,200
加算		
時間外預入	1,500	
未取立小切手	1,300	
誤記帳	600	3,400
減算		
未取付小切手	1,200	
未渡小切手	1,400	
未記帳	400	3,000
当座預金勘定残高		5,600

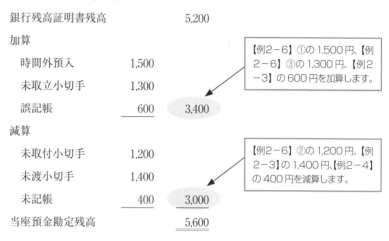

【例2−6】①の1,500円、【例2−6】③の1,300円、【例2−3】の600円を加算します。

【例2−6】②の1,200円、【例2−3】の1,400円、【例2−4】の400円を減算します。

③ 企業残高基準法の場合

銀 行 勘 定 調 整 表

×2年3月31日

当座預金勘定残高		5,600
加算		
未取付小切手	1,200	
未渡小切手	1,400	
未記帳	400	3,000
減算		
時間外預入	1,500	
未取立小切手	1,300	
誤記帳	600	3,400
銀行残高証明書残高		5,200

【例2−6】②の1,200円、【例2−3】の1,400円、【例2−4】の400円を加算します。

【例2−6】①の1,500円、【例2−6】③の1,300円、【例2−5】の600円を減算します。

確認テスト

問題

　当社の決算日現在の当座預金勘定残高340,000円、銀行の残高証明書残高375,000円であり、当該不一致の原因を調査したところ、次の①〜③の事実が判明した。

　そこで、(1) 下記の銀行勘定調整表を作成し、(2) 当期末の貸借対照表に計上される「当座預金」の金額を求め、(3) 必要がある場合には修正事項について仕訳しなさい（仕訳がない場合には借方科目欄を「仕訳なし」とすること）。なお、銀行勘定調整表に当てはまる語句は以下の□□□から選ぶこと。また、空欄全てに記入が必要になるとは限らない。

① 仕入先へ買掛代金支払いのために振出した小切手60,000円が銀行に未呈示であった。

② 買掛金28,000円の支払いのために振出した小切手が、未だ手渡されていないままになっていた。

③ 1ヶ月分の水道光熱費53,000円が口座から引落とされていたが、当社には連絡がなかった。

【銀行勘定調整表に記入する語句】

・時間外預入	・未渡小切手	・未取立小切手
・未取付小切手	・誤処理修正	・未記帳

さっくり
2日目

しっかり
2日目

じっくり
3日目

(1)

<table>
<tr><td colspan="6" align="center">銀 行 勘 定 調 整 表</td><td align="right">（単位：円）</td></tr>
<tr><td>当座預金勘定残高（</td><td></td><td>）</td><td>銀行残高証明書残高（</td><td></td><td>）</td></tr>
<tr><td>加算</td><td></td><td></td><td>加算</td><td></td><td></td></tr>
<tr><td>（　　　　　）（</td><td></td><td>）</td><td>（　　　　　）（</td><td></td><td>）</td></tr>
<tr><td>減算</td><td></td><td></td><td>減算</td><td></td><td></td></tr>
<tr><td>（　　　　　）（</td><td></td><td>）</td><td>（　　　　　）（</td><td></td><td>）</td></tr>
<tr><td></td><td>（</td><td>）</td><td></td><td>（</td><td>）</td></tr>
</table>

(2)

	円

(3)

	借　方　科　目	金　額	貸　方　科　目	金　額
①				
②				
③				

解答

(1)

銀　行　勘　定　調　整　表　　　　　　（単位：円）

当座預金勘定残高 （	340,000 ）	銀行残高証明書残高 （		375,000 ）
加算		加算		
（ **未渡小切手** ） （	28,000 ）	（ 　　　　 ） （		）
減算		減算		
（ **未記帳** ） （	53,000 ）	（ **未取付小切手** ） （		60,000 ）
（	315,000 ）		（	315,000 ）

(2)

315,000 円

> 銀行勘定調整表末尾の金額が
> 貸借対照表の当座預金の金額となる。

(3)

	借　方　科　目	金　額	貸　方　科　目	金　額
①	仕　訳　な　し			
②	当　座　預　金	28,000	買　　掛　　金	28,000
③	水　道　光　熱　費	53,000	当　座　預　金	53,000

さっくり 2日目
しっかり 2日目
じっくり 3日目

解 説

① 未取付小切手は銀行側で調整が必要となる項目であるため、当社での調整は不要となります。
② 買掛金支払いのために小切手を振出しましたが、それが未渡しとなっているため、減らした買掛金を元に戻します。
③ 水道光熱費による引落としの連絡がないため、当社の当座預金を減らします。

債権債務

●第3章で学習すること

学習進度目安

さっくり 10日間	しっかり 15日間	じっくり 20日間
2日目	2日目	3日目
	3日目	
		4日目

① 手形の裏書

② 手形の割引

③ その他の手形取引

④ その他の債権・債務

⑤ 貸倒引当金

1 手形の裏書

イントロダクション

「これを持っていれば満期日にお金がもらえるよ」と言って、自分の持っている手形を他の誰かに渡すこともできます。手形はすぐに他の人に渡せるように、裏面に様々な事項を記入する欄があるので、必要事項を記入し譲渡します。

1 持っている手形を他の人に渡すと…

　得意先などから受け取った手形を、商品仕入れの代金の支払いのために仕入先に譲渡することもできます。手形を渡すときに手形の裏面にサインをすることから、これを「**手形の裏書**」といいます。

　手形を裏書譲渡することで、「満期日に手形金額を受け取る権利」を他の誰かに譲り渡すこととなります。

　つまり、手形を裏書譲渡すると、受取手形（資産）が減少し、満期日にお金を受け取ることはできなくなります。

借　方　科　目	金　額	貸　方　科　目	金　額
		受　取　手　形	×　×　×

　　　　　　　　　　　　　　　　　　資産の減少　　　　手形金額

コトバ
手形の裏書（裏書譲渡）：手形を他の人に渡すこと

☆ 仕訳をしてみよう！

例3−1

問題 八百源は青森商店から商品2,000円を仕入れ、代金として
保有していた京都商店振出の約束手形を裏書譲渡した。

【解答】

借 方 科 目	金 額	貸 方 科 目	金 額
仕　　　　入	2,000	受　取　手　形	2,000

京都商店に対する債権

【考え方】

京都商店振出の約束手形を裏書譲渡した

　＝ 満期日に手形代金を受け取る権利を譲渡

　⇒ 受取手形（資産）の減少

八百源は、満期日に京都商店からお金を
受け取ることができなくなったんだね

八百源の代わりに、手形の譲渡を受
けた青森商店が、京都商店からお金
をもらうことになるんだよ！

さっくり
2日目

しっかり
2日目

じっくり
3日目

手形の裏書譲渡

仕入先から商品を仕入れてくるときの代金は、現金での支払い、掛けでの支払い、または手形を振出しての支払いと色々な支払手段が考えられます。その支払い手段の一つとして手形の裏書譲渡があります。

手形の裏書譲渡は、以前受け取った手形を仕入先に渡すことでお金を支払ったことにします。これにより、仕入先は手形のもともとの振出人から商品の代金を受け取ることになります。

2　他の人が持っていた手形をもらったとき!

　もともと他の人が持っていた約束手形を受取ることがあります。このように、手形を裏書譲渡されると、「満期日に、手形金額を受取る権利」を譲り受けることになります。

　つまり、手形の裏書譲渡を受けることで、受取手形（資産）が増加し、満期日にお金を受け取ることができます。

借 方 科 目	金 額	貸 方 科 目	金 額
受 取 手 形	×××		

資産の増加

☆ 仕訳をしてみよう！

例 3 － 2

問題　八百源は京都商店に商品2,000円を売上げ、代金として神戸商店振出、京都商店宛の約束手形を裏書譲渡された。

【解答】

借　方　科　目	金　額	貸　方　科　目	金　額
受　取　手　形	2,000	売　　　　　上	2,000

神戸商店に対する債権

【考え方】

神戸商店振出、京都商店宛の約束手形を裏書譲渡された

　＝ 満期日に、手形金額を受取る権利を譲り受ける

　⇒ 受取手形（資産）の増加

八百源は満期日に神戸商店から
お金をもらえるんだ！

さっくり
2日目

しっかり
2日目

じっくり
3日目

　商品を売り上げたときなど、他の人から手形の裏書譲渡を受ける場合がありますが、受け取った手形を確認したら以前自分が振出した約束手形だったということがあります。自分が振出した約束手形なので、「自己振出約束手形」といいます。

　以前、約束手形を振出したことにより、自分が満期日にお金を支払わなければいけなかったのですが、同じ手形の裏書を受けることにより、満期日に手形金額を支払わなくてもよくなるのです。

【以前約束手形を振り出したとき】

借　方　科　目	金　額	貸　方　科　目	金　額
		支　払　手　形	×××

> 負債の増加

【自己振出約束手形を受けとったとき】

借　方　科　目	金　額	貸　方　科　目	金　額
支　払　手　形	×××		

> 負債の減少＝負債の増加の取消

　手形金額を支払わなくてもよくなるため、以前、約束手形を振出したときに増やした「支払手形」（負債）を減らします。

📖 約束手形の裏書譲渡を受ける

　得意先に商品を販売すると、その商品の代金は、現金で受取ったり、掛けで支払われたり、または手形により満期日に代金を受取ったりと、色々な代金回収の形がありますが、その代金回収手段の1つとして手形の裏書を受ける場合があります。

　他人が振出した約束手形の裏書を受けると、満期日にもともとの振出人からお金がもらえます。

　他方、自分が以前振出した手形の裏書を受けた場合、誰かからお金がもらえるわけではありません。自分が満期日にお金を支払わなければいけなかったのですが、裏書を受けることにより、その支払いがなくなったと考えるのです。

さっくり
2日目

しっかり
2日目

じっくり
3日目

☆ 仕訳をしてみよう！

例3－3

問題 八百源は京都商店に商品2,000円を売上げ、代金として八
百源振出、青森商店宛の約束手形を裏書譲渡された。

【解答】

借 方 科 目	金 額	貸 方 科 目	金 額
支 払 手 形	2,000	売 上	2,000

【考え方】

八百源振出、青森商店宛の約束手形（自己振出約束手形）を裏書譲
渡された

　　＝ 満期日に、手形金額を支払う必要はなくなった

　　⇒ 支払手形（負債）の減少

2 手形の割引

イントロダクション

手形は小切手とは異なり、満期にならないとお金がもらえません。ただ、満期日の前でも手形を銀行にもっていけば換金することも可能ですが、この場合、満期まで待てなかったことによるペナルティもあります。ここでは、手形を満期日前に換金する処理を学習します。

1 銀行で手形をお金に換えてもらう!

約束手形を持っている人は、満期日になるまで手形金額を受け取ることはできません。しかし、満期日になる前でも、銀行に手形を持っていって手数料を支払えば、銀行からお金をもらうことができます。このように、持っている手形を満期日前に銀行に持っていき、お金に換えてもらうことを「**手形の割引**」といいます。

ここで、手形を割り引くときに銀行に支払う手数料を「**割引料**」といい、手形を割り引いた日から満期日までの日数分の利息とみなして計算します。

> **コトバ**
> 手形の割引：手形を満期日前に銀行に持っていきお金に換えること
> 割引料：手形を割り引くときに銀行に支払う手数料

さっくり
2日目

しっかり
2日目

じっくり
3日目

満期日まで待っていれば、手形金額の全額を受け取ることができますが、満期日よりも前にお金に換えると、手形金額から割引料を差し引いた残額しか受け取れなくなります。

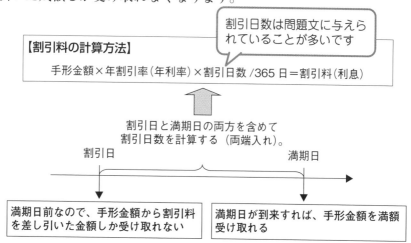

【割引料の計算方法】

手形金額×年割引率（年利率）×割引日数 /365 日＝割引料（利息）

割引日数は問題文に与えられていることが多いです

割引日と満期日の両方を含めて割引日数を計算する（両端入れ）。

割引日　　　　　　　　　　　　　　　　　　満期日

満期日前なので、手形金額から割引料を差し引いた金額しか受け取れない

満期日が到来すれば、手形金額を満額受け取れる

また、手形を割り引くと、「満期日に手形金額を受け取る権利」を銀行に譲り渡すことになるため、受取手形（資産）が減少します。同時に、銀行に支払った割引料は、「**手形売却損**」という費用（営業外費用）の勘定科目で仕訳します。銀行に支払った割引料は、利息の性質があるため、利息と同じように計算しますが、仕訳では「支払利息」を使いません。

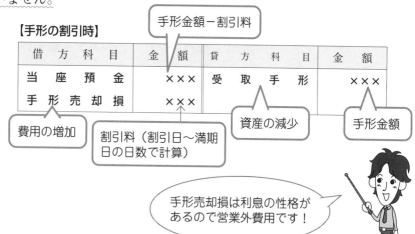

【手形の割引時】

借　方　科　目	金　額	貸　方　科　目	金　額
当　座　預　金	×××	受　取　手　形	×××
手　形　売　却　損	×××		

手形金額－割引料

費用の増加

割引料（割引日〜満期日の日数で計算）

資産の減少

手形金額

手形売却損は利息の性格があるので営業外費用です！

☆ 仕訳をしてみよう！

例3-4

問題 4月11日、八百源は京都商店振出、八百源宛の約束手形2,000円（満期日4月30日）を銀行で割引き、割引料を差引かれ、手取り金を当座預金とした。割引日数は20日、割引率は年7.3%である。

【解答】

借　方　科　目	金　　額	貸　方　科　目	金　　額
当　座　預　金	1,992	受　取　手　形	2,000
手　形　売　却　損	8		

京都商店に対する債権

2,000円（額面）×7.3%（年利率）×20日/365日

【考え方】

① 京都商店振出、八百源宛の約束手形を銀行で割り引いた

　＝ 満期日に手形代金を受け取る権利を譲渡

　⇒ 受取手形（資産）の減少

② 京都商店振出、八百源宛の約束手形を銀行で割引いた

　＝ 割引日から満期日までの利息を支払う（割引料の支払い）

　⇒ 手形売却損（費用）の増加

さっくり
2日目

しっかり
2日目

じっくり
3日目

3 その他の手形取引

イントロダクション

満期になっても手形のお金がもらえない場合や手形の支払いを延長する場合、さらには手形で車などを購入する場合などを見ていきます。手形の処理は様々なパターンがありますが、ケースごとに処理を一つ一つおさえていけば難しいことはありません。

1 手形金額が支払えなくなったとき

手形金額の支払人のお金がなくなるなどの理由で、手形金額が満期日に支払われないことを「**手形の不渡り**」といいます。

持っている手形が不渡りになった場合、満期日にお金をもらえる権利がなくなるので「**受取手形**」（資産）を減らし、不渡りになったお金を請求することができる権利を「**不渡手形**」（資産）で表します。このときに、不渡りになったためにかかった支払拒絶証書（不渡りを証明するための書類）作成費用等のお金も合わせて請求できます。

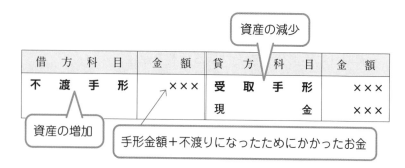

借 方 科 目	金 額	貸 方 科 目	金 額
不 渡 手 形	×××	受 取 手 形	×××
		現 金	×××

資産の減少

資産の増加

手形金額＋不渡りになったためにかかったお金

☆ 仕訳をしてみよう！

例 3 - 5

問題　① 八百源は京都商店に商品2,000円を売上げ、代金として
　　　　神戸商店振出、京都商店宛の約束手形を裏書譲渡され
　　　　た。
　　　② ①の約束手形が不渡りとなり、八百源は支払拒絶証書を
　　　　作成して京都商店に償還請求した。なお、支払拒絶証書
　　　　の作成費用など10円は現金で支払った。

【解答】

①

借　方　科　目	金　　額	貸　方　科　目	金　　額
受　取　手　形	2,000	売　　　　　上	2,000

②

借　方　科　目	金　　額	貸　方　科　目	金　　額
不　渡　手　形	2,010	受　取　手　形	2,000
		現　　　　　金	10

手形金額2,000円
＋支払拒絶証書作成費用10円

【考え方】

① 裏書譲渡された

　　⇒ 受取手形（資産）の増加

② 不渡りとなる

　　＝ 手形金額2,000円と不渡りになったためにかかったお金である

　　　支払拒絶証書の作成費用など10円を合わせた2,010円が不渡手

　　　形の金額

　　⇒ 不渡手形（資産）の増加

2　手形金額の支払いを待ってもらう

　満期になっても手形の金額を支払うことができないなどの理由で、手形の満期日を延ばしてもらうことがあります。手形を振出した会社は、古い手形を返してもらい、満期日が延びた新しい手形を振出します。これを「**手形の更改**」といいます。

【手形を更改したとき（振出人の仕訳）】

借　方　科　目	金　　額	貸　方　科　目	金　　額
支 払 手 形 （旧）	×××	支 払 手 形 （新）	×××

古い手形を返してもらうので**負債の減少**

新しい手形を振出すので**負債の増加**

重要　支払手形の更改の仕訳

古い手形債務と新しい手形債務を区別する。借方と貸方の「支払手形」を相殺して、仕訳なしとしてはいけない！

また、手形を更改すると満期日が延びるので、延びた分だけ利息が発生します。手形の振出人は利息を支払うことになりますが、現金で支払う場合と、新しい手形の額面全額に含める場合があります。

【利息を現金で受渡しする場合（振出人の仕訳）】

借　方　科　目	金　額	貸　方　科　目	金　額
支 払 手 形 （旧）	×××	支 払 手 形 （新）	×××
支　払　利　息	×××	現　　　　金	×××

延びた分の利息

【利息を新しい手形の額面金額に含める場合（振出人の仕訳）】

借　方　科　目	金　額	貸　方　科　目	金　額
支 払 手 形 （旧）	×××	支 払 手 形 （新）	×××
支　払　利　息	×××		

手形の額面＋延びた分の利息

さっくり
2日目

しっかり
3日目

じっくり
3日目

☆ 仕訳をしてみよう！

例3−6

問題 ① 八百源は青森商店から商品2,000円を仕入れ、代金とし
て青森商店宛の約束手形を振出した。

② ①の約束手形の満期日を迎え、八百源は青森商店に支払
延期を申し出て承諾してもらい、新たな手形と交換し
た。なお、期間延長に伴う利息は50円である。

【解答】

①

借　方　科　目	金　　額	貸　方　科　目	金　　額
仕　　　　　　入	2,000	支　払　手　形	2,000

②

【利息を現金で受渡しする場合】

借　方　科　目	金　　額	貸　方　科　目	金　　額
支　払　手　形	2,000	支　払　手　形	2,000
支　払　利　息	50	現　　　　　　金	50

【利息を新しい手形の額面金額に含める場合】

借　方　科　目	金　　額	貸　方　科　目	金　　額
支　払　手　形	2,000	支　払　手　形	2,050
支　払　利　息	50		

3 手形金額の支払いを待ってあげる

　手形の更改を頼まれ、それを承諾した会社は、いったん古い手形を相手に返し、改めて満期日が延びた新しい手形を受取ります。

【手形を更改したとき（名宛人の仕訳）】

借　方　科　目	金　額	貸　方　科　目	金　額
受 取 手 形 （ 新 ）	×××	受 取 手 形 （ 旧 ）	×××

新しい手形をもらうので
資産の増加

古い手形を返すので
資産の減少

重要　**受取手形の更改の仕訳**

　古い手形債権と新しい手形債権を区別する。借方と貸方の「受取手形」を相殺して、仕訳なしとしてはいけない！

さっくり
2日目

しっかり
3日目

じっくり
3日目

手形の受取人は手形金額の受取りを待つことになるので、利息をもらうことになりますが、現金でもらう場合と、新しい手形の額面金額に含める場合があります。

利息たっぷりだぜ！

ま〜ちゃん

【利息を現金で受渡しする場合（名宛人の仕訳）】

借　方　科　目	金　　額	貸　方　科　目	金　　額
受 取 手 形 （新）	×××	受 取 手 形 （旧）	×××
現　　　　　　金	×××	受　取　利　息	×××

延びた分の利息

【利息を新しい手形の額面金額に含める場合（名宛人の仕訳）】

借　方　科　目	金　　額	貸　方　科　目	金　　額
受 取 手 形 （新）	×××	受 取 手 形 （旧）	×××
		受　取　利　息	×××

手形の額面＋延びた分の利息

☆　仕訳をしてみよう！

例3-7

問題　① 八百源は京都商店に商品2,000円を売上げ、代金として
　　　京都商店振出、八百源宛の約束手形を受取った。

　　② ①の約束手形の満期日を迎え、八百源は京都商店から支
　　　払延期の申し出を受けて承諾し、新たな手形と交換し
　　　た。なお、期間延長に伴う利息は50円である。

【解答】

①

借 方 科 目	金 額	貸 方 科 目	金 額
受 取 手 形	2,000	売 上	2,000

②

【利息を現金で受渡しする場合】

借 方 科 目	金 額	貸 方 科 目	金 額
受 取 手 形	2,000	受 取 手 形	2,000
現 金	50	受 取 利 息	50

【利息を新しい手形の額面金額に含める場合】

借 方 科 目	金 額	貸 方 科 目	金 額
受 取 手 形	2,050	受 取 手 形	2,000
		受 取 利 息	50

4 商品以外の代金を手形で払ったり、手形で受取ったりすると…

　備品や車両など商品ではないものを手形で買う場合があります。このような主たる営業取引以外での手形の支払いは、「**営業外支払手形**」（負債）として記帳します。

借　方　科　目	金　　額	貸　方　科　目	金　　額
		営 業 外 支 払 手 形	×××

負債の増加

　一方、備品や車両など商品ではないものを売って手形を受取る場合があります。このような主たる営業取引以外での手形の受取りは、「**営業外受取手形**」（資産）として記帳します。

借　方　科　目	金　　額	貸　方　科　目	金　　額
営 業 外 受 取 手 形	×××		

資産の増加

通常の「支払手形」や「受取手形」はメインの営業取引で使う科目なんだよ！

☆ 仕訳をしてみよう！

例3−8

問題　八百源は応接室で使用するための高級ソファーを横浜商店
　　　から購入し、購入代金9,000円のうち2,000円は翌月末に
　　　支払い、残額は翌々月末を支払期日とする横浜商店宛の約
　　　束手形を振出して支払った。

【解答】

借　方　科　目	金　額	貸　方　科　目	金　額
備　　　　　品	9,000	未　　払　　金	2,000
		営 業 外 支 払 手 形	7,000

【考え方】

① 応接室で使用するための高級ソファー ＝ 商品ではない

　　⇒ 翌月末に支払う代金2,000円は「未払金」（負債）

② 応接室で使用するための高級ソファー ＝ 商品ではない

　　⇒ 翌々月末を支払期日とする横浜商店宛の約束手形7,000円は

　　「営業外支払手形」（負債）

もし、通常の商品売買なら
「買掛金」と「支払手形」を
使います！

エリート小林

☆ 仕訳をしてみよう！

例3-9

問題 期首において、八百源は、応接室で使用していた高級ソファー（取得価額9,000円、減価償却累計額6,300円）を沖縄商店に3,000円で売却し、売却代金のうち1,000円は翌月末に受取り、残額は翌々月末を支払期日とする、沖縄商店振出、八百源宛の約束手形で受取った。

【解答】

借 方 科 目	金 額	貸 方 科 目	金 額
減価償却累計額	6,300	備　　　　　品	9,000
未　収　入　金	1,000	固定資産売却益	300
営業外受取手形	2,000		

【考え方】

① 応接室で使用するための高級ソファー ＝ 商品ではない

　⇒ 翌月末に受取る代金1,000円は「**未収入金**」（資産）

② 応接室で使用するための高級ソファー ＝ 商品ではない

　⇒ 翌々月末を支払期日とする沖縄商店振出、八百源宛の約束手形2,000円は「**営業外受取手形**」（資産）

もし、通常の商品売買なら「売掛金」と「受取手形」を使うんだ！

4 その他の債権・債務

イントロダクション

電子記録債権・電子記録債務やクレジット売掛金に関する会計処理は3級でも学習しましたが、2級では少し応用的な内容を学習します。
電子記録債権を譲渡する場合や、消費税を考慮した場合のクレジット売掛金の処理を見ていきましょう。

1 コンピューターで債権・債務を管理する!?

売掛金や受取手形は、印紙税がかかるなど手続きが大変で費用もかかります。また、手形は紛失する危険もあります。そこで、売掛金や受取手形の代わりに債権をコンピューターに記録して管理する「**電子記録債権**」があります。また同じように、買掛金などの掛債務や支払手形などの手形債務も、コンピューターに記録して管理する「**電子記録債務**」があります。

【電子記録債権・電子記録債務】

発生記録の請求	債権者請求方式	債権者側が発生記録の請求を行う方法
	債務者請求方式	債務者側が発生記録の請求を行う方法

2 電子記録債権を譲渡する!!

　電子記録債権は譲渡記録を行うことで他の人に譲渡することができます。譲渡記録を行い、電子記録債権を他の人に譲渡したときは「電子記録債権」（資産）を減らし、**電子記録債権の額ともらったお金の金額との差額を「電子記録債権売却損」（費用）** として仕訳します。早く現金化（回収）できるため、額面より低い対価を受取ることになり、損（費用）が発生します。

【電子記録債権譲渡時】

借　方　科　目	金　　額	貸　方　科　目	金　　額
現　　　　　金	×××	電 子 記 録 債 権	×××
電子記録債権売却損	×××		

　　費用の増加

　　電子記録債権－もらった金額

手形の割引と同じだね！

例3−10

問題　① 八百源は商品1,400円を横浜商店に売上げ、代金は掛けとした。

② 八百源は①の売上代金につき、発生記録の請求を行い、横浜商店の承諾を得て電子記録に係る債権1,400円が生じた。

③ 譲渡記録により、②の電子記録債権のうち1,000円分を現金900円と引き換えに沖縄商店に譲渡した。

【解答】

①

借　方　科　目	金　　額	貸　方　科　目	金　　額
売　　掛　　金	1,400	売　　　　　上	1,400

②

借　方　科　目	金　　額	貸　方　科　目	金　　額
電 子 記 録 債 権	1,400	売　　掛　　金	1,400

③

借　方　科　目	金　　額	貸　方　科　目	金　　額
現　　　　　金	900	電 子 記 録 債 権	1,000
電子記録債権売却損	100		

【考え方】

② 発生記録の請求を行い、電子記録債権が発生した

⇒「電子記録債権」（資産）の増加

③ 1,000円の電子記録債権を現金900円と引き換えに譲渡

⇒「電子記録債権」（資産）の減少、「電子記録債権売却損」（費用）の増加（現金900円−電子記録債権1,000円 ＝ 売却損100円）

3 クレジットで商品を売ると

　クレジットカードなどで商品を売った場合、通常の売掛金と区別するために「**クレジット売掛金**」（資産）の増加として仕訳します。また、クレジットカードなどで商品を売ると、信販会社に手数料を支払わなければいけません。その手数料を「**支払手数料**」（費用：販売費及び一般管理費）として仕訳します。そのため、「**クレジット売掛金**」（資産）は信販会社への手数料を差し引いた金額とします。なお、消費税が課される問題の場合、販売代金には課税されますが、手数料には課税されません。

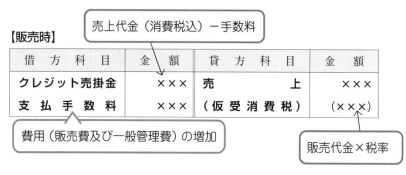

【販売時】

売上代金（消費税込）－手数料

借　方　科　目	金　額	貸　方　科　目	金　額
クレジット売掛金	×××	売　　　　　　上	×××
支　払　手　数　料	×××	（仮　受　消　費　税）	(×××)

費用（販売費及び一般管理費）の増加

販売代金×税率

　後日、信販会社から手数料を差し引いた金額が振込まれたときに「**クレジット売掛金**」（資産）の減少を仕訳します。

【入金時】

借　方　科　目	金　額	貸　方　科　目	金　額
当　座　預　金	×××	クレジット売掛金	×××

売上代金（消費税込）－手数料

☆ 仕訳をしてみよう！

例3−11

問題 ① 八百源は商品7,000円をクレジット払いの条件で販売した。販売代金の1％を信販会社へのクレジット手数料として販売時に認識する。なお、消費税の税率は販売代金の10％とし、税抜方式で処理すること。また、クレジット手数料に消費税は課されない。
② 後日、信販会社から1％の手数料を差引いた金額が当座預金口座に入金された。

【解答】

①

借 方 科 目	金 額	貸 方 科 目	金 額
クレジット売掛金	7,630	売　　　　上	7,000
支 払 手 数 料	70	仮 受 消 費 税	700

②

借 方 科 目	金 額	貸 方 科 目	金 額
当 座 預 金	7,630	クレジット売掛金	7,630

【考え方】

①-1 仮受消費税：売上7,000円×消費税率10％ = 700円

①-2 手数料：7,000円×1％ = 70円

①-3 クレジット売掛金：商品の売却代金（消費税込）7,700円
　　　　　　　　　　　　　− 手数料70円 = 7,630円

さっくり 2日目 / しっかり 3日目 / じっくり 4日目

4 ほかの人の債務を保証する

　会社が銀行などからお金を借りるとき、無条件で借りられるとは限りません。もし、お金を返せなくなったときに備えて「**保証人**」を設定しなければいけない場合があります。保証人はお金を借りた人（主たる債務者）がお金を返せなくなった場合に、代わりに借入金の返済を行わなければなりません（図②）。ただ、保証人の返済はあくまでもお金を借りた人（主たる債務者）の返済を一時的に立替えただけなので、保証人はその後お金を借りた人（主たる債務者）に対して立替分の返還請求ができます（図③）。

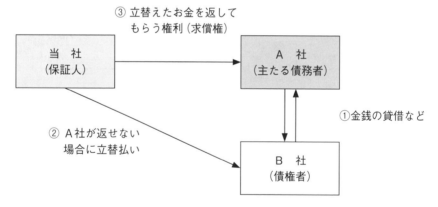

　会社がある会社の保証人になった場合であっても、自分の会社が借入金などの負債を負うわけではないので、借入金などは財務諸表に計上されません。ただし、債務を保証していることを忘れないようにするための仕訳をします（備忘記録）。

　具体的には、「**保証債務**」勘定と「**保証債務見返**」勘定を使い、借入金などの金額で仕訳をします。備忘記録はあくまでもメモの仕訳なので、貸借対照表には表示されません。

116　LEC東京リーガルマインド　日商簿記2級 光速マスターNEO 商業簿記テキスト〈第6版〉

【保証人となったとき】

借 方 科 目	金 額	貸 方 科 目	金 額
保 証 債 務 見 返	×××	保 証 債 務	×××

主たる債務者の債務額

忘れないように仕訳でメモするんだね

「保証債務見返」と「保証債務」はワンセットだから、必ず同じ金額になるよ！

　お金を借りた会社が無事に返済できたら、保証人となったときの反対仕訳を行い、備忘記録を取消します。

【保証人でなくなったとき】

借 方 科 目	金 額	貸 方 科 目	金 額
保 証 債 務	×××	保 証 債 務 見 返	×××

主たる債務者の債務額

　一方、お金を借りた会社がお金を返せなくなったときは、保証人が立替払いをします。同時に立替えたお金を返してもらう権利も発生するので、その権利を「**未収入金**」（資産）で表します。また、このときに保証人としての役目を終えるので備忘記録も取消します。

【立替払いをしたとき】

借 方 科 目	金 額	貸 方 科 目	金 額
未 収 入 金	×××	現 金 な ど	×××
保 証 債 務	×××	保 証 債 務 見 返	×××

立替えたお金を返してもらう権利

立替えた金額

さっくり
2日目

しっかり
3日目

じっくり
4日目

☆ 仕訳をしてみよう！

例3−12

問題 ① 横浜商店が銀行から借入をするにあたって、八百源は横
浜商店の保証人となった。なお、横浜商店の借入金は
10,000円であった。
② 横浜商店が10,000円の借入金を無事返済した。
③ ②で仮に横浜商店が借入金10,000円を返済できず、八
百源が銀行に対して10,000円分の小切手を振出し立替
払いした場合

【解答】

①

借 方 科 目	金 額	貸 方 科 目	金 額
保 証 債 務 見 返	10,000	保 証 債 務	10,000

②

借 方 科 目	金 額	貸 方 科 目	金 額
保 証 債 務	10,000	保 証 債 務 見 返	10,000

③

借 方 科 目	金 額	貸 方 科 目	金 額
未 収 入 金	10,000	当 座 預 金	10,000
保 証 債 務	10,000	保 証 債 務 見 返	10,000

【考え方】

① 横浜商店の保証人となった

　⇒「保証債務」の増加

　　「保証債務見返」の増加

② 横浜商店が借入金を無事返済した

　＝ 横浜商店の保証人でなくなる

　⇒「保証債務」の減少

　　「保証債務見返」の減少

③ 横浜商店が借入金を返済できず、八百源が銀行に対して立替払い

　した

　⇒「未収入金」（資産）の増加

　　「保証債務」の減少

　　「保証債務見返」の減少

とりあえず③の1行目の仕訳
ができるようにしましょう

返してもらえる
可能性は低いね…

さっくり
2日目

しっかり
3日目

じっくり
4日目

5 貸倒引当金

イントロダクション

貸倒引当金について詳しく学習します。貸倒引当金は試験上とても重要性の高い論点になり、応用的な内容の出題も考えられます。そのため、まずはこのテキストで基本的な内容を確実にマスターしてください。

貸したお金が
返ってこなかったら
どうしよー…

1 倒産に備えておく…

決算において、期末時点の受取手形や売掛金のうち回収できなくなるかもしれないと思う金額（貸倒見積額）を見積り、その分だけ「**貸倒引当金**」を設定します。

お金がもらえなくなるとき
に備えて準備するんだ！

Kazu

電子記録債権やクレジット売掛金に
も貸倒引当金を設定するんだよ

2 前期に発生した売掛金が貸倒れてしまったとき

　前期に商品を掛けで売上げていて、このときに発生した売掛金が前期末時点で未回収の場合、前期末の決算時に、この売掛金を対象として貸倒引当金を設定しています。そして、この売掛金が当期になって貸倒れた場合は、「**貸倒引当金**」を充当することができます。また、貸倒引当金の金額よりも多額の貸倒れが起こってしまった場合には、貸倒引当金が足りなかった分だけ損失が出てしまいます。これは「**貸倒損失**」という費用で表します。

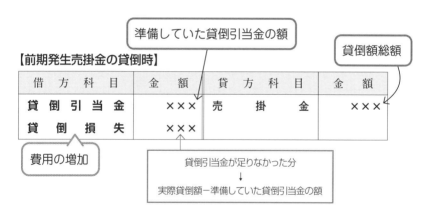

【前期発生売掛金の貸倒時】

準備していた貸倒引当金の額

貸倒額総額

借　方　科　目	金　額	貸　方　科　目	金　額
貸　倒　引　当　金	×××	売　　掛　　金	×××
貸　倒　損　失	×××		

費用の増加

貸倒引当金が足りなかった分
↓
実際貸倒額－準備していた貸倒引当金の額

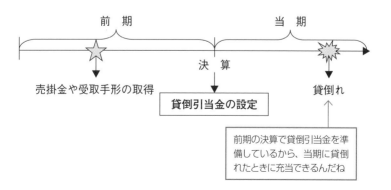

前期　　　　　　　　　　　　　当期

決　算

売掛金や受取手形の取得

貸倒れ

貸倒引当金の設定

前期の決算で貸倒引当金を準備しているから、当期に貸倒れたときに充当できるんだね

☆ 仕訳をしてみよう！

例3−13

問題　京都商店が倒産し、前期に発生した京都商店に対する売掛
　　　金180円が貸倒れた。なお、このときの貸倒引当金勘定の
　　　残高は160円であった。

京都商店が倒産
しちゃった！

払えなくなって
しまいました

取崩し

【解答】

借 方 科 目	金 額	貸 方 科 目	金 額
貸 倒 引 当 金	160	売　　掛　　金	180
貸 倒 損 失	20		

「貸倒引当金」が足りない分
は「貸倒損失」だね！

【考え方】

① 実際の貸倒額180円＞貸倒引当金勘定の残高160円

　　⇒ 残っている貸倒引当金をすべて取崩す

② 実際の貸倒額180円 − 貸倒引当金勘定の残高160円

　　= 不足分20円

　　⇒ 貸倒損失（費用の増加）

3 当期に発生した売掛金が貸倒れてしまったとき

　当期に商品を掛けで売上げていて、このときに発生した売掛金が当期にすぐ貸倒れた場合は、この売掛金を対象とした貸倒引当金は設定していないので、貸倒引当金を充当することはできません。貸倒れた売掛金をすべて「**貸倒損失**」（費用）とします。

【当期発生売掛金の貸倒時】

借　方　科　目	金　　額	貸　方　科　目	金　　額
貸　倒　損　失	×××	売　　掛　　金	×××

費用の増加　　　　　　　　　　　　　　　　貸倒額総額

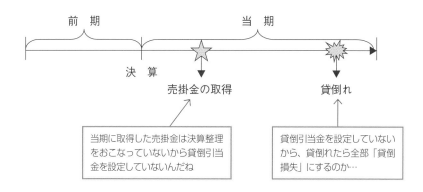

当期に取得した売掛金は決算整理をおこなっていないから貸倒引当金を設定していないんだね

貸倒引当金を設定していないから、貸倒れたら全部「貸倒損失」にするのか…

☆ 仕訳をしてみよう！

問題　京都商店が倒産し、当期に発生した京都商店に対する売掛金180円が貸倒れた。なお、この時の貸倒引当金勘定の残高は160円であった。

払えなくなってしまいました

京都商店が倒産しちゃった！

【解答】

借　方　科　目	金　　額	貸　方　科　目	金　　額
貸　倒　損　失	180	売　　掛　　金	180

「貸倒引当金」を準備していないから、全部「貸倒損失」にするよ！

【考え方】

① 当期に発生した売掛金が貸倒れた

　＝ 当期分については貸倒引当金が設定されていない

　＝ 充当する貸倒引当金がない

　⇒ 全額「貸倒損失」（費用の増加）

4　倒産しそうな会社に対しては、個別に評価

　ここまでは、売掛金などの債権全体に対して回収できない金額を見積って貸倒引当金を設定しました（**一括評価**）。しかし、倒産しそうな会社に対する債権は貸倒れる可能性が高いので、他の正常な債権とは区別して貸倒引当金を設定します（**個別評価**）。その金額についても正常な債権とは違う方法で算定します。

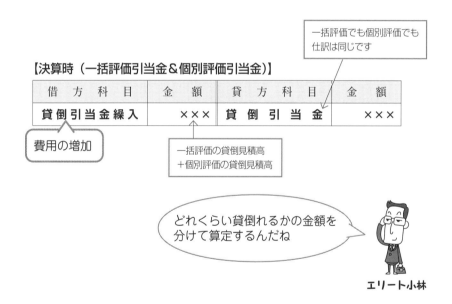

【決算時（一括評価引当金＆個別評価引当金）】

一括評価でも個別評価でも仕訳は同じです

借　方　科　目	金　　額	貸　方　科　目	金　　額
貸 倒 引 当 金 繰 入	×××	**貸 倒 引 当 金**	×××

費用の増加

一括評価の貸倒見積高
＋個別評価の貸倒見積高

どれくらい貸倒れるかの金額を分けて算定するんだね

エリート小林

コトバ

一括評価引当金：通常の会社に対する債権など会社が計上している債権全体に対して設定する引当金

個別評価引当金：倒産しそうな会社に対する債権など、個別的に設定する引当金

さっくり 2日目

しっかり 3日目

じっくり 4日目

☆ 仕訳をしてみよう！

例3−15

問題　八百源は決算にあたり、売掛金の残高9,000円に対し2％の貸倒引当金を設定する。ただし、この9,000円には倒産しそうな京都商店に対する売掛金2,000円が含まれており、個別に800円の貸倒引当金を設定する。なお、貸倒引当金の残高が100円ある。

【解答】

借　方　科　目	金　　額	貸　方　科　目	金　　額
貸 倒 引 当 金 繰 入	840	貸 倒 引 当 金	840

【考え方】

① （売掛金残高9,000円 − 京都商店に対する売掛金2,000円）× 2％
　　= 140円（一括評価引当金）

② 京都商店に対する売掛金2,000円に対する貸倒見積高800円（個別評価引当金）

③ 一括評価引当金140円 + 個別評価引当金800円 = 940円

④ 貸倒引当金繰入 = 940円 − 100円 = 840円

📖 倒産しそうな会社に対する貸倒引当金の見積り

【例3-15】では、倒産しそうな京都商店の売掛金に対する貸倒引当金800円は問題文で与えられていましたが、自分で計算しなければいけない場合もあります。

例えば、正常な債権よりも貸倒れる可能性が高くなるので、その割合を変えて「京都商店に対する売掛金に対し5%の貸倒引当金を設定する」と問われる場合も考えられます。この場合は2,000円×5%＝100円が京都商店の売掛金に対する貸倒引当金になります。

また、京都商店の財政状態や経営成績がさらに悪く、貸倒れの可能性がもっと高ければ「京都商店に対する売掛金に対し債権額から設定担保の処分見込額600円を控除した残額の50%の金額の貸倒引当金を設定する」と問われる場合も考えられるでしょう。この場合は（2,000円－600円）×50%＝700円が京都商店の売掛金に対する貸倒引当金になります。

ここで、「担保の設定」とは、売掛金や貸付金などの債権を取得するときに、相手側（債務者）が返済できなくなった場合に相手側（債務者）の資産を売り、その金額で返済できるように約束することです。そのため、「設定担保の処分見込額600円」は確実に回収できるお金を表します。

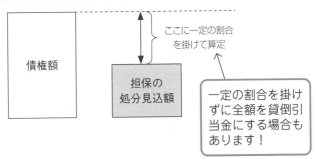

ここに一定の割合を掛けて算定

一定の割合を掛けずに全額を貸倒引当金にする場合もあります！

さっくり 2日目
しっかり 3日目
じっくり 4日目

5 貸倒引当金繰入はどこに表示するの?

　売掛金や受取手形など営業取引の中で発生する債権を「**営業債権**」といいます。一方、貸付金や未収金など営業取引以外で発生する債権を「**営業外債権**」といいます。

> コトバ
>
> 営業債権：営業取引の中で発生する債権
> 営業外債権：営業取引以外の取引で発生する債権

　貸付金などの「**営業外債権**」も回収できない可能性があるので営業債権と同じように貸倒引当金を設定します。

　損益計算書に表示するときは、営業債権に対する貸倒引当金繰入は「**販売費及び一般管理費**」の区分に表示し、営業外債権に対する貸倒引当金繰入は「**営業外費用**」の区分に表示します。また、貸倒損失の表示区分も貸倒引当金繰入額と同じように考えます。

どこに書けばいいのかな?

重要　**貸倒引当金繰入及び貸倒損失の損益計算書の表示区分**

債権の分類	損益計算書の区分
営業債権	販売費及び一般管理費
営業外債権	営業外費用

☆ 仕訳をしてみよう！

例3－16

問題 八百源は決算にあたり、売掛金の残高6,000円と貸付金の残高4,000円に対し2％の貸倒引当金を設定する。なお、当期末以前に貸倒引当金の残高はない。

【解答】

【売掛金に対する貸倒引当金の設定】

借 方 科 目	金 額	貸 方 科 目	金 額
貸 倒 引 当 金 繰 入	120	貸 倒 引 当 金	120

費用（販売費及び一般管理費）の増加

【貸付金に対する貸倒引当金の設定】

借 方 科 目	金 額	貸 方 科 目	金 額
貸 倒 引 当 金 繰 入	80	貸 倒 引 当 金	80

費用（営業外費用）の増加

【考え方】

① 売掛金 ＝ 営業債権

  ⇒ 貸倒引当金繰入は「販売費及び一般管理費」

② 貸付金 ＝ 営業外債権

  ⇒ 貸倒引当金繰入は「営業外費用」

さっくり
2日目

しっかり
3日目

じっくり
4日目

確認テスト

問題

次の各取引について仕訳しなさい。

1. 星商店振出の約束手形200,000円が本日満期を迎えたが、同社より支払延期の申し出があり、当社はこれを承諾し、期間延期に伴う利息3,000円を加えた新手形と交換した。

2. 宮崎商店は、大分商店から裏書譲渡された約束手形300,000円の支払いが拒絶されたので、支払拒絶証書を作成して大分商店に対し償還請求をした。なお、支払拒絶証書作成費用など3,000円は現金で支払った。

3. 新潟商店は譲渡記録により、所有する電子記録債権のうち120,000円分を現金117,000円と引き換えに山梨商店に譲渡した。

4. 函館商事は商品98,000円をクレジット払いの条件で、札幌商店に商品を販売した。販売代金の3％を信販会社へのクレジット手数料として販売時に認識する。なお、消費税の税率は販売代金の10％とし、税抜方式で処理すること。また、クレジット手数料に消費税は課されない。

	借 方 科 目	金 額	貸 方 科 目	金 額
①				
②				
③				
④				

解 答

	借　方　科　目	金　額	貸　方　科　目	金　額
①	受　取　手　形	203,000	受　取　手　形	200,000
			受　取　利　息	3,000
②	不　渡　手　形	303,000	受　取　手　形	300,000
			現　　　　　金	3,000
③	現　　　　　金	117,000	電　子　記　録　債　権	120,000
	電子記録債権売却損	3,000		
④	クレジット売掛金	104,860	売　　　　　上	98,000
	支　払　手　数　料	2,940	仮　受　消　費　税	9,800

 解 説

① 受取手形を更改したときは、満期日の延長に伴う利息を受取ります。このとき、本問のように利息を新しい手形の金額に加える場合と更改時に現金で受取る場合があります。

② 手形金額および不渡りのために要した費用（支払拒絶証書作成費用など）を不渡手形で処理します。後に代金が回収できた場合には、不渡手形を減少させ、代金が回収不能であることが明らかになった場合には貸倒れとして処理します。

③ 電子記録債権の金額と受取った現金の金額との差額を電子記録債権売却損として処理します。

④ 売上金額98,000円の10％である9,800円を仮受消費税として処理します。また、売上金額98,000円の３％である2,940円は手数料

として信販会社に支払うため支払手数料とする。なお、最終的に受取る金額は消費税込みの売上げ107,800円から手数料2,940円を差し引いた104,860円であるため、それをクレジット売掛金とします。

第**4**章 有価証券

学習進度目安

◉第4章で学習すること

さっくり 10日間	しっかり 15日間	じっくり 20日間
3日目	3日目	4日目
	4日目	5日目

① 売買目的有価証券

② 満期保有目的の
債券

③ 子会社株式・
関連会社株式

④ その他有価証券

株式

1 売買目的有価証券

第2章でも少し出てきましたが、価値のある紙切れのことを「有価証券」と言います。有価証券は、その保有目的ごとに会計処理が定められているため、どういう目的で持っているかが重要です。まずは、価値の低いときに買って、価値が高くなったら売り、その差額で儲けようと考えて保有する有価証券を学習しましょう。

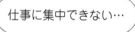

仕事に集中できない…

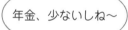

年金、少ないしね〜

1 高い値段で売って儲けるつもりの有価証券!

「**有価証券**」とは、株式や公社債などをまとめた呼び方で、公社債には国債や社債などが含まれます。有価証券の値段は毎日上がったり下がったりしているので、安い値段で買って高い値段で売ることができれば、その差額を儲けることができます。このように買ってきたときよりも、高い値段で売ろうと思って保有している有価証券を「**売買目的有価証券**」といい、「売買目的有価証券」という資産で表します。

2 高い値段で売って儲けるつもりで 有価証券を買おう（株式を買おう）!!

　有価証券は証券会社を通じて買うのが一般的ですが、その場合は証券会社に手数料を支払わなければなりません。このとき、有価証券そのものの値段を「**購入代価**」、購入代価に手数料などをプラスした値段を「**取得原価**」といいます。帳簿には、有価証券を手に入れるために必要となったお金は手数料なども含めた金額であると考えて、取得原価を記入します。

> **重要** ### 有価証券の取得原価
>
> 有価証券の取得原価＝購入代価＋手数料など

　株式は1株いくら、というふうに購入します。そのため、1株当たりの値段に購入する株式数を掛けると、購入代価が計算できます。

> **重要** ### 株式の取得原価
>
> 株式の取得原価＝1株当たりの値段×株式数＋手数料など
>
> ［購入代価］

購入代価：有価証券そのものの値段

取得原価：購入代価に手数料等を加算した金額で、有価証券を手に入れるため
　　　　　にかかったすべての金額

【売買目的有価証券購入時】

借　方　科　目	金　　額	貸　方　科　目	金　　額
売買目的有価証券	×××		

資産の増加　　取得原価

株でボロ
儲けだぜ！

ま〜ちゃん

儲かる銘柄は
どれかしら

☆ 仕訳をしてみよう！

例４−１

問題 八百源は、売買目的で長野株式会社の株式10株を1株につき600円で購入し、手数料200円とともに現金で支払った。

【解答】

借　方　科　目	金　額	貸　方　科　目	金　額
売買目的有価証券	6,200	現　　　　　金	6,200

取得原価

【考え方】

① 売買目的で株式を購入した ＝ 売買目的有価証券の購入
　⇒ 売買目的有価証券（資産）の　増加
② 購入代価 ＝ 1株600円×10株購入 ＝ 6,000円
③ 取得原価 ＝ 購入代価6,000円＋手数料200円 ＝ 6,200円

手数料も含めて620円で1株買ってきたことになるんだ

エリート小林

600円で1株買ってきたことにはならないんだね

セブ王

さっくり
3日目

しっかり
3日目

じっくり
4日目

3 売買目的有価証券（株式）を売ろう!!

　高い値段で売って儲けるつもりで買ってきた売買目的有価証券は、その時の有価証券の価値を示す「時価」が、自分の買ってきた金額よりも高くなったときを見はからって売ります。これにより、買った金額と売った金額の差額が儲けになります。売買目的有価証券を売ったときの儲けは「**有価証券売却益**」（営業外収益）で表します。

　また、有価証券を売ったときに資産の減少として「売買目的有価証券」を貸方に仕訳しますが、その時に用いる金額は帳簿上記録されている有価証券の金額である「帳簿価額」です。

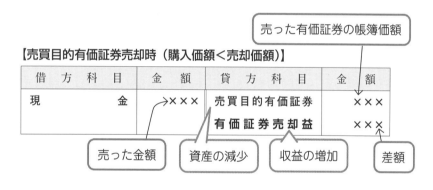

売った有価証券の帳簿価額

【売買目的有価証券売却時（購入価額＜売却価額）】

借　方　科　目	金　　額	貸　方　科　目	金　　額
現　　　　　金	×××→	売買目的有価証券	×××
		有価証券売却益	×××

売った金額　　資産の減少　　収益の増加　　差額

小銭はいらねーな！

ま〜ちゃん

また、時価が、自分の買ってきた金額よりも低くなった場合でも、これ以上損をだしたくないときは有価証券を売ることがあります。売買目的有価証券を売って損をしてしまったときは、その損を「**有価証券売却損**」（営業外費用）で表します。

【売買目的有価証券売却時（購入価額＞売却価額）】

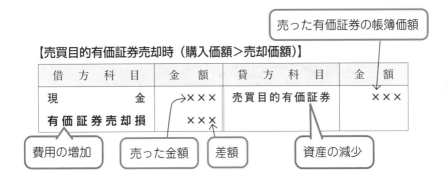

売った有価証券の帳簿価額

借　方　科　目	金　額	貸　方　科　目	金　額
現　　　　　金	×××→	売買目的有価証券	×××
有価証券売却損	×××		

費用の増加　　　売った金額　　差額　　　資産の減少

コトバ

時価：その時点の価額
帳簿価額：会社が帳簿上記録している金額

モーかった♪

☆ 仕訳をしてみよう！

例4−2

問題 【例4−1】で購入した有価証券のうち4株を沖縄商店に1株につき700円で売却し、代金は現金で受取った。

【解答】

借 方 科 目	金 額	貸 方 科 目	金 額
現 金	2,800	売買目的有価証券	2,480
		有 価 証 券 売 却 益	→320

売却価額 → 2,800

売った有価証券の帳簿価額 → 2,480

売買目的有価証券の売却による儲け → 320

【考え方】

① 売買目的で購入した株式を売却した

　＝ 売買目的有価証券の売却

　⇒ 売買目的有価証券（資産）の減少

② 1株当たりの帳簿価額 ＝ 10株の取得原価6,200円÷10株 ＝ 620円

③ 売った有価証券の帳簿価額

　＝ 1株当たりの帳簿価額620円× 4 株 ＝ 2,480円

④ 売却価額 ＝ 700円× 4 株 ＝ 2,800円

⑤ 儲けは差額の320円（2,800円−2,480円）

4 高い値段で売って儲けるつもりで 有価証券を買おう（公社債を買おう）!!

公社債も有価証券なので、株式と同じように、その取得原価は購入代価に手数料などを加えた金額になります。

公社債は1口いくら、というふうに購入するので、1口当たりの値段に購入する公社債の口数を掛けると、購入代価が計算できます。また、公社債は額面金額100円が1口なので、口数を計算するときは額面金額を100円で割って求めます。

> **重要　公社債の口数**
>
> 公社債の口数＝額面金額÷100円

> **重要　公社債の取得原価**
>
> 公社債の取得原価＝<u>1口当たりの値段×口数</u>＋手数料など
>
> ↑
> 購入代価

額面金額100円が1口なので、額面金額500円の公社債であれば5口になるんだ

Kazu

仕訳の形は株式を買ったときと同じになるみたいだよ

さっくり
3日目

じっかり
3日目

じっくり
4日目

☆ 仕訳をしてみよう！

例 4 － 3

問題　八百源は、売買目的で長野株式会社の社債（額面総額
　　　10,000円）を額面100円につき95円で購入し、手数料100
　　　円とともに現金で支払った。

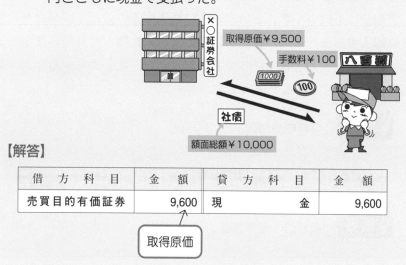

【解答】

借　方　科　目	金　　額	貸　方　科　目	金　　額
売買目的有価証券	9,600	現　　　　　金	9,600

取得原価

【考え方】

① 売買目的で社債を購入した ＝ 売買目的有価証券の購入
　　⇒ 売買目的有価証券（資産）の増加

② 額面総額10,000円分の口数 ＝ 10,000円÷100円 ＝ 100口

まずは、額面金額から
口数を求めるのね

③ 購入代価 ＝ 95円×100口 ＝ 9,500円

④ 取得原価 ＝ 9,500円＋手数料100円 ＝ 9,600円

5 売買目的有価証券（公社債）を売ろう!!

　公社債も株式と同じように、高い値段で売って儲けようと考えて購入した場合、株式と同じように、その時の有価証券の価値を示す「時価」よりも高い金額で売ることができれば、その差額が儲けになります。株式であっても、公社債であっても、売買目的有価証券を売ったときの儲けは「**有価証券売却益**」（営業外収益）で表します。

　また、時価が、自分が買ってきた金額よりも低くなった場合でも、これ以上損をだしたくないときは有価証券を売ることがあります。この場合も株式と同じように、その損を「**有価証券売却損**」（営業外費用）で表します。

さっくり
3日目

しっかり
3日目

じっくり
4日目

東京リーガルマインド　日商簿記2級 光速マスターNEO 商業簿記テキスト〈第6版〉　145

☆　仕訳をしてみよう！

例 4 － 4

問題　【例 4 － 3】で購入した有価証券のうち額面総額7,000円を
　　　沖縄商店に額面100円につき94円で売却し、代金は現金で
　　　受取った。

【解答】

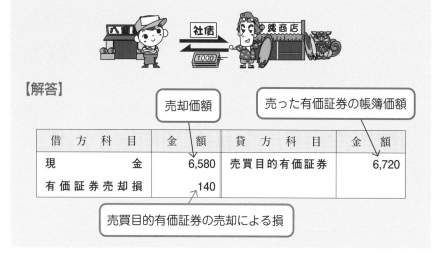

借　方　科　目	金　額	貸　方　科　目	金　額
現　　　　　　金	6,580	売 買 目 的 有 価 証 券	6,720
有 価 証 券 売 却 損	140		

売却価額

売った有価証券の帳簿価額

売買目的有価証券の売却による損

【考え方】
① 売買目的で購入した社債を売却した
　　＝ 売買目的有価証券の売却
　　⇒ 売買目的有価証券（資産）の減少
② 売った有価証券の1口当たりの帳簿価額
　　＝ 100口分の帳簿価額9,600円÷100口 ＝ 96円
③ 額面7,000円分の口数 ＝ 7,000円÷100円 ＝ 70口
④ 70口分の帳簿価額 ＝ 96円×70口 ＝ 6,720円
⑤ 70口分の売却価額 ＝ 94円×70口 ＝ 6,580円
⑥ 損は差額の140円（6,580円－6,720円 ＝ △140円）

📖 株式と債券の相違点

　株式を取得すると、株式会社の株主となるため、通常、会社の業績がいい場合、配当金を受け取ることができます。また、株主は株式会社の出資者（オーナー）なので、期限等はなく、自分が持っている株式を売却するまでは、株主のままです。

　これに対し、公社債を取得すると、債権者となるため、会社の業績等に関わらず、毎年一定の利息を受け取ることできます。また、債権者なので、「満期日」という返済期限があり満期日になると公社債を「額面金額」で買取ってもらえます。このとき、公社債を失うかわりに、その公社債を発行している国や会社から「額面金額」分のお金を受取ります（つまり、返済されるということです）。これを「償還」といいます。

公社債は1口、2口、3口…と数えるのか

Kazu

さっくり
3日目

しっかり
3日目

じっくり
4日目

6 帳簿に書いてある有価証券の金額よりも時価が上がっていた場合は…

　期末時点で売買目的有価証券を持っているときは、その時価を調べ、帳簿上の売買目的有価証券勘定の金額を時価に直します。その処理を「**評価換え**」といいます。もし、帳簿上の売買目的有価証券の金額よりも時価が上がっていた場合は、有価証券の価値が増えているので売買目的有価証券（資産）の金額を増やして、同時に売買目的有価証券の値上がり分を「**有価証券評価益（有価証券運用益）**」（営業外収益）で表します。

【決算時】

借　方　科　目	金　　額	貸　方　科　目	金　　額
売買目的有価証券	×××	有価証券評価益	×××

資産の増加

収益の増加

時価になるまで修正

時価－帳簿価額

☆ 仕訳をしてみよう！

例4-5

問題　期末において、八百源の売買目的有価証券（帳簿価額：
3,720円）の時価は3,900円であった。

時価はいくらかな？

株式　社債

【解答】

借　方　科　目	金　額	貸　方　科　目	金　額
売買目的有価証券	180	有価証券評価益	180

帳簿価額3,720円＋180円
＝時価3,900円

時価3,900円－帳簿価額3,720円
＝180円

【考え方】

① 時価3,900円－帳簿価額3,720円

　＝ 有価証券評価益180円

　＝ 売買目的有価証券が180円増加

　⇒ 売買目的有価証券（資産）の増加

② 時価3,900円－帳簿価額3,720円

　＝ 有価証券評価益180円

　⇒ 時価3,900円と売買目的有価証券3,720円の差額180円が有価証
　　券の値上がりによる儲け

　⇒ 有価証券評価益（収益）の増加

さっくり
3日目

しっかり
3日目

じっくり
4日目

7 　帳簿に書いてある有価証券の金額 よりも時価が下がっていた場合は…

　期末時点で売買目的有価証券を持っているときは、その時価を調べ、帳簿上の売買目的有価証券勘定の金額を時価に直す必要がありました。もし、帳簿上の売買目的有価証券の金額よりも時価が下がっていた場合は、有価証券の価値が減っているので売買目的有価証券（資産）の金額を減らして、同時に売買目的有価証券の値下がり分を「**有価証券評価損（有価証券運用損）**」（営業外費用）で表します。

【決算時】

借　方　科　目	金　額	貸　方　科　目	金　額
有 価 証 券 評 価 損	→×××	**売買目的有価証券**	→×××

費用の増加	帳簿価額－時価	資産の減少	時価になるまで修正

☆ 仕訳をしてみよう！

例 4 − 6

問題 期末において、八百源の売買目的有価証券（帳簿価額：
2,880円）の時価は2,580円であった。

時価はいくらかな？

株式 社債

【解答】

借 方 科 目	金 額	貸 方 科 目	金 額
有 価 証 券 評 価 損	300	売買目的有価証券	300

帳簿価額2,880円−時価2,580円
＝300円

帳簿価額2,880円−300円
＝時価2,580円

【考え方】
① 時価2,580円−帳簿価額2,880円

　 ＝ 有価証券評価損300円

　 ＝ 売買目的有価証券が300円減少

　 ⇒ 売買目的有価証券（資産）の減少

② 時価2,580円−帳簿価額2,880円

　 ＝ 有価証券評価損300円

　 ⇒ 時価2,580円と売買目的有価証券2,880円の差額300円が有価証
　　 券の値下がりによる損

　 ⇒ 有価証券評価損（費用）の増加

さっくり
3日目

しっかり
3日目

じっくり
4日目

重要 売買目的有価証券の処理

貸借対照表価額	時　価
貸借対照表の表示区分	流動資産
帳簿価額と時価の差額	営業外収益「有価証券評価益」 「有価証券運用益」 営業外費用「有価証券評価損」 「有価証券運用損」

有価証券運用益・有価証券運用損

　売買目的の有価証券の売却による儲けや損は、「有価証券売却益」や「有価証券売却損」で表しますが、代わりに「有価証券運用益」や「有価証券運用損」で表すこともできます。

　また、売買目的有価証券の期末評価による儲けや損は「有価証券評価益」や「有価証券評価損」で表しますが、売却の場合と同様に、「有価証券運用益」や「有価証券運用損」で表すこともできます。

　このように「有価証券運用益」や「有価証券運用損」を使うと、売買目的の有価証券による儲けや損をまとめて表すことができます。

8 有価証券を何回も取得した場合は…

　同じ銘柄の有価証券を何回かに分けて異なる値段で購入したときは、通常、「**平均原価法**」を用いて1株（1口）あたりの金額を計算します。

　例えば、①1株500円の長野株式会社の株式を40株取得し、②その後1株400円で長野株式会社の株式を60株取得したとします。この場合、下に示すように、支払ったお金の合計額は44,000円、取得した長野株式会社の株式数は100株になります。

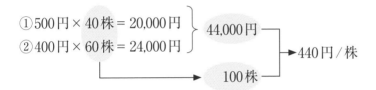

①500円×40株 = 20,000円
②400円×60株 = 24,000円
44,000円
100株
→440円／株

　ここで、平均原価法では合計44,000円で100株の株式を購入したと考え、1株440円で株式を買ってきたという計算をします。

3級で勉強した移動平均法をイメージするのでアル！

コトバ

平均原価法：購入のつど、または、一定の期間ごとに、平均単価を算定する方法

さっくり
3日目

しっかり
4日目

しっくり
5日目

☆ 仕訳をしてみよう！

例 4 － 7

問題 ① 八百源は売買目的で長野株式会社の株式10株を1株に
つき600円で購入し、手数料200円とともに現金で支
払った。

② 八百源は売買目的で長野株式会社の株式20株を1株に
つき612円で追加購入し、手数料250円とともに現金で
支払った。

③ このうち24株を沖縄商店に1株につき620円で売却し、
代金は現金で受け取った。

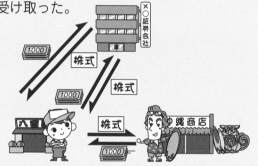

【解答】

①

借　方　科　目	金　　額	貸　方　科　目	金　　額
売買目的有価証券	6,200	現　　　　　金	6,200

②

借　方　科　目	金　　額	貸　方　科　目	金　　額
売買目的有価証券	12,490	現　　　　　金	12,490

③

借　方　科　目	金　　額	貸　方　科　目	金　　額
現　　　　　金	14,880	売買目的有価証券	14,952
有 価 証 券 売 却 損	72		

【考え方】
① 売買目的有価証券の取得原価は600円×10株＋200円 ＝ 6,200円
② 売買目的有価証券の取得原価は612円×20株＋250円 ＝ 12,490円

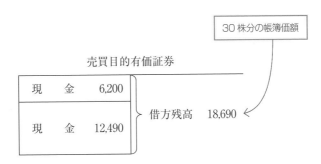

30 株分の帳簿価額

売買目的有価証券

| 現　　金 | 6,200 | |
| 現　　金 | 12,490 | 借方残高　18,690 |

③ 売却した24株分の売却価額と帳簿価額を計算し、売却価額が帳簿
　価額を下回る分を「有価証券売却損（有価証券運用損）」（営業外
　費用）とする。

$$1 \text{ 株分の帳簿価額：} \frac{6{,}200\text{円}+12{,}490\text{円}}{10\text{株}+20\text{株}} = 623\text{円}$$

24株分の帳簿価額：623円×24株 ＝ 14,952円

24株分の売却価額：620円×24株 ＝ 14,880円

有価証券売却損：14,880円−14,952円 ＝ △72円

さっくり
3日目

しっかり
4日目

じっくり
5日目

☆ 仕訳をしてみよう！

問題　① 【例4-7】のあと、決算になり、八百源の売買目的有価証券は、帳簿価額が3,738円であるのに対し時価は3,600円であった。

　　　② 【例4-7】のあと、決算になり、八百源の売買目的有価証券は、帳簿価額が3,738円であるのに対し時価は3,830円であった。

【解答】

時価はいくらかな？

①

借　方　科　目	金　　額	貸　方　科　目	金　　額
有 価 証 券 評 価 損	138	売 買 目 的 有 価 証 券	138

②

借　方　科　目	金　　額	貸　方　科　目	金　　額
売 買 目 的 有 価 証 券	92	有 価 証 券 評 価 益	92

【考え方】

① 【例4-7】により、決算整理前の売買目的有価証券勘定の残高は3,738円になっています。

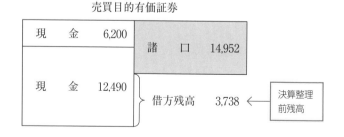

売買目的有価証券

これに対して、時価は3,600円であるため、売買目的有価証券勘定を138円減少させ、値下がり分は「有価証券評価損（有価証券運用損)」（営業外費用）とします。

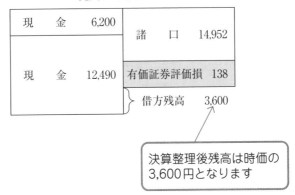

売買目的有価証券

現　　金　6,200	諸　　口　14,952
現　　金　12,490	有価証券評価損　138
	借方残高　3,600

決算整理後残高は時価の3,600円となります

② 【例4−7】により、決算整理前の売買目的有価証券勘定の残高は3,738円になっています。これに対して、時価は3,830円であるため、売買目的有価証券勘定を92円増加させ、値上がり分は「有価証券評価益（有価証券運用益)」（営業外収益）とします。

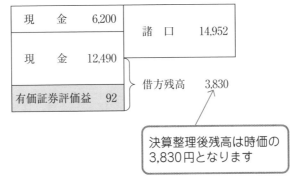

売買目的有価証券

現　　金　6,200	諸　　口　14,952
現　　金　12,490	借方残高　3,830
有価証券評価益　92	

決算整理後残高は時価の3,830円となります

9 公社債を売買した日が 利払日とズレているとき

　有価証券のうち公社債を購入あるいは売却したとき、利払日と売買日にズレがある場合は、直前の利払日の翌日から売買日まで何日間あるか数え、その分の利息を、買主から売主に渡します。ここで、直前の利払日の翌日から売買日までの利息を「**端数利息**」といいます。

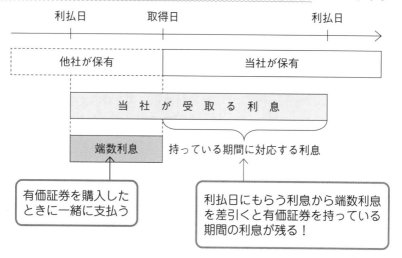

　有価証券の取得時には端数利息を支払います。その後、利払日に前の利払日からの期間の利息を受取ると、有価証券を保有している期間の利息が手元に残ります。

【購入時】

借　方　科　目	金　　額	貸　方　科　目	金　　額
売買目的有価証券	×××	現　　　　　金	×××
有 価 証 券 利 息	×××		

利払日の翌日から取得日までの利息＝端数利息

158 東京リーガルマインド　日商簿記2級 光速マスターNEO 商業簿記テキスト〈第6版〉

【利払日】

借　方　科　目	金　　額	貸　方　科　目	金　　額
現　　　　　　金	×××	有 価 証 券 利 息	×××

> 契約で決まっている利息

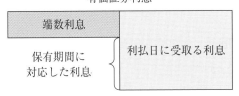

有価証券利息

端数利息	利払日に受取る利息

保有期間に
対応した利息

　また、有価証券を売却するときは、相手から端数利息を受取ります。なぜなら、次の利払日には売渡した相手が利息を受取ることになるので、当社は保有している期間に対応する利息をもらう必要があります。

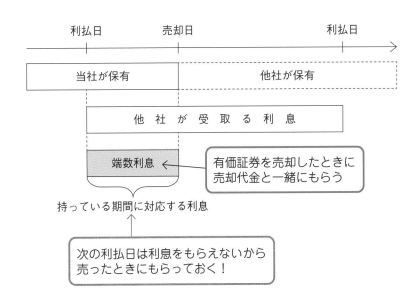

利払日　　　　　売却日　　　　　　　　利払日

当社が保有　　　　　　他社が保有

他 社 が 受 取 る 利 息

端数利息　←　有価証券を売却したときに
　　　　　　売却代金と一緒にもらう

持っている期間に対応する利息

次の利払日は利息をもらえないから
売ったときにもらっておく！

【売却時（売却価額＞売却時の帳簿価額）】

借　方　科　目	金　　額	貸　方　科　目	金　　額
現　　　　　金	×××	売買目的有価証券	×××
		有 価 証 券 売 却 益	×××
		有 価 証 券 利 息	×××

> 利払日の翌日から売却日までの利息＝端数利息

【売却時（売却価額＜売却時の帳簿価額）】

借　方　科　目	金　　額	貸　方　科　目	金　　額
現　　　　　金	×××	売買目的有価証券	×××
有 価 証 券 売 却 損	×××	有 価 証 券 利 息	×××

> 利払日の翌日から売却日までの利息＝端数利息

重要　売却時の端数利息の日数

公社債を購入後、利払日が到来する前に売却した場合であっても、利払日が到来した後に売却した場合であっても、端数利息の計算に用いる日数は、売却日の直前の利払日の翌日から売却日までの日数です。

☆ 仕訳をしてみよう！

例4－9

問題 ① 八百源（会計期間は4月1日〜3月31日）は×2年4月
15日に、売買目的で長野株式会社の社債（額面総額
10,000円、年利率7.3％、利払日は9月末日と3月末
日）を横浜商店から額面100円につき96円で購入し、代
金は端数利息とともに現金で支払った。
② ×2年9月30日に利払日を迎えた。
③ ×2年12月1日に、この社債のすべてを沖縄商店に額面
100円につき98円で売却し、代金は端数利息とともに現
金で受取った。

【解答】

時価はいくらかな？

社債

①

借　方　科　目	金　額	貸　方　科　目	金　額
売買目的有価証券	9,600	現　　　　　金	9,630
有 価 証 券 利 息	30		

②

借　方　科　目	金　額	貸　方　科　目	金　額
現　　　　　金	365	有 価 証 券 利 息	365

③

借　方　科　目	金　額	貸　方　科　目	金　額
現　　　　　金	9,924	売買目的有価証券	9,600
		有 価 証 券 売 却 益	200
		有 価 証 券 利 息	124

社債の売却代金9,800円と62
日分の利息124円の合計金額

さっくり
3日目

しっかり
4日目

じっくり
5日目

【考え方】

①-1　売買目的有価証券の取得原価：96円 × 100口 ＝ 9,600円

①-2　4月1日～4月15日の15日分の利息（端数利息）を支払う

①-3　15日分の利息：$10,000円 \times 7.3\% \times \dfrac{15日}{365日} = 30円$

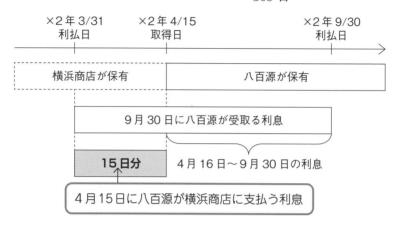

②-1　利払日に4月1日～9月30日の利息を受取る

②-2　6ヶ月分の利息：$10,000円 \times 7.3\% \times \dfrac{6ヶ月}{12ヶ月} = 365円$

有価証券利息

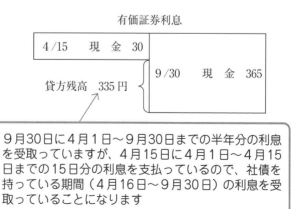

9月30日に4月1日～9月30日までの半年分の利息を受取っていますが、4月15日に4月1日～4月15日までの15日分の利息を支払っているので、社債を持っている期間（4月16日～9月30日）の利息を受取っていることになります

③-1　売却した100口分の売却価額は9,800円、帳簿価額は9,600円
　　　⇒ 差額200円が有価証券売却益（営業外収益）

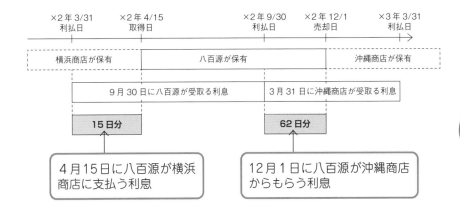

③-2　62日分の利息：$10,000円 \times 7.3\% \times \dfrac{62\,日}{365\,日} = 124円$

有価証券利息

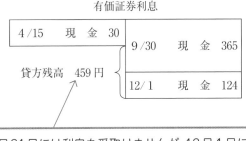

| 4/15 | 現　金 | 30 | 9/30 | 現　金 | 365 |
| 貸方残高　459円 | | | 12/1 | 現　金 | 124 |

3月31日には利息を受取りませんが、12月1日に10月1日～12月1日までの利息を受取っているので、社債を保有している期間（4月16日～12月1日）の利息を受取っていることになります

2 満期保有目的の債券

イントロダクション

有価証券を売却して儲けようとするのではなく、満期まで保有することの利息などで儲けようとする場合があります。この実態は、銀行などにお金を預けている場合とあまり変わりません。そのため、比較的安定した投資といえるでしょう。

金が余ってるから、
これも買っておくぜ！

ま〜ちゃん

満期まで、
じっくり待ちます

1 満期までずっと持っている つもりの公社債

　公社債を満期日までずっと保有しておき、利払日に利息をもらい、満期日に償還してもらおうと思って購入したときは「**満期保有目的債券**」（資産）の増加として取得原価で記帳します。

【満期保有目的債券購入時】

借　方　科　目	金　　額	貸　方　科　目	金　　額
満期保有目的債券	×××		

資産の増加　　　　　　　取得原価

満期保有目的債券：満期まで所有して元本と利息を受取ること
を目的として保有する社債その他の債券

また、満期保有目的債券を額面金額（額面総額）とは違う価額で
買ってきたときで、そのズレが金利の調整であるときは、「**償却原価
法**」を適用して計算した金額（**償却原価**）で評価します。

ここで、「**償却原価法**」とは、債券の額面金額と取得価額の差額を、
満期日になるまで毎期一定の方法で貸借対照表価額に加算または減
算する方法です。ここでは、毎期同じ金額を加算または減算する「**定
額法**」を学習します。

償却原価法には「利息法」という方法
もあるけど、1級で学習するよ！

第4章

有価証券

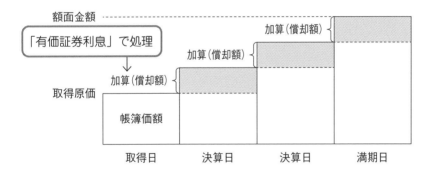

償却原価法を採用する場合、決算日に償却額を「**満期保有目的債券**」
（資産）に加算または減算し、加算する場合は「**有価証券利息**」（営業
外収益）を増やし、減算する場合は「**有価証券利息**」（営業外収益）を
減らします。

額面金額より安く買える場合を割引発行といい、割引発行により取
得したときは、償却額を加算します。

さっくり
3日目

しっかり
4日目

じっくり
5日目

【決算時（取得原価＜額面金額）】

借　方　科　目	金　額	貸　方　科　目	金　額
満期保有目的債券	×××	有 価 証 券 利 息	×××

収益の増加（営業外収益）

重要　償却額の算定

$$当期の償却額＝（額面金額－取得原価）× \frac{当期所有していた月数}{取得日から満期日までの月数}$$

コトバ

償却原価法：債券の額面金額と取得価額の差額を、満期日になるまで毎期一定の方法で貸借対照表価額に加算または減算する方法
償却額：償却原価法により、毎期、帳簿価額に加減算する金額
償却原価：帳簿価額に償却額を加減算した金額

　満期保有目的債券の貸借対照表の表示区分は、一年基準で判断します。満期日が決算日の翌日から１年以内に到来する場合は流動資産に、１年を超えてから到来する場合は固定資産に表示します。

重要　満期保有目的債券の処理

貸借対照表価額	取得原価 or 償却原価
貸借対照表の表示区分	満期日まで１年超： 　　固定資産（投資その他の資産） １年以内に満期日が到来：流動資産

償却原価法の場合、償却原価が貸借対照表の価額になります

☆ 仕訳をしてみよう！

例4−10

問題 ① 八百源（会計期間は4月1日〜3月31日）は×1年4月1日に、満期保有目的で長野株式会社の社債（発行日は×1年4月1日、償還日は×6年3月31日、額面総額10,000円、年利率3％、利払日は9月末日と3月末日）を額面100円につき96円で購入し、代金は現金で支払った。なお、評価は償却原価法（定額法）にて行う。
② ×1年9月30日に利払日を迎えた。
③ ×2年3月31日に利払日を迎えた。
④ ×2年3月31日に決算整理を行った。

取得原価￥9,600

今日から満期日まで60ヶ月間保有している予定

社債

額面総額￥10,000

【解答】

①

借　方　科　目	金　　額	貸　方　科　目	金　　額
満期保有目的債券	9,600	現　　　　　金	9,600

②

借　方　科　目	金　　額	貸　方　科　目	金　　額
現　　　　　金	150	有　価　証　券　利　息	150

③

借　方　科　目	金　　額	貸　方　科　目	金　　額
現　　　　　金	150	有　価　証　券　利　息	150

第4章

有価証券

さっくり 3日目

しっかり 4日目

じっくり 5日目

④

借　方　科　目	金　　額	貸　方　科　目	金　　額
満期保有目的債券	80	有 価 証 券 利 息	80

【考え方】

① 取得原価：96円×100口 = 9,600円

② 4月1日～9月30日までの6ヶ月分の利息

$$\Rightarrow 10{,}000円 \times 3\% \times \frac{6ヶ月}{12ヶ月} = 150円$$

③ 10月1日～3月31日までの6ヶ月分の利息 ⇒ 150円

④-1　取得日から満期日までの60ヶ月間で、満期保有目的債券の帳簿価額を取得原価9,600円から額面総額10,000円まで増やす

④-2　60ヶ月分の償却額：10,000円 − 9,600円 = 400円

④-3　当期の償却額：$400円 \times \dfrac{12ヶ月}{60ヶ月} = 80円$

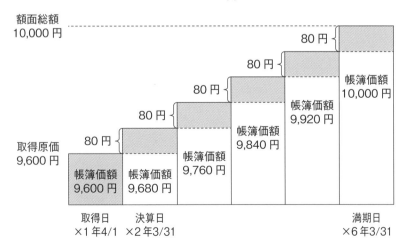

☆ 仕訳をしてみよう！

例4－11

問題 ×6年3月31日、【例4－10】の満期保有目的の社債が償
還され、利息とともに現金で受取った。

【解答】

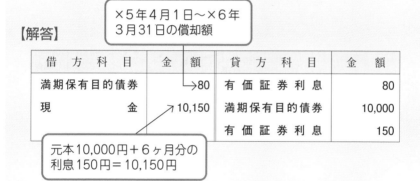

借　方　科　目	金　　額	貸　方　科　目	金　　額
満 期 保 有 目 的 債 券	→80	有 価 証 券 利 息	80
現　　　　　　金	↗10,150	満 期 保 有 目 的 債 券	10,000
		有 価 証 券 利 息	150

元本10,000円＋6ヶ月分の
利息150円＝10,150円

【考え方】

① ×5年4月1日～×年3月31日の償却額80円を満期保有目的債
　券（資産）に加算
　⇒ 満期保有目的債券が額面総額の10,000円となる

② 額面総額（10,000円）と同じ金額になった満期保有目的債券を償還
　⇒ 満期保有目的債券（資産）の減少

③ 10月1日～3月31日までの6ヶ月分の利息 ⇒ 150円

④ 額面総額（元本）10,000円と6ヶ月分の利息150円を同時に受取る

さっくり
3日目

しっかり
4日目

じっくり
5日目

第4章

有価証券

☆ 仕訳をしてみよう！

例 4 −12

問題 ① 八百源（会計期間は４月１日〜３月31日）は×２年４月
　　　　１日に、満期保有目的で長野株式会社の社債（発行日は
　　　　×１年４月１日、償還日は×６年３月31日、額面総額
　　　　10,000円、年利率３％、利払日は９月末日と３月末日）
　　　　を額面100円につき96円で購入し、代金は現金で支
　　　　払った。なお、評価は償却原価法（定額法）にて行う。
　　② ×３年３月31日に決算整理を行った。

【解答】

①

借　方　科　目	金　額	貸　方　科　目	金　額
満期保有目的債券	9,600	現　　　　　金	9,600

②

借　方　科　目	金　額	貸　方　科　目	金　額
満期保有目的債券	100	有　価　証　券　利　息	100

【考え方】

① 取得原価：96円×100口 ＝ 9,600円

②-1　取得日から満期日までの48ヶ月間で、満期保有目的債券の帳
　　　簿価額を取得原価9,600円から額面総額10,000円まで増やす

②-2　48 ヶ月分の償却額：10,000円 − 9,600円 ＝ 400円

②-3　当期の償却額：$400円 \times \dfrac{12 \text{ヶ月}}{48 \text{ヶ月}} = 100円$

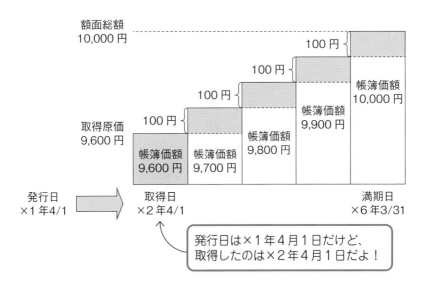

バーテンダー古屋

☆ 仕訳をしてみよう！

例4－13

問題 ① 八百源（会計期間は4月1日～3月31日）は×3年1月
 1日に、満期保有目的で長野株式会社の社債（発行日は
 ×2年1月1日、償還日は×6年12月31日、額面総額
 10,000円、年利率3％、利払日は6月末日と12月末日）
 を額面100円につき96円で購入し、代金は現金で支
 払った。なお、評価は償却原価法（定額法）にて行う。
 ② ×3年3月31日に決算整理を行った。
 ③ ×3年4月1日に再振替を行った。
 ④ ×3年6月30日に利払日を迎えた。

【解答】

①

借　方　科　目	金　　額	貸　方　科　目	金　　額
満期保有目的債券	9,600	現　　　　　金	9,600

②

借　方　科　目	金　　額	貸　方　科　目	金　　額
未収有価証券利息	75	有　価　証　券　利　息	75
満期保有目的債券	25	有　価　証　券　利　息	25

③

借　方　科　目	金　　額	貸　方　科　目	金　　額
有　価　証　券　利　息	75	未収有価証券利息	75

④

借　方　科　目	金　額	貸　方　科　目	金　額
現　　　　　金	150	有 価 証 券 利 息	150

【考え方】

① 取得原価：96円×100口 = 9,600円

②-1　有価証券利息の見越計上：当期分（3ヶ月分）の利息はすで
　　　に発生しているが決算日現在まだ受取っていない
　　　⇒ 次期に当期の利息を受取る権利が発生
　　　⇒ 未収有価証券利息（資産）の増加

②-2　未収有価証券利息：$10,000円 × 3\% × \dfrac{3 \, ヶ月}{12 \, ヶ月} = 75円$

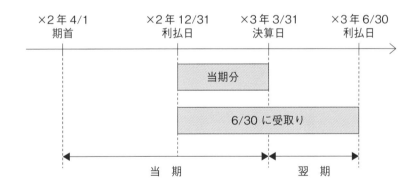

②-3　取得日から満期日までの48ヶ月間で、満期保有目的債券の帳
　　　簿価額を取得原価9,600円から額面総額10,000円まで増やす

②-4　48ヶ月分の償却額：10,000円 − 9,600円 = 400円

②-5　当期の償却額：$400円 × \dfrac{3 \, ヶ月}{48 \, ヶ月} = 25円$

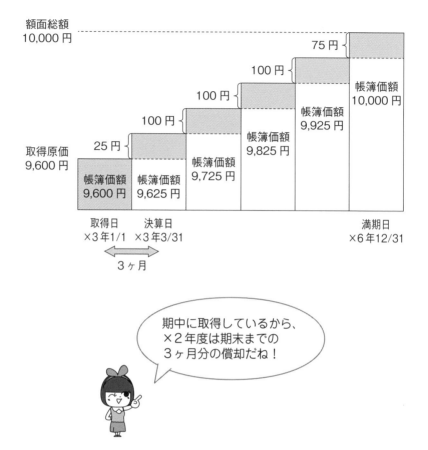

額面総額 10,000 円

帳簿価額 10,000 円

75 円

100 円

100 円

100 円

25 円

取得原価 9,600 円

帳簿価額 9,600 円

帳簿価額 9,625 円

帳簿価額 9,725 円

帳簿価額 9,825 円

帳簿価額 9,925 円

取得日 ×3年1/1

決算日 ×3年3/31

3ヶ月

満期日 ×6年12/31

期中に取得しているから、×2年度は期末までの3ヶ月分の償却だね！

③ ×3年6月30日に6ヶ月分の利息を受取る

　⇒ そのうち3ヶ月分は×2年度の有価証券利息（収益）

　⇒ ×3年度期首に、あらかじめ×2年度の有価証券利息（収益）
　　を減少させておく

　⇒ 再振替仕訳

　⇒ 前期末の反対仕訳

④ 1月1日〜6月30日までの6ヶ月分の利息

　⇒ 10,000円 × 3 % × $\dfrac{6 ヶ月}{12 ヶ月}$ = 150円

金利の調整って…

【例4−13】では、長野株式会社の社債の額面総額は10,000円であるのに対し、払込金額（取得原価）は9,600円でした。これを長野株式会社の立場から易しく言い換えると、「お金を9,600円借りて、将来10,000円返す約束」といえます。

では、なぜ借りるお金と返すお金に差が生まれるのでしょうか？

ここで利率を考えてみましょう。長野株式会社は年3％で社債を発行していますが、もし銀行がもっと多くの利息を用意できたら（例えば4％など）、長野株式会社にお金を貸す人がいなくなってしまいます。

そこで、長野株式会社はお金を貸してくれる人がいなくならないように、毎期の利払日に支払うお金（利息）を増やすことはできないけど、その分、将来返すお金を増やすことにします。

このように、銀行などの一般的な金利との条件の差を埋めるために、当初借りる金額を安くすることを「**金利の調整**」といいます。

さっくり
3日目

しっかり
4日目

じっくり
5日目

3 子会社株式・関連会社株式

イントロダクション

他の会社の株式を保有することで、その会社の株主総会に参加できます。また、その株主総会での投票権をたくさん獲得して、ある会社を支配したり、大きな影響を与えたりすることも可能です。

ほかの会社の経営に
口出しできるんだね

おせっかい
だね！

1 他の会社を支配する!?

株式を手に入れると、株式会社のオーナーになるので「株主総会」で会社の方針などを話し合うことができます。株主総会において出席した株主の議決権の過半数の賛成が得られれば、その方針などが決定されます。原則として株式を1株持っていると1票分の投票ができるため、会社の株式の過半数を持っていれば、自分ひとりで会社の方針などの決め事を決定することができます。

このように、ある会社がある会社の株式の過半数を持っている場合、株式を持っている会社のことを「**親会社**」といい、株式を持たれている会社のことを「**子会社**」といいます。

コトバ

子会社：他の会社に株式の過半数を保有されている会社
親会社：他の会社の株式の過半数を保有している会社

親会社は子会社の株主総会を支配できるんだね！！

さっくり
3日目

しっかり
4日目

じっくり
5日目

2 子会社の株式を買うと…

　子会社の株式のことを「**子会社株式**」といいます。「子会社株式」を取得したときは、取得原価で「**子会社株式**」（資産）を増やします。

【取得時】

借　方　科　目	金　　額	貸　方　科　目	金　　額
子　会　社　株　式	×××		

資産の増加　　　　　　　取得原価

　また、子会社株式は決算になっても、売買目的有価証券のように時価で評価したりはしません。取得原価を、そのまま貸借対照表価額とします。

【決算時】

借　方　科　目	金　　額	貸　方　科　目	金　　額
仕　訳　な　し			

決算の仕訳がないから簡単だわ！！

178 **LEC**東京リーガルマインド　日商簿記2級 光速マスターNEO 商業簿記テキスト〈第6版〉

☆ 仕訳をしてみよう！

例 4 － 14

問題　① 八百源は沖縄商店の株式70株を 1 株につき100円で購
　　　　入し、現金を支払った。なお、沖縄商店は100株の株式
　　　　を発行している。
　　　② 決算を迎えた。

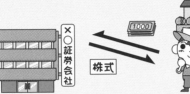

【解答】

①

借　方　科　目	金　　額	貸　方　科　目	金　　額
子 会 社 株 式	7,000	現　　　　　金	7,000

②

借　方　科　目	金　　額	貸　方　科　目	金　　額
仕 訳 な し			

子会社株式は
時価評価しないでね！

【考え方】

①-1　沖縄商店の株式100株のうち70株を購入

　　　＝ 過半数（70％）の株式保有

　　　⇒ 子会社株式

①-2　子会社株式の取得原価：70株×@100円 = 7,000円

② 子会社株式は取得原価で評価

　　⇒ 仕訳なし

第4章

有価証券

さっくり
3日目

しっかり
4日目

じっくり
5日目

3　影響を及ぼすことができる会社とは?

　ある会社の株式の過半数を取得し、子会社とした場合はその会社の株主総会を支配することができますが、株式の過半数の所有には至らなかったものの、比較的多くの割合の株式を保有している場合はどうでしょうか。このような場合は、支配しているとはいえませんが大きな影響を与えていることにはなるでしょう。

　そこで、ある会社に株式の多くを保有されている会社を「**関連会社**」といいます。具体的には、おおよそ20%〜50%の株式を保有されていれば「関連会社」になります。

コトバ

関連会社：他の会社に多くの株式を保有され、影響を受けている会社

4　関連会社の株式を買うと…

関連会社の株式のことを「**関連会社株式**」といいます。「関連会社株式」を取得したときは取得原価で「**関連会社株式**」（資産）を増やします。

【取得時】

借　方　科　目	金　　額	貸　方　科　目	金　　額
関　連　会　社　株　式	×　×　×		

資産の増加　　　　取得原価

また、関連会社株式は決算になっても、売買目的有価証券のように時価で評価したりはしません。取得原価を、そのまま貸借対照表価額とします。

【決算時】

借　方　科　目	金　　額	貸　方　科　目	金　　額
仕　訳　な　し			

子会社株式と
同じだね！！

☆ 仕訳をしてみよう！

問題 ① 八百源は関連会社である福岡商店の株式20株を1株に
つき100円で購入し、現金を支払った。
② 決算を迎えた。

【解答】
①

借 方 科 目	金 額	貸 方 科 目	金 額
関 連 会 社 株 式	2,000	現　　　　　金	2,000

②

借 方 科 目	金 額	貸 方 科 目	金 額
仕 訳 な し				

関連会社株式も
時価評価しないぜ！

【考え方】
① 関連会社株式の取得原価：20株×@100円 = 2,000円
② 関連会社株式は取得原価で評価
　⇒ 仕訳なし

 重要　子会社株式・関連会社株式の処理

貸借対照表価額	取得原価
貸借対照表の表示区分	固定資産（投資その他の資産）

4 その他有価証券

イントロダクション

有価証券を保有する目的は様々で、これまでに学習してきた目的に合わないものもあるでしょう。それらはまとめて「その他有価証券」とします。その他有価証券は取得原価と時価との差額を収益や費用としない、少し変わった処理をします。

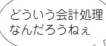
今までと違う目的で買ったら、全部「その他有価証券」だよ

Kazu

どういう会計処理なんだろうねぇ

---

1 色々な目的で保有する有価証券

売買目的、満期保有目的、子会社または関連会社として保有する目的以外にも有価証券を保有する目的は色々と考えられます。このように、売買目的、満期保有目的、子会社または関連会社として保有する目的以外で保有する有価証券を「**その他有価証券**」といいます。その他有価証券を取得したときは、取得原価で「**その他有価証券**」（資産）を増やします。

さっくり
3日目

しっかり
4日目

じっくり
5日目

【取得時】

借　方　科　目	金　　額	貸　方　科　目	金　　額
そ の 他 有 価 証 券	×××		

資産の増加　　　　　　　取得原価

　また、期末時点でその他有価証券を持っていた場合、売買目的有価証券と同じように時価を調べ、その他有価証券を時価になおします。もし、帳簿上のその他有価証券の金額よりも時価が上がっていた場合は、資産の価値が増えているので、その他有価証券（資産）の金額を増やして、同時にその他有価証券の値上がり分は「**その他有価証券評価差額金**」（純資産）を増やします。

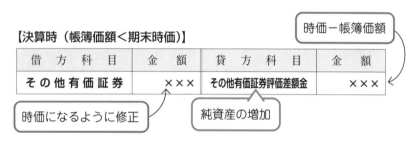

【決算時（帳簿価額＜期末時価）】

時価－帳簿価額

借　方　科　目	金　　額	貸　方　科　目	金　　額
そ の 他 有 価 証 券	×××	その他有価証券評価差額金	×××

時価になるように修正　　　　純資産の増加

　もし、帳簿上のその他有価証券の金額よりも時価が下がっていた場合は、資産の価値が減っているので、その他有価証券（資産）の金額を減らして、同時にその他有価証券の値下がり分は「その他有価証券評価差額金」（純資産）を減らします。

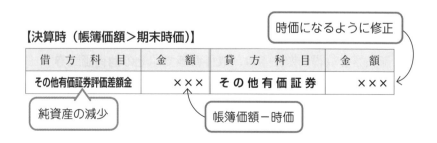

【決算時（帳簿価額＞期末時価）】

時価になるように修正

借　方　科　目	金　　額	貸　方　科　目	金　　額
その他有価証券評価差額金	×××	そ の 他 有 価 証 券	×××

純資産の減少　　　　　帳簿価額－時価

重要 その他有価証券の処理

貸借対照表価額	時　価
貸借対照表の表示区分	株式および満期日まで1年超の債券： 　　　固定資産（投資その他の資産） 1年以内に満期日が到来する債券：流動資産
帳簿価額と時価の差額	「その他有価証券評価差額金」 ⇒ 純資産の増加および減少←

その他有価証券評価差額金は収益や費用ではないんだね！

📖 その他有価証券評価差額金

　その他有価証券評価差額金は純資産の部に表示しますが、資本金、資本準備金、利益準備金などの「株主資本」ではなく、株主資本以外の「**評価・換算差額等**」という区分に表示します。

コトバ

その他有価証券：売買目的有価証券、満期保有目的債券、子会社株式、関連会社
　　　　　　　　株式以外の有価証券

全部純資産直入法：その他有価証券における帳簿価額と時価の差額について、帳
　　　　　　　　簿価額より期末時価の方が大きい場合も、帳簿価額より期末
　　　　　　　　時価の方が小さい場合も、いずれの場合も、その差額を「そ
　　　　　　　　の他有価証券評価差額金」で処理する方法

今、学習した方法が「全部純資産直入法」だぜ

「部分純資産直入法」という方法もあるけど、それは1級で学習するよ！！

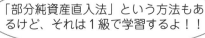

さっくり
3日目

しっかり
4日目

じっくり
5日目

☆ 仕訳をしてみよう！

🔍 例4-16

問題 八百源は長期利殖目的で長野株式会社の株式15株を1株につき700円で購入し、現金で支払った。

【解答】

借 方 科 目	金 額	貸 方 科 目	金 額
そ の 他 有 価 証 券	10,500	現 　 金	10,500

【考え方】

① 長期利殖目的 ＝ 売買目的有価証券、満期保有目的債券、子会社株式、関連会社株式以外の有価証券
　　⇒ その他有価証券

② その他有価証券の取得原価：＠700円×15株 ＝ 10,500円

☆ 仕訳をしてみよう！

例 4 − 17

問題　① 【例 4 − 16】のあと、決算になり八百源のその他有価証券の時価は11,000円であった。

　　　② 【例 4 − 16】のあと、決算になり八百源のその他有価証券の時価は9,700円であった。

時価評価するんだっけー

【解答】

①

借　方　科　目	金　　額	貸　方　科　目	金　　額
その他有価証券	500	その他有価証券評価差額金	500

②

借　方　科　目	金　　額	貸　方　科　目	金　　額
その他有価証券評価差額金	800	その他有価証券	800

【考え方】

① 帳簿価額（その他有価証券勘定の決算整理前残高）は10,500円、期末時価は11,000円

　＝ 値上がり：11,000円 − 10,500円 ＝ 500円

　⇒ その他有価証券（資産）500円の増加

　　その他有価証券評価差額金（純資産）500円の増加

② 帳簿価額（その他有価証券勘定の決算整理前残高）は10,500円、期末時価は9,700円

　＝ 値下がり：9,700円 − 10,500円 ＝ △800円

　⇒ その他有価証券（資産）800円の減少

　　その他有価証券評価差額金（純資産）800円の減少

さっくり
3日目

しっかり
4日目

じっくり
5日目

📖 その他有価証券と洗替法

その他有価証券は期末において時価評価を行いますが、実は、時価評価の処理には続きがあり、翌期首に、時価評価の処理の逆仕訳を行うルールになっています。この処理を行うルールを**洗替法**といいます。【例4 - 17】①であれば、翌期首に次の洗替処理を行います。なお、洗替処理をすることで、その他有価証券勘定の残高は取得原価になります。

借　方　科　目	金　　額	貸　方　科　目	金　　額
その他有価証券評価差額金	500	そ の 他 有 価 証 券	500

📖 有価証券の保有目的

有価証券はその保有目的に応じた会計処理が定められています。保有目的をまとめると以下のようになります。

売買目的有価証券	買ったときよりも高い値段で売って儲けようとして保有する有価証券
満期保有目的債券	満期まで所有して元本と利息を受取ることを目的として保有する公社債その他の債券
子会社株式・関連会社株式	子会社・関連会社の株式
その他有価証券	売買目的有価証券、満期保有目的の債券、子会社株式、関連会社株式以外の有価証券

確認テスト

問題

次の取引を仕訳しなさい。

① 当社（会計期間は1/1〜12/31）は×1年5月9日に、売買目的で岡山株式会社の社債（額面総額￥10,000、年利率7.3%、利払日は3月末日と9月末日）を額面￥100につき￥96で購入し、代金は端数利息とともに現金で支払った。

② ×1年9月30日に利払日を迎えた。

③ ×1年11月14日に、この社債をすべて額面￥100につき￥95で売却し、代金は端数利息とともに現金で受取った。

	借 方 科 目	金 額	貸 方 科 目	金 額
①				
②				
③				

	借　方　科　目	金　　額	貸　方　科　目	金　　額
①	売 買 目 的 有 価 証 券	9,600	現　　　　　　　金	9,678
	有 価 証 券 利 息	78		
②	現　　　　　　　金	365	有 価 証 券 利 息	365
③	現　　　　　　　金	9,590	売 買 目 的 有 価 証 券	9,600
	有 価 証 券 売 却 損	100	有 価 証 券 利 息	90

解説

① 売買目的有価証券の取得原価は¥96×100口より¥9,600です。
また、4月1日〜5月9日の39日分の利息を渡します。

$$39日分の利息：¥10,000×7.3\%×\frac{39日}{365日}=¥78$$

② 4月1日〜9月30日の利息を受取ります。

$$6ヶ月分の利息：¥10,000×7.3\%×\frac{6ヶ月}{12ヶ月}=¥365$$

③ 売却した100口分の帳簿価額は¥9,600です。
　　100口分の売却価額：¥95×100口＝¥9,500
　　有価証券売却損：¥9,500−¥9,600＝△¥100
また、10月1日〜11月14日の45日分の利息を受取ります。

$$45日分の利息：¥10,000×7.3\%×\frac{45日}{365日}=¥90$$

商品売買

1 仕入割戻

しいれわりもどし

イントロダクション

たくさん仕入取引をした場合に、代金を安くしてもらえることが
あります。ここでは、代金を安くしてもらう仕入側の処理を見て
いきます。

たくさん買うと
得なのかねぇ

少し買うより安くなる
から得だよ！

Kazu

1 一度にたくさんの商品を買ったとき…

　ある一定の期間内にたくさんの商品を売買したときに、売主が商品
代金の一部を買主に返してあげることを「**割戻**」といいます。また、
商品を買った買主にとっては「**仕入割戻**」といい、商品を売った売主
にとっては「**売上割戻**」といいます。

たくさん買ったらおまけ
してもらえるんだね…

仕入割戻が行われたときは、「仕入」（費用）を減らして、同時に「買掛金」（負債）を減らします。つまり、仕入れにかかったお金が少なく済んだと考えます。

【仕入割戻時】

借　方　科　目	金　　額	貸　方　科　目	金　　額
買　　掛　　金	×××	仕　　　　　入	×××

負債の減少　　　　　　費用の減少

割戻額

一方、売上割戻が行われたときは、特別な処理をするため、後で学習します。

> **コトバ**
>
> 割戻：たくさんの商品を取引したことで、売主が買主に代金の
> 　　　一部を返すこと
> 仕入割戻：商品を仕入れた買主にとっての割戻

☆ 仕訳をしてみよう！

例5−1

問題　八百源は青森商店からの商品の仕入高が所定の金額を超え
たので、仕入高6,000円の２％の割戻を受け、買掛金と相
殺した。

【解答】

借 方 科 目	金 額	貸 方 科 目	金 額
買　　掛　　金	120	仕　　　　　入	120

【考え方】

① 仕入高の２％の割戻を受けた ＝ 仕入割戻

　　⇒「仕入」（費用）の減少

② 買掛金と相殺した

　　⇒「買掛金」（負債）の減少

③ 仕入高の２％

　　⇒ 6,000円 × ２％ ＝ 120円

> 割戻の分だけ将来払う
> お金が減るんだね

仕入割戻勘定を使う場合

仕入割戻は仕入のマイナスを意味しますが、仕入を減少させずに、仕入割戻（費用のマイナス）を使って仕訳することもあります。

【仕入割戻時】

借 方 科 目	金 額	貸 方 科 目	金 額
買 掛 金	×××	仕 入 割 戻	×××

買掛金と相殺しない場合

仕入割戻を行った場合に、買掛金と相殺せず、お金を受取ることもあります。この場合は、仕入割戻の分だけ将来支払うお金が減ると考えるのではなく、お金を受取ると考えます。

仮に、【例5－1】で買掛金と相殺せず、かつ、仕入の代わりに仕入割戻を使うとした場合の仕訳は、以下のようになります。

【仕入時】

借 方 科 目	金 額	貸 方 科 目	金 額
仕 入	6,000	買 掛 金	6,000

【仕入割戻時】

借 方 科 目	金 額	貸 方 科 目	金 額
現 金 預 金	120	仕 入 割 戻	120

第5章 商品売買

さっくり 4日目

しっかり 5日目

じっくり 6日目

2 商品1個あたりの 値段と個数

イントロダクション

いくらで仕入れた商品が、何個売れたのか…つまり売上原価の計算を詳しく見ていきます。ここでは、商品がなくなってしまった場合や商品の価値が下がってしまった場合なども学習します。試験対策上非常に重要なので、ていねいに学習を進めてください。

難しい
のかなぁ…

ちゃんと勉強すれ
ば、大丈夫よ！

1 買ってきた商品をいくらで売るの??

　会社は仕入れてきた商品を販売するときに、仕入値より高い金額で売ります。このように原価に一定の利益を上乗せしますが、どのくらいの割合の利益を上乗せして販売するのかを決めなければいけません。このとき、売上高に対する売上原価の占める割合を「**原価率**」、売上高に対する売上総利益の占める割合を「**利益率**」または「**売上総利益率**」といいます。

　例えば、80円で仕入れてきた商品を100円で販売したときの原価率は80円÷100円＝0.8で80％になり、利益率は20円÷100円＝0.2で20％になります。また、原価率と利益率を合わせると100％になります。

📖 原価率・利益率

	意　義	計算式
原　価　率	売価に占める原価の割合	$\dfrac{原　価}{売　価}$
利　益　率	売価に占める利益の割合	$\dfrac{利　益}{売　価}$

【原価率・利益率】

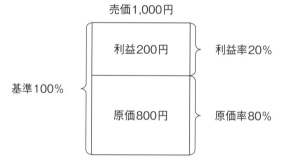

売価1,000円

基準100%

利益200円　　利益率20%

原価800円　　原価率80%

原価率と利益率を足すと必ず
100%になるんだね！！

さっくり
4日目

しっかり
5日目

じっくり
6日目

商品の金額は1個あたりの値段（単価）に数量を掛けて計算します。ここで、数量は「継続記録法」や「棚卸計算法」などの方法で求めます。

継続記録法とは、仕入れた数と払出した数を記録しておき、その記録から期末商品の数を求める方法です。一方、棚卸計算法とは、仕入れた数だけを記録しておき、期末時点で売れ残っている商品の数を数え（実地棚卸）、仕入れた数の合計からその期末商品の数を差引いて払出した数を求める方法です。

棚卸計算法は引き算で売れた商品の数を求めるのか…

継続記録法は全部記録するんだね！

コトバ

継続記録法：仕入れた数と払出した数を記録しておき、その記録から期末商品の数を求める方法

棚卸計算法：仕入れた数だけを記録しておき、期末時点で売れ残っている商品の数を数え、仕入れた数の合計からその期末商品の数を差引いて払出した数を求める方法

実地棚卸：期末時点で売れ残っている商品の数を数えること

3 | 売上げた商品の原価は いくらだろう??

商品の金額は1個あたりの値段（単価）に数量を掛けて計算します。単価は「**先入先出法**」「**移動平均法**」「**総平均法**」などで求めます。

(1) 先入先出法

先入先出法とは、先に仕入れた商品から先に払出すと仮定して商品の単価を求める方法です。

先に仕入れていた古いりんごから先に渡したと考えます

青森商店

お客さん

(2) 移動平均法

移動平均法とは、仕入れのたびに商品の原価の平均値を計算し、それを商品の単価とする方法です。

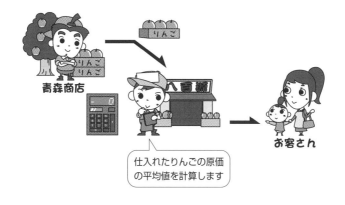

青森商店

仕入れたりんごの原価の平均値を計算します

お客さん

さっくり
4日目

しっかり
5日目

じっくり
6日目

(3) **総平均法**

総平均法とは、ある一定の期間内の商品の原価の平均値を計算し、それを商品の単価とする方法です。

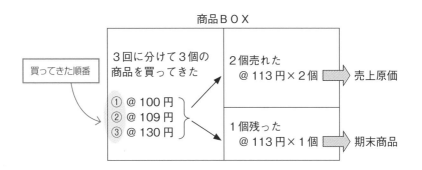

総平均法はある一定期間内の単価の平均値を計算するので、この場合、339円（@100円＋@109円＋@130円）払って3個の商品を買ってきたものと考え、単価の計算をします。

$$払出単価：\frac{@100円＋@109円＋@130円}{3個}＝@113$$

これにより、@113円の商品が2個売れて、@113円の商品が1個残っていると考えます。

> **コトバ**
>
> 先入先出法：先に仕入れた商品から先に払出すと仮定して商品の単価を求める方法
>
> 移動平均法：仕入れのたびに商品の原価の平均値を計算し、それを商品の単価とする方法
>
> 総平均法：ある一定の期間内の商品の原価の平均値を計算し、それを商品の単価とする方法

☆ 売上原価と期末商品棚卸高を求めよう！！

例5－2

問題 次の資料にもとづいて売上原価と期末商品帳簿棚卸高を先
入先出法・移動平均法・総平均法それぞれの方法により計
算しなさい。

　1 月 1 日：期首商品棚卸高は20個（@100円）であった。
　3 月10日：商品30個（@120円）を仕入れた。
　6 月15日：商品40個を売上げた。
　9 月17日：商品30個（@128円）を仕入れた。
　11月20日：商品20個を売上げた。

お客さん

どの方法を使うかによって
解答が違うんだね

【解答】
　先入先出法：売上原価　　　　　6,880円
　　　　　　　期末商品棚卸高　　2,560円
　移動平均法：売上原価　　　　　6,960円
　　　　　　　期末商品棚卸高　　2,480円
　総 平 均 法：売上原価　　　　　7,080円
　　　　　　　期末商品棚卸高　　2,360円

さっくり
4日目

しっかり
5日目

じっくり
6日目

【考え方】

① 先入先出法

先入先出法は先に仕入れた商品から先に払出すと仮定して商品の単価を求めるので、6月15日に払出した40個のうち20個は@100円、残り20個は@120円と考えます。

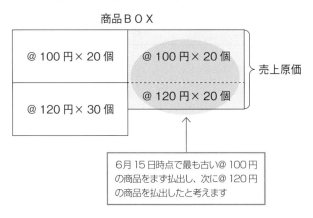

商品BOX

@ 100 円 × 20 個 | @ 100 円 × 20 個
@ 120 円 × 30 個 | @ 120 円 × 20 個

⎱売上原価

6月15日時点で最も古い@100円の商品をまず払出し、次に@120円の商品を払出したと考えます

商品BOXは、左側に期首と当期中に仕入れた商品を、右側に当期中に払出した商品と期末商品を記入する図だよ！！

11月20日に払出した20個のうち10個は@120円、残り10個は@128円と考えます。

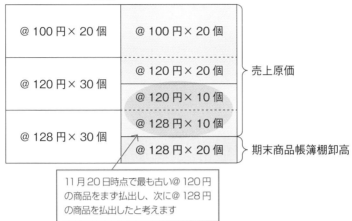

商品ＢＯＸ

@ 100 円 × 20 個	@ 100 円 × 20 個	
@ 120 円 × 30 個	@ 120 円 × 20 個	売上原価
	@ 120 円 × 10 個	
@ 128 円 × 30 個	@ 128 円 × 10 個	
	@ 128 円 × 20 個	期末商品帳簿棚卸高

11月20日時点で最も古い@ 120円の商品をまず払出し、次に@ 128円の商品を払出したと考えます

よって、売上原価は6月15日の（@100円×20個＋@120円×20個）と11月20日の（@120円×10個＋@128円×10個）の合計6,880円です。また、帳簿上、期末商品は@128円×20個より2,560円となります。

このあと実地棚卸を行い、本当に商品が20個残っているかどうかを確かめます

② 移動平均法

　移動平均法は仕入れのたびに商品の原価の平均値を計算し、それを商品の単価とする方法なので、6月15日に払出した40個は@112円と考えます。

$$払出単価：\frac{@100円×20個＋@120円×30個}{20個＋30個} = @112円$$

さっくり
4日目

しっかり
5日目

じっくり
6日目

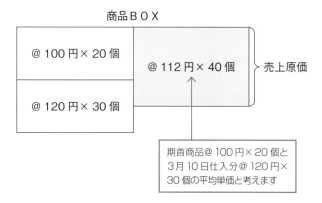

商品ＢＯＸ

@ 100 円× 20 個

@ 112 円× 40 個 ─ 売上原価

@ 120 円× 30 個

期首商品@ 100 円× 20 個と
3 月 10 日仕入分@ 120 円×
30 個の平均単価と考えます

また、11月20日に払出した20個は@124円と考えます。

$$払出単価：\frac{@112円 \times 10個 + @128円 \times 30個}{10個 + 30個} = @124円$$

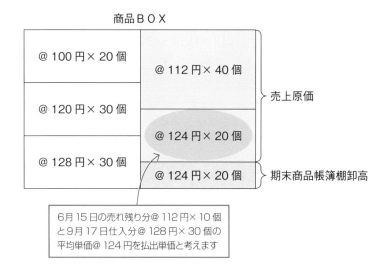

商品ＢＯＸ

@ 100 円× 20 個

@ 112 円× 40 個

@ 120 円× 30 個

@ 124 円× 20 個 ─ 売上原価

@ 128 円× 30 個

@ 124 円× 20 個 ─ 期末商品帳簿棚卸高

6 月 15 日の売れ残り分@ 112 円× 10 個
と 9 月 17 日仕入分@ 128 円× 30 個の
平均単価@ 124 円を払出単価と考えます

　　よって、売上原価は 6 月15日の@112円×40個と11月20日の
@124円×20個の合計6,960円です。また、帳簿上、期末商品は
@124円×20個より2,480円となります。

③ 総平均法

　総平均法はある一定の期間内の商品の原価の平均値を計算し、それを商品の単価とする方法なので、6月15日に払出した40個、11月20日に払出した20個はどちらも次の算式により@118円と考えます。

　払出単価：

$$\frac{@100円 \times 20個 + @120円 \times 30個 + @128円 \times 30個}{20個 + 30個 + 30個} = @118円$$

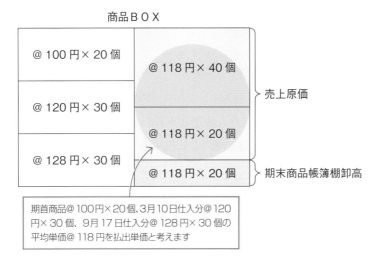

商品ＢＯＸ

@ 100 円 × 20 個	@ 118 円 × 40 個
@ 120 円 × 30 個	〉売上原価
@ 128 円 × 30 個	@ 118 円 × 20 個
	@ 118 円 × 20 個 〉期末商品帳簿棚卸高

期首商品@ 100 円× 20 個、3 月 10 日仕入分@ 120 円× 30 個、9 月 17 日仕入分@ 128 円× 30 個の平均単価@ 118 円を払出単価と考えます

　よって、売上原価は6月15日の@118円×40個と11月20日の@118円×20個の合計7,080円です。また、帳簿上、期末商品は@118円×20個より2,360円となります。

買いたたくぜ！

さっくり
4日目

しっかり
5日目

じっくり
6日目

総平均法による商品有高帳への記入

　総平均法では、一定の期間が終了するまで、平均単価を計算しません。そのため、受入高欄は「数量・単価・金額」を記入しますが、払出高欄と残高欄には「数量」のみを記入していきます。

商 品 有 高 帳

日付		摘　要	受　入　高			払　出　高			残　高		
			数量	単価	金額	数量	単価	金額	数量	単価	金額
1	1	前期繰越	20	100	2,000				20	100	2,000
3	10	仕　　入	30	120	3,600				50		
6	15	売　　上				40			10		
9	17	仕　　入	30	128	3,840				40		
11	20	売　　上				20			20		

　一定の期間が終了したら締切りを行います。このとき、受入高欄で平均単価@¥118を求め、払出単価や期末商品の単価とします。

商 品 有 高 帳

日付		摘　要	受　入　高			払　出　高			残　高		
			数量	単価	金額	数量	単価	金額	数量	単価	金額
1	1	前期繰越	20	100	2,000				20	100	2,000
3	10	仕　　入	30	120	3,600				50		
6	15	売　　上				40			10		
9	17	仕　　入	30	128	3,840				40		
11	20	売　　上				20			20		
12	31	**次期繰越**				20	118	2,360			
			80	118	9,440	80	118	9,440			
1	1	前期繰越	20	118	2,360				20	118	2,360

4 商品がなくなったり、価値が下がったら…

　例えば、帳簿には商品が100個残っていると記録されていても、実際に倉庫に残っている商品の数は、90個しかない場合があります。つまり、何らかの理由で商品が10個なくなってしまったのです。このように、商品がなくなってしまうことを「**棚卸減耗**」といい、「**棚卸減耗損**」（売上原価や販売費及び一般管理費など）で表します。

　棚卸減耗損はなくなってしまった分の金額なので、なくなった商品の帳簿価額（原価）になくなった商品の数量（帳簿棚卸数量−実地棚卸数量）を掛けて求めます。

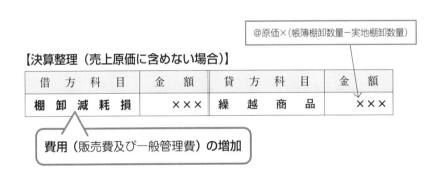

【決算整理（売上原価に含めない場合）】

@原価×（帳簿棚卸数量−実地棚卸数量）

借　方　科　目	金　　額	貸　方　科　目	金　　額
棚　卸　減　耗　損	×××	繰　越　商　品	×××

費用（販売費及び一般管理費）の増加

　棚卸減耗損は売上原価に含める場合もあります。その場合は「棚卸減耗損」勘定から「仕入」勘定に振替えます。

【決算整理（売上原価に含める場合）】

借　方　科　目	金　　額	貸　方　科　目	金　　額
棚　卸　減　耗　損	×××	繰　越　商　品	×××
仕　　　　　入	×××	棚　卸　減　耗　損	×××

さっくり
4日目

しっかり
5日目

じっくり
6日目

また、期末になって商品の価値を調べたら、価値が下がっている場合があります。これは「**商品評価損**」（売上原価または特別損失）で表します。

　価値の下落は期末の商品の正味売却価額と帳簿価額（原価）を比較して、期末の正味売却価額が下回っていたら、商品評価損を計上します。また商品評価損は、原則として売上原価に含めるので「商品評価損」を仕訳したあとに「仕入」勘定に振替えます。

【決算整理】

（@原価－@正味売却価額）×実地棚卸数量

借　方　科　目	金　　額	貸　方　科　目	金　　額
商　品　評　価　損	×××	繰　越　商　品	×××→
仕　　　　　　　入	×××	商　品　評　価　損	×××

売上原価は「仕入」勘定でまとめて集計するんだね

✐重要　**棚卸減耗損と商品評価損の算式**

棚卸減耗損＝@原価×（帳簿棚卸数量－実地棚卸数量）
商品評価損＝（@原価－@正味売却価額）×実地棚卸数量

コトバ

棚卸減耗：盗まれてしまったなどの理由で商品がなくなること

☆ **棚卸減耗損と商品評価損を求めよう！！**

例 5 - 3

問題 期末商品帳簿棚卸高は20個（原価@128円）であるのに対して、期末商品実地棚卸高は17個（正味売却価額@123円）であった。棚卸減耗損と商品評価損を計算しなさい。

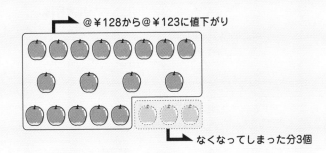

@¥128から@¥123に値下がり

なくなってしまった分3個

【解答】
　　棚卸減耗損：384円
　　商品評価損：85円

【考え方】
① 棚卸減耗損：@128円 ×（20個 − 17個）＝ 384円
② 商品評価損：（@128円 − @123円）× 17個 ＝ 85円

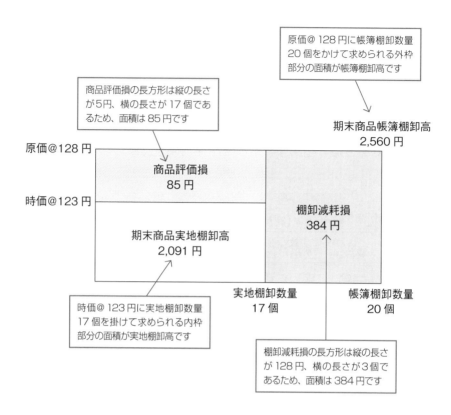

原価@ 128 円に帳簿棚卸数量
20 個をかけて求められる外枠
部分の面積が帳簿棚卸高です

商品評価損の長方形は縦の長さ
が5円、横の長さが 17 個であ
るため、面積は 85 円です

期末商品帳簿棚卸高
2,560 円

原価@128 円

商品評価損
85 円

時価@123 円

期末商品実地棚卸高
2,091 円

棚卸減耗損
384 円

実地棚卸数量
17 個

帳簿棚卸数量
20 個

時価@ 123 円に実地棚卸数量
17 個を掛けて求められる内枠
部分の面積が実地棚卸高です

棚卸減耗損の長方形は縦の長さ
が 128 円、横の長さが3個で
あるため、面積は 384 円です

📖 正味売却価額

　通常、商品はその時の時価で販売することができますが、販
売することによる経費もかかります。そのため、厳密には、商
品の販売によってもらえるお金は、商品の販売時の時価（＝売
価）の金額ではなくそこから経費などを差引いた金額となりま
す。これを正味売却価額といい、「売価－見積販売直接経費」で
計算します。

　なお、問題を解答するときは、「正味売却価額＝時価」と考え
て解答して問題ありません。

☆ 仕訳をしてみよう！

例 5－4

問題 期首商品棚卸高は2,000円、当期商品仕入高は7,440円、期末商品棚卸高は20個（原価@128円）、期末商品実地棚卸高は17個（正味売却価額@123円）であった。仕入勘定で売上原価を計算する。なお、棚卸減耗損と商品評価損は売上原価に含めること。

青森商店　　　　　　　　　　　　　　　　　　お客さん

なくなってしまった分3個
17個は@¥128から@¥123に値下がり

【解答】

借　方　科　目	金　　額	貸　方　科　目	金　　額
仕　　　　　入	2,000	繰　越　商　品	2,000
繰　越　商　品	2,560	仕　　　　　入	2,560
棚　卸　減　耗　損	384	繰　越　商　品	384
商　品　評　価　損	85	繰　越　商　品	85
仕　　　　　入	384	棚　卸　減　耗　損	384
仕　　　　　入	85	商　品　評　価　損	85

さっくり 4日目

しっかり 5日目

じっくり 6日目

【考え方】

① 期首商品棚卸高を繰越商品勘定から仕入勘定に振替え、期末商品
棚卸高を仕入勘定から繰越商品勘定に振替えます。

借 方 科 目	金 額	貸 方 科 目	金 額
仕 入	2,000	繰 越 商 品	2,000
繰 越 商 品	2,560	仕 入	2,560

簿記3級の決算整理で
学習した仕訳だね！

② 「棚卸減耗損」（費用）・「商品評価損」（費用）を計上し、繰越商
品勘定の残高を棚卸減耗損・商品評価損の分だけ小さくします。

借 方 科 目	金 額	貸 方 科 目	金 額
棚 卸 減 耗 損	384	繰 越 商 品	384
商 品 評 価 損	85	繰 越 商 品	85

③ 棚卸減耗損と商品評価損の両方を売上原価に含めるため、棚卸減
耗損・商品評価損を棚卸減耗損勘定・商品評価損勘定から仕入勘
定に振替え、仕入勘定の残高を棚卸減耗損・商品評価損の分だけ
大きくします。これにより売上原価を表す仕入勘定には棚卸減耗
損と商品評価損の両方が含められます。

借 方 科 目	金 額	貸 方 科 目	金 額
仕 入	384	棚 卸 減 耗 損	384
仕 入	85	商 品 評 価 損	85

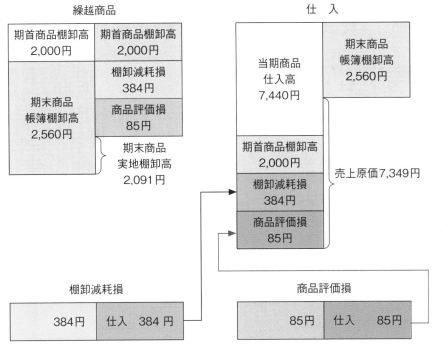

繰越商品

期首商品棚卸高 2,000円	期首商品棚卸高 2,000円
期末商品 帳簿棚卸高 2,560円	棚卸減耗損 384円
	商品評価損 85円
	期末商品 実地棚卸高 2,091円

仕　入

当期商品 仕入高 7,440円	期末商品 帳簿棚卸高 2,560円
	期首商品棚卸高 2,000円
	棚卸減耗損 384円
	商品評価損 85円

売上原価7,349円

棚卸減耗損

| 384円 | 仕入　384円 |

商品評価損

| 85円 | 仕入　85円 |

　仕入勘定の残高7,349円は、このあと損益勘定に振替えます。また繰越商品勘定の残高2,091円は次期に繰り越されます。棚卸減耗損勘定・商品評価損勘定共に残高がゼロであるため損益勘定への振替は行われません。棚卸減耗損384円・商品評価損85円は仕入勘定に振替えられており、仕入勘定から損益勘定に振替えられることになります。

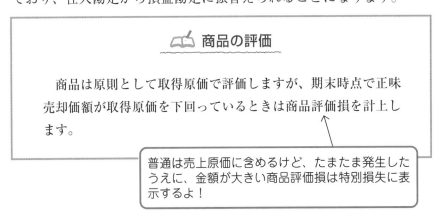

📖 商品の評価

　商品は原則として取得原価で評価しますが、期末時点で正味売却価額が取得原価を下回っているときは商品評価損を計上します。

普通は売上原価に含めるけど、たまたま発生したうえに、金額が大きい商品評価損は特別損失に表示するよ！

さっくり
4日目

しっかり
5日目

じっくり
6日目

商品評価損のみを売上原価に算入する場合

　【例5-4】では、商品評価損と棚卸減耗損の両方を売上原価に算入しましたが、棚卸減耗損は売上原価に算入せず、販売費及び一般管理費に表示する場合もあります。この場合、商品評価損のみが売上原価に算入されますが、【例5-4】の【考え方】③が以下のとおりになります。

　③商品評価損のみを売上原価に含める場合は、商品評価損を商品評価損勘定から仕入勘定に振替え、仕入勘定の残高を商品評価損の分だけ大きくします。これにより売上原価を表す仕入勘定には商品評価損が含められます。

借　方　科　目	金　　額	貸　方　科　目	金　　額
仕　　　　　入	85	商　品　評　価　損	85

3 売上原価対立法

イントロダクション

商品売買の記帳方法として「三分法」を学習済みですが、ここでは、「売上原価対立法」という新しい記帳方法を学習します。「売上原価対立法」は、商品を販売したつど売上原価が明らかになるので、三分法と比べて原価の管理に有効な記帳方法といえるでしょう。

そのつど、売上原価が
分かるなんて素敵ね！

売上原価の管理なら、
私にまかせてください

エリート小林

1 商品を売るときに売上原価を管理する

今まで、商品売買取引は三分法で仕訳をしてきましたが、三分法によると、商品を売ったときに売上げた商品の原価（売上原価）がわかりません。そこで、商品を売ったときに売上原価を管理できるような仕訳の方法を使うことがあります。この方法を「**売上原価対立法**」といいます。売上原価対立法によると、商品を買ってきたときは「**商品**」（資産）を増やし、商品を売ったときに売上原価を「**売上原価**」（費用）で表し、同じ金額だけ「**商品**」（資産）を減らします。

第5章

商品売買

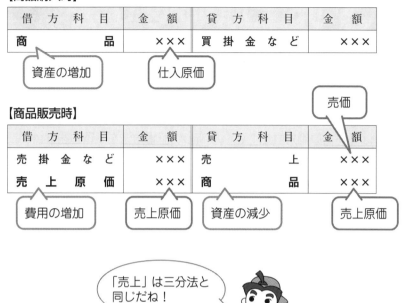

【商品購入時】

借　方　科　目	金　額	貸　方　科　目	金　額
商　　　　　品	×××	買　掛　金　な　ど	×××

資産の増加　　仕入原価

【商品販売時】

売価

借　方　科　目	金　額	貸　方　科　目	金　額
売　掛　金　な　ど	×××	売　　　　　上	×××
売　上　原　価	×××	**商　　　　　品**	×××

費用の増加　　売上原価　　資産の減少　　売上原価

「売上」は三分法と
同じだね！

　売上原価対立法によると商品を売ったときに売上原価を仕訳し、商品も減らしているので、決算整理で特別な修正をしなくても、あるべき「売上原価」とあるべき「商品」の金額になっています。

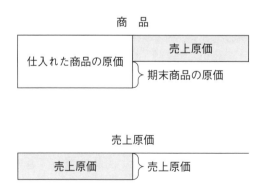

商　品

仕入れた商品の原価	売上原価
	期末商品の原価

売上原価

売上原価	売上原価

☆ 仕訳をしてみよう！

🔍 例5－5

問題 ① 9月20日、@40円の商品70個を掛けで仕入れた。なお、
商品売買は、販売のつど売上原価を商品勘定から売上原
価勘定に振替える方法によって記帳している。
② 9月25日、9月20日に仕入れた商品のうち50個を@60
円で売渡し、代金は掛けとした。

販売のつど、売上原価を
記帳してね

めんどくさいのよ！

【解答】

①

借　方　科　目	金　　額	貸　方　科　目	金　　額
商　　　　　品	2,800	買　　掛　　金	2,800

②

借　方　科　目	金　　額	貸　方　科　目	金　　額
売　　掛　　金	3,000	売　　　　　上	3,000
売　上　原　価	2,000	商　　　　　品	2,000

【考え方】

①-1 販売のつど売上原価を商品勘定から売上原価勘定に振替え
る方法 ＝ 売上原価対立法
⇒「商品」（資産）の増加

①-2 @40円（原価）×70個 ＝ 2,800円

さっくり
4日目

しっかり
5日目

じっくり
6日目

②-1 「売上」の金額：@60円（売価）×50個 = 3,000円

②-2 販売のつど売上原価を商品勘定から売上原価勘定に振替える方法 = 売上原価対立法
⇒「商品」（資産）の減少、「売上原価」（費用）の増加

②-3 「売上原価」の金額：@40円（原価）×50個 = 2,000円

商　品

仕入れた商品の原価 2,800円	売上原価2,000円
	800円

期末商品帳簿棚卸高

売上原価

売上原価2,000円	2,000円

売上原価

問題文では「販売のつど売上原価を商品勘定から売上原価勘定に振替える方法」って言い方をする場合が多いよ！

📖 三分法VS売上原価対立法

　商品売買取引を「三分法」で仕訳すると、決算整理仕訳をしないと売上原価は分かりませんでした。

【決算時】

借　方　科　目	金　　額	貸　方　科　目	金　　額
仕　　　　　入	×　×　×	繰　越　商　品	×　×　×
繰　越　商　品	×　×　×	仕　　　　　入	×　×　×

仕　入

当期に仕入れた 商品の原価	繰越商品（期末）
	売上原価
繰越商品（期首）	

　一方、「売上原価対立法」は売上のつど売上原価を仕訳するので、常に売上原価が分かります。このため、「売上原価対立法」は「三分法」より経営活動に役立つ記帳方法といえます。

売上原価

売上原価
↝売上原価

さっくり
4日目

しっかり
5日目

じっくり
6日目

4 販売基準

イントロダクション

お客さんに商品を売渡したときに「売上」の仕訳をしますが、そもそも、売渡すというのは一体いつなのでしょうか?ここでは、今まで無意識に計上していた「売上」などの収益を、もう少し厳密に考えていきます。いくつかの基準がでてきますが、新しい仕訳を学習するわけではありません。あくまでも考え方のお話です。

いつ計上するかを
定めた基準だぜ

ま〜ちゃん

色々あるの
ねぇ

1 引渡基準・出荷基準・検収基準など…

　ここまでは、商品を売るとき、すなわち得意先に商品を「販売した(引渡した)」ときに「売上」(収益)を計上していました。これを、**「販売基準」(引渡基準)** といいます。これは、商品の受渡しを目の前で行える場合は「販売(引渡し)」のタイミングがはっきり分かりますが、商品を得意先に送付する場合はどうでしょうか?「販売(引渡し)」と考えられるタイミングがいくつか考えられます。そのため、商

品を送付して得意先に販売するときは、得意先に商品を発送した時点で売上収益を計上したり（**出荷基準**）、得意先に商品が納品された時点で売上収益を計上したり（**納品基準**）、得意先のチェック（検収）を受けた時点で売上収益を計上する（**検収基準**）ことが考えられます。

　また、売上などを損益計算書に計上することを「**認識**」といいます。

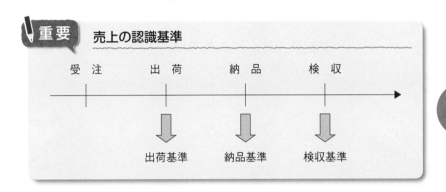

重要　売上の認識基準

受　注　　　出　荷　　　納　品　　　検　収

出荷基準　　納品基準　　検収基準

コトバ

販売基準（引渡基準）：得意先に商品を販売した（引渡した）ときに売上収益を計上する方法
出荷基準：得意先に商品を発送した時点で売上収益を計上する方法
納品基準：得意先に商品が納品された時点で売上収益を計上する方法
検収基準：得意先のチェック（検収）を受けた時点で売上収益を計上する方法
認識：損益計算書や貸借対照表に計上すること

第5章

商品売買

☆ 検収基準で仕訳をしてみよう！

例 5 － 6

問題 ① 得意先の沖縄商店より商品3,000円の注文が入り、代金
は掛けにして発送した。八百源では、売上の認識につい
ては検収基準を採用し、商品売買は三分法で記帳してい
る。
② ①の商品に関し、沖縄商店より注文通りの商品が無事届
いた旨の連絡が入った。

> 検収まだ
> かしら

【解答】

①

借 方 科 目	金 額	貸 方 科 目	金 額
仕 訳 な し			

②

借 方 科 目	金 額	貸 方 科 目	金 額
売 掛 金	3,000	売 上	3,000

【考え方】

① 商品の注文が入り発送した ⇒ 検収基準を採用

　　⇒ 商品の発送時には「仕訳なし」

② 注文通りの商品が無事届いた旨の連絡が入った

　　⇒ 検収基準を採用 ⇒ 検収時に「売上」（収益）の増加

> 「注文通り」というこ
> とは検収（チェック）
> が終わっているね

☆ 出荷基準で仕訳をしてみよう！

例5−7

問題 ① 得意先の沖縄商店より商品3,000円の注文が入り、代金
　　　　は掛けにして発送した。八百源では、売上の認識につい
　　　　ては出荷基準を採用し、商品売買は三分法で記帳してい
　　　　る。
　　② ①の商品に関し、沖縄商店より注文通りの商品が無事届
　　　　いた旨の連絡が入った。

出荷基準
だね！

【解答】

①

借　方　科　目	金　　額	貸　方　科　目	金　　額
売　　掛　　金	3,000	売　　　　　上	3,000

②

借　方　科　目	金　　額	貸　方　科　目	金　　額
仕　訳　な　し			

【考え方】

① 商品の注文が入り発送した ⇒ 出荷基準を採用
　　⇒ 発送（出荷）時に「売上」（収益）の増加
② 注文通りの商品が無事届いた旨の連絡が入った
　　⇒ 出荷基準を採用 ⇒ 商品の検収時には「仕訳なし」

さっくり
4日目

しっかり
5日目

じっくり
6日目

5 役務収益・役務原価

今までは、商品売買を営む会社を見てきましたが、サービス業などの会社は、どのように「売上」を計上するのでしょうか？ここでは、運送業など、お客さんにサービスを提供する会社の仕訳を少し見ていきます。

サービスのことを「役務」っていうのよ

長く生きてるともの知りだね

1　サービスを提供したときの収益は？

　会社の商売は商品をお客さんに販売するだけではなく、商品を運送したりするなどのサービスを提供する場合もあります。このようにサービスを提供する事業は、お金を受取ったときではなく、そのサービスを提供したとき、または決算時にそのサービスの提供の割合に応じた額の「**役務収益**」（収益）を計上します。サービスを提供する前にお金を受取っていた場合には、お金を受取ったときに「**前受金**」（負債）として仕訳します。

【サービスを提供する前にお金を受取ったとき】

借 方 科 目	金 額	貸 方 科 目	金 額
現　金　な　ど	×××	前　　受　　金	×××

負債の増加

【サービスを提供したとき、または決算時】

借 方 科 目	金 額	貸 方 科 目	金 額
前　　受　　金	×××	役　務　収　益	×××

負債の減少

サービスの提供の割合に応じた額

第5章 商品売買

　また、サービスの提供に伴う費用は2種類あり、サービスの提供に直接かかった費用と間接的にかかった費用です。例えば、商品を運送するときの燃料費などは、直接かかった費用といえます。これに対して、運搬サービスを行うための広告を作るなどの費用は、間接的な費用といえます。

　サービスの提供に直接かかった費用は、サービス提供前に支出した分は「**仕掛品**」（流動資産）で仕訳し、サービスを提供したとき、または決算時に、サービスの提供の割合に応じて「**役務原価**」（費用）に振替えます。一方、サービスの提供に間接的にかかった費用は、支出をしたときに広告宣伝費などの科目で費用として処理します。

【サービスの提供に直接かかった費用を支出したとき（サービス提供前）】

借 方 科 目	金 額	貸 方 科 目	金 額
仕　　掛　　品	×××	現　金　な　ど	×××

資産の増加

さっくり 4日目

しっかり 5日目

じっくり 6日目

【サービスを提供したとき、または決算時】

借　方　科　目	金　　額	貸　方　科　目	金　　額
役　務　原　価	×××	仕　　掛　　品	×××

サービスの提供の割合に応じた額

資産の減少

【サービスの提供に間接的にかかった費用を支出したとき】

借　方　科　目	金　　額	貸　方　科　目	金　　額
広告宣伝費など	×××	現　金　な　ど	×××

費用の増加

📖 役務収益や役務原価の財務諸表表示

　「役務収益」は、サービスの提供を本業としている場合、「売上高」の区分に、通常の商品の売上とは区別して表示します。一方、サービスの提供を本業としていない場合、「営業外収益」の区分に表示します。

　また、「役務原価」はサービスの提供を本業としている場合、「売上原価」の区分に、通常の商品の売上原価とは区別して表示します。一方、サービスの提供を本業としていない場合、「営業外費用」の区分に表示します。

☆　仕訳をしてみよう！

🔍 例5−8

問題　八百源は当期（×2年4月1日〜×3年3月31日）より商品の運送業を開始した。

① 12月1日：運送業を始めた広告を作るための費用4,000円を現金で支払った。

② 1月10日：京都商店へ商品を運送する契約を結び、半年分の運送賃15,000円を現金で受取った。

③ 1月15日：野菜を運送するための燃料7,000円分を購入し、現金で支払った。

④ 3月31日：決算日を迎えた。京都商店への運送は契約の6割が完了している状態である。

【解答】

①

借　方　科　目	金　　額	貸　方　科　目	金　　額
広　告　宣　伝　費	4,000	現　　　　　金	4,000

②

借　方　科　目	金　　額	貸　方　科　目	金　　額
現　　　　　金	15,000	前　　受　　金	15,000

③

借　方　科　目	金　　額	貸　方　科　目	金　　額
仕　　掛　　品	7,000	現　　　　　金	7,000

第5章

商品売買

さっくり
4日目

しっかり
5日目

じっくり
6日目

④

借　方　科　目	金　　額	貸　方　科　目	金　　額
前　　受　　金	9,000	役　務　収　益	9,000
役　務　原　価	4,200	仕　　掛　　品	4,200

【考え方】

① 広告を作るための費用を現金で支払った

　⇒「広告宣伝費」（費用）の増加

② 商品を運送する契約を結び、半年分の運送賃を現金で受取った

　＝ サービスを提供する前

　⇒「前受金」（負債）の増加

③ 野菜を運送するための燃料を現金で購入

　＝ サービスを提供する前

　⇒「仕掛品」（資産）の増加

④-1　決算日を迎え、京都商店への運送は契約の6割が完了

　　　⇒ 6割の「役務収益」（収益）を計上

　　　　6割の「前受金」（負債）の減少

④-2　決算日を迎え、京都商店への運送は契約の6割が完了

　　　⇒ 6割の「役務原価」（費用）を計上

　　　　6割の「仕掛品」（資産）の減少

④-3　役務収益：15,000円×60％ ＝ 9,000円

　　　役務原価：7,000円×60％ ＝ 4,200円

6 収益の認識基準

イントロダクション

これまでは、商品を引渡したら売上を、サービスの提供をしたら役務収益を計上するという考え方で学習してきましたが、これらのことが、「お客さんとの約束を果たすこと」であるということに着目して考えることを学習します。

1 5つのステップとは??

　ここまでは、取引が行われた場合、売上などの収益をどのタイミングで計上するかを統一的な考え方にしたがって検討することはせず、各取引において個別に検討し、処理するだけでした。しかし、新しく公表された「収益の認識」に関するルールでは、次のような5つのステップに沿って売上などの収益を認識します。

さっくり
4日目

しっかり
6日目

じっくり
7日目

<STEP 1 >　顧客との契約の識別

⬇

<STEP 2 >　履行義務の識別

} どの単位で収益を認識するかを決定

⬇

<STEP 3 >　取引価格の算定

⬇

<STEP 4 >　取引価格の履行義務への配分

} いくら収益を認識するのかを決定

⬇

<STEP 5 >　履行義務の充足時に収益を認識

} いつどのように収益を認識するのかを決定

まずは、お客さんに対して果たさなければいけないことを整理します

次に収益の金額を決めます

エリート小林

　<STEP 5 >にあるとおり、売上などの収益は「義務を果たした（＝**履行義務を充足した**）時」に認識されます。このように、「**履行義務を充足した**」時に売上などが認識されるということは、契約の中にどのような義務があるのかがポイントになります。そのため、<STEP 1 >や<STEP 2 >で、どのような義務があるのかを識別します。

1つの契約に複数の義務が含まれている場合もあるよ！

また、収益を認識するためには、金額を把握する必要があります。そのため、＜STEP 3＞と＜STEP 4＞では、＜STEP 1＞と＜STEP 2＞で識別した義務に金額を割当てる作業を行います。

📖 履行義務の充足とは…

　「履行義務を充足した時に収益を認識する」ということは、義務を果たしたときに収益を認識することになるわけですが、商品売買取引において「履行義務を充足した時」とはいつになるのでしょうか？

　例えば、1,000円の商品をお客さんに販売する約束をした場合、お店はお客さんから1,000円を受取る権利を取得する代わりに商品をお客さんに引渡す義務を負うことになります。

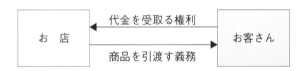

　この場合は、お店がお客さんに商品を引渡した時に履行義務を充足したことになるので、商品を引渡した時に売上1,000円を計上することになります。

さっくり
4日目

しっかり
6日目

じっくり
7日目

2　収益ってどのように認識するの??

　さきに見たように、履行義務を充足した時に収益を認識しますが、履行義務の充足の仕方には2種類あります。

　例えば、商品売買のように特定の商品をお客さんに引渡すことで直ぐに履行義務が充足される取引があります。このような履行義務を「**一時点で充足される履行義務**」といいます。一時点で充足される履行義務は、直ぐに履行義務が充足されるため、そのタイミングで売上などの収益を認識します。

　また、販売した商品のメンテナンス・サービスを3年間にわたり提供する場合など、一定期間にわたり継続して履行義務が充足される取引もあります。このような履行義務を「**一定の期間にわたり充足される履行義務**」といいます。一定の期間にわたり充足される履行義務は、一定期間にわたり徐々に履行義務が充足されると考えるため、特定の期間にわたり徐々に売上などの収益を認識します。

履行義務の種類		収益の認識の仕方
一時点で充足される履行義務	⇨	一時点で収益を認識
一定の期間にわたり充足される履行義務	⇨	一定期間にわたり収益を認識

☆ 収益の認識額を計算してみよう！

Q 例5−9

問題　八百源は横浜商店へ4,000円の商品を販売する契約を締結
　　　していたが、本日、当該商品を引渡した。

【解答】
　収益認識額：4,000円

【考え方】
① 商品を販売する契約
　　⇒ 商品を引渡す義務
　　⇒ 一時点で充足される履行義務
　　⇒ 商品引渡時に一括して収益を認識

さっくり
4日目

しっかり
6日目

じっくり
7日目

LEC東京リーガルマインド　日商簿記2級 光速マスターNEO 商業簿記テキスト〈第6版〉 233

☆ 収益の認識額を計算してみよう！

例5−10

問題 ① 八百源は×1年4月1日に、飲食店に対して18,000円で
商品の配送サービスを3年間提供する契約を締結した。
② ×2年3月31日に決算をむかえた。

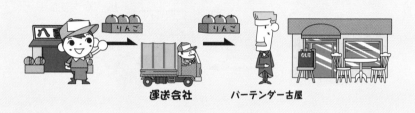
運送会社 　バーテンダー古屋

【解答】
　収益認識額：6,000円

【考え方】
① 商品の配送サービスを3年間提供する契約
　　⇒ 一定期間にわたりサービスを提供する義務
　　⇒ 一定の期間にわたり充足される履行義務
　　⇒ サービスの提供期間にわたり徐々に収益を認識
② 18,000円÷サービス提供期間3年 ＝ 6,000円

3年間にわたり徐々に
収益を認識していくのね

3 1つの契約に履行義務が複数含まれている場合は?

　お客さんと契約を締結してもその契約に含まれる履行義務が1つとは限りません。例えば、お客さんと「商品を販売し、その商品のメンテナンス・サービスを5年間提供する」という契約を結んだ場合、その契約には、①お客さんに商品を引渡す義務と、②5年間にわたりメンテナンス・サービスを提供するという義務、の2つの履行義務が含まれています。

　このような場合、お客さんと契約した金額に基づいて算定される取引価格を2つの履行義務に分ける必要があります。取引価格が100,000円だとした場合、これを、①お客さんに商品を引渡す義務に60,000円、②5年間にわたりメンテナンス・サービスを提供するという義務に40,000円、といった具合に配分します。

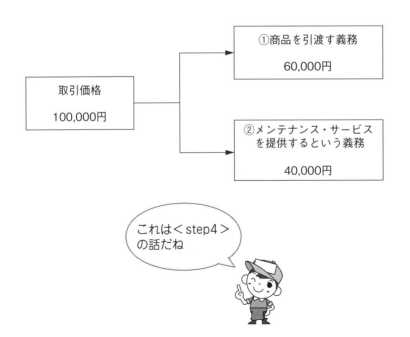

第5章
商品売買

これは＜step4＞の話だね

また、取引価格は、企業がその商品を単体で販売する場合の金額である「**独立販売価格**」の比率で配分します。

　前のページの例の場合において、「お客さんに商品だけを販売する場合の価格」は66,000円、「5年間のメンテナンス・サービスだけを提供する価格」は44,000円としましょう。この場合、独立販売価格の合計は110,000円になるのですが、商品とメンテナンス・サービスをセットで購入してくれたお客さんに対して10,000円おまけして、100,000円で販売したと考えます。

66,000円が商品の独立販売価格、44,000円がメンテナンス・サービスの独立販売価格なんだね

Kazu

　そして、その100,000円という契約の金額（取引価格）をそれぞれの独立販売価格である66,000円と44,000円の比率、つまり6：4の比率で配分します。その結果、①お客さんに商品を引渡す義務に60,000円、②5年間にわたりメンテナンス・サービスを提供するという義務に40,000円を配分することになります。

コトバ

独立販売価格：財又はサービスを独立して企業が顧客に販売する場合の価格

☆　収益の認識額を計算してみよう！

例5－11

問題　① 八百源は×1年4月1日に、神戸商店へ商品Aの販売と
　　　　商品Aのメンテナンス・サービスを4年間提供するとい
　　　　う1つの契約を締結した。
　　　② 八百源は×1年4月1日に商品Aを神戸商店に引渡し、
　　　　同日より×5年3月31日まで商品Aのメンテナンス・
　　　　サービスを提供する。
　　　③ 契約書に記載された価格は200,000円であった。なお、
　　　　商品Aの独立販売価格は176,000円、4年間のメンテナ
　　　　ンス・サービスの独立販売価格は44,000円であった。
　　　④ ×2年3月31日に決算をむかえた。

独立販売価格で按分
するのでアル！

めんどくさいのよ！

【解答】
　収益認識額：170,000円

さっくり
4日目

しっかり
6日目

じっくり
7日目

【考え方】

① STEP 1 ：契約の識別

 ⇒ 神戸商店へ商品Aの販売と商品Aのメンテナンス・サービスを4年間提供するという1つの契約を締結した

② STEP 2 ：履行義務の識別

 ⇒ (1)商品Aを引渡す義務と(2)メンテナンス・サービスを4年間提供する義務を識別する

③ STEP 3 ：取引価格の算定

 ⇒ 契約書に記載された価格は200,000円であった

 ⇒ 取引価格は200,000円

④ STEP 4 ：取引価格の履行義務への配分

 ⇒「商品Aを引渡す義務」への配分

$$取引価格200,000円 \times \frac{商品Aの独立販売価格176,000円}{独立販売価格の合計220,000円}$$

$$=160,000円$$

 ⇒ 「メンテナンス・サービスを4年間提供する義務」への配分

取引価格200,000円

$$\times \frac{メンテナンス・サービスの独立販売価格44,000円}{独立販売価格の合計220,000円}$$

$$=40,000円$$

⑤ STEP 5 ：履行義務の充足時に収益を認識

（1）商品Aを引渡す義務は、一時点で充足される履行義務

⇒ 商品A引渡時（×1年4月1日）に一括して収益認識

⇒ ×1年度において商品Aを引渡す義務に配分された取引価格
　　160,000円を全額収益として認識

（2）商品Aのメンテナンス・サービスを4年間提供する義務は、
　　　一定期間にわたりサービスを提供する義務

⇒ サービスの提供期間（×1年4月1日～×5年3月31日）にわ
　　たり徐々に収益認識

⇒ ×1年度においてメンテナンス・サービスを4年間提供する義
　　務に配分された取引価格40,000円のうち1年分の履行義務が
　　果たされたため、40,000円÷サービス提供期間4年 ＝ 10,000円
　　を収益として認識

（3）（1）＋（2） ＝ 170,000円

4年間にわたり徐々に
収益を認識していくのね

さっくり
4日目

しっかり
6日目

じっくり
7日目

4 収益を計上する時の仕訳は?科目は?

　売上などの収益を計上するときに代金を受取る権利を資産に計上することになりますが、「**契約資産**」（資産）という科目を使用する場合と「**売掛金**」など（**顧客との契約から生じた債権**）を使用する場合があります。

　ここで、顧客に商品などを引渡した後、他の商品を引渡す義務等が残っている場合は「**契約資産**」を使用します。

【売上時（他の義務が残っている場合）】

借　方　科　目	金　　額	貸　方　科　目	金　　額
契　約　資　産	×××	売　　　　　上	×××

　それに対し、顧客に商品などを引渡した後、他の商品を引渡す義務等がなく、代金の支払期日を待つだけの場合（法的に代金の請求権が発生している場合）は「**売掛金（顧客との契約から生じた債権）**」などを使用します。

【売上時（他の義務が残っていない場合）】

借　方　科　目	金　　額	貸　方　科　目	金　　額
売　掛　金　な　ど	×××	売　　　　　上	×××

顧客との契約から生じた債権を
示す場合、具体的には「売掛金」
などの科目で表します

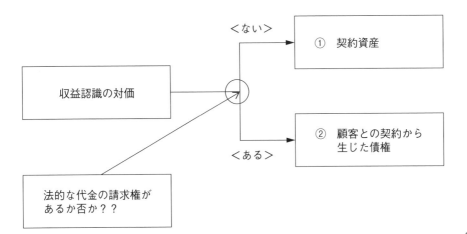

また、商品を引渡す前にあらかじめ手付金などを受取った場合、その手付金を「**契約負債**」（負債）で示します。なお、契約負債ではなく「**前受金**」（負債）で仕訳することもできます。

【手付金受取時】

借　方　科　目	金　　額	貸　方　科　目	金　　額
現　　金　　預　　金	×××	**契　約　負　債** （　前　受　金　）	×××

☆ 仕訳をしてみよう！！

例5-12

問題 ① 八百源は×1年4月1日に、東京商店へ商品Aと商品B
を販売する契約を締結した。

② ①の契約における取引価格は500,000円であり、商品A
の独立販売価格は350,000円、商品Bの独立販売価格は
150,000円である。

③ 商品Aは契約締結時（×1年4月1日）に顧客に引渡し、
商品Bは×1年6月1日に引渡した。

④ 代金は商品Bを引渡した後に請求する契約であり、×1
年6月30日に受取る予定である。なお、取引は予定通り
行われた。

⑤ 商品Aと商品Bを引渡す義務はそれぞれ独立した履行
義務である。

⑥ 取引は予定通り行われた。

代金の請求は、商品の引渡
しが全部終わってからで

分かりました

【解答】

① ×1年4月1日

借 方 科 目	金 額	貸 方 科 目	金 額
契 約 資 産	350,000	売 上	350,000

② ×1年6月1日

借 方 科 目	金 額	貸 方 科 目	金 額
売 掛 金	500,000	売 上	150,000
		契 約 資 産	350,000

③ ×1年6月30日

借 方 科 目	金 額	貸 方 科 目	金 額
現 金 預 金	500,000	売 掛 金	500,000

【考え方】

①-1 商品Aの引渡しにより、商品Aを引渡す義務が履行されたため、商品Aに係る収益350,000円を認識する

①-2 商品Aを引渡しても商品Bを引渡す義務が残っているため、「契約資産」を使用する

①-3 取引価格500,000円を商品Aと商品Bの独立販売価格で配分
⇒ 取引価格500,000円と商品Aと商品Bの独立販売価格の合計額500,000円が同額なので、各商品への配分額は各商品の独立販売価格と同じとなる
⇒ 商品Aに対する配分額は350,000円

さっくり
4日目

しっかり
6日目

じっくり
7日目

②-1 商品Bの引渡しにより、商品Bを引渡す義務が履行されたため、商品Bに係る収益150,000円を認識する

②-2 商品Bを引渡した後は他の義務がなくなり、代金の支払期日を待つだけなので、「売掛金」（顧客との契約から生じた債権）を使用する

商品Aを引渡したときに
計上した「契約資産」も
「売掛金」に振替えるんだね

②-3 取引価格500,000円を商品Aと商品Bの独立販売価格で配分
　⇒ 取引価格500,000円と商品Aと商品Bの独立販売価格の合計額500,000円が同額なので、各商品への配分額は各商品の独立販売価格と同じとなる
　⇒ 商品Bに対する配分額は150,000円

③ 代金の支払期日が到来 ⇒ 売掛金500,000円を決済

☆ 仕訳をしてみよう！！

例5−13

問題 ① 八百源は100,000円の商品Cを横浜商店へ引渡す契約
を締結した。
② 契約締結時に手付金30,000円を現金で受取った。
③ 後日、商品Cを横浜商店へ引渡し、残額を現金で受取っ
た。

【解答】

① 契約締結時

借 方 科 目	金 額	貸 方 科 目	金 額
現 金	30,000	契 約 負 債	30,000

② 商品引渡時

借 方 科 目	金 額	貸 方 科 目	金 額
現 金	70,000	売 上	100,000
契 約 負 債	30,000		

さっくり
4日目

しっかり
6日目

じっくり
7日目

【考え方】

① 手付金を受取った ⇒ 契約負債で仕訳

②-1　商品Cの引渡しにより、商品Cを引渡す義務が履行されたため、商品Cに係る収益100,000円を認識する

②-2　商品Cを引渡す義務が履行されたため、契約負債を取崩す

「契約負債」は「前受金」でもいいんだって！

5 売上げの金額が将来変わるかもしれない…

売上割戻（リベート）や返品権付き販売のように、契約金額のうち将来受取る金額が変動する可能性のある部分を「**変動対価**」といい、売上等の収益の金額から控除します。

ここで、「売上割戻」とは、仕入割戻の売上バージョンで、ある一定の期間内にたくさんの商品を売上げた時に、売主が商品代金の一部を買主に返してあげることいいます。買主に返す金額（返す見込みの金額）については、最終的に売上とはならないと考えます。つまり、売上を計上することはできません。

また、将来において売上割戻が見込まれる場合、割戻しの分だけ買主にお金を返す義務が発生するため、「**返金負債**」（負債）という科目で表します。

約束した額－売上割戻が見込まれる金額

【売上時】

借 方 科 目	金 額	貸 方 科 目	金 額
売 掛 金	×××	売 上	×××
		返 金 負 債	×××

売上割戻が見込まれる金額

コトバ

売上割戻：商品を販売した売主にとっての割戻

さっくり
4日目

しっかり
6日目

じっくり
7日目

履行義務の充足に応じて売上を計上したあと、割戻条件が満たされた場合は割戻額を買い手側に支払います。この際、後日、割戻額を支払うときは未払金で処理します。

また、割戻条件が満たされず、割戻が行われない場合は、実質的な受取額が増加するので、返金負債を減少させ、売上を計上します。

【割戻しをすることになった時】

借　方　科　目	金　　額	貸　方　科　目	金　　額
返　金　負　債	×　×　×	現　金　な　ど	×　×　×

【割戻しをしないことになった時】

借　方　科　目	金　　額	貸　方　科　目	金　　額
返　金　負　債	×　×　×	売　　　　　　上	×　×　×

返金しないことが
確定した金額

「割戻」は「リベート」
とも言うんだね

📖 返品権付き販売

　返品権付き販売とは、出版業界などの特定の業種でみられるように、売れ残った商品を無条件で売主に返品できるような販売形態のことを指します。

　例えば、本屋さんが売れ残った本を出版社に返品するような場合がそれに該当します。返品権付き販売の売主は、一度販売した商品について返品される可能性があります。返品された場合、受取る対価が減るので、売上割戻のときと同様に、返品が見込まれる金額は売上に計上することはできません。

　返品権付き販売の処理は複雑なため、1級で学習します。そのため、2級で学習する変動対価の具体例は、売上割戻だけになります。

第5章
商品売買

「返品権付き販売」については、1級で詳しく学習します

さっくり
4日目

しっかり
6日目

じっくり
7日目

☆ 仕訳をしてみよう！！

例5−14

問題 以下の取引条件等にもとづいて、①10月7日、②10月20
日、③11月30日に行う仕訳をしなさい。

(1) 八百源は10月7日に、東京商店へ商品A400個を1個あ
たり600円で販売した。

(2) 東京商店との間には、1ヶ月間に商品Aを500個以上購
入した場合には、1ヶ月間の販売額の1割をリベートと
して支払う取り決めがある。なお、返金は対象月の翌月
末（11月末日）に支払う予定であり、10月は当該リベー
トの条件が達成される可能性が高いと見込んでいる。

(3) 10月20日に、東京商店へ商品A250個を1個あたり
600円で販売し、リベートの条件が達成された。

(4) 11月30日に10月分のリベートを支払った。

エリート小林

【解答】

① 10月7日

借 方 科 目	金 額	貸 方 科 目	金 額
売 掛 金	240,000	売 上	216,000
		返 金 負 債	24,000

② 10月20日

借　方　科　目	金　額	貸　方　科　目	金　額
売　　掛　　金	150,000	売　　　　　上	135,000
		返　金　負　債	15,000
返　金　負　債	39,000	未　　払　　金	39,000

③ 11月30日

借　方　科　目	金　額	貸　方　科　目	金　額
未　　払　　金	39,000	現　金　預　金	39,000

【考え方】

①-1　10月は当該リベートの条件が達成される可能性が高い
　　　⇒1割を売上には計上せずに返金負債に計上
　　　　実質的な受取見込額を収益として売上に計上

①-2　商品A600個分の約束した金額
　　　＝＠600円×400個 ＝ 240,000円

①-3　返金が見込まれる金額＝ 返金負債
　　　＝ 240,000円×10％ ＝ 24,000円

①-4　収益に計上する金額＝ 売上
　　　＝ 240,000円－24,000円 ＝ 216,000円

②-1　10月は当該リベートの条件が達成される可能性が高い
　　　⇒1割を売上には計上せずに返金負債に計上
　　　　実質的な受取見込額を収益として売上に計上

②-2　商品A250個分の約束した金額
　　　＝＠600円×250個 ＝ 150,000円

②-3　返金負債 ＝ 150,000円×10％ ＝ 15,000円

②-4　売上 ＝ 150,000円－15,000円 ＝ 135,000円

②-5　10月20日の売上により、売上割戻が確定した
　　　⇒　返金の見込額であった返金負債を確定した債務である未
　　　　　払金にする

③ 割戻額を支払ったので、未払金が減少する

売上返品について

　3級で学習した売上返品については、品違いや品質不良など
を原因とする返品であり、このような売上返品取引は一度売上
を計上した後に、その売上を取消す処理をします。
　それに対し、このセクションで紹介した返品権付き販売は、品
違いや品質不良などの返品ではなく、売れ残った商品を無条件
で売主に返品できるような商品売買形態のことを指します。
　同じ返品取引でも、その内容により処理方法が異なるため、注
意が必要です。なお、3級と2級では、品違いや品質不良など
を原因とする返品が出題されます。

確認テスト

問題

次の決算整理事項を読んで仕訳しなさい。

① 期首商品棚卸高は￥3,500、期末商品帳簿棚卸高は80個（原価 @￥40）、期末商品実地棚卸高は75個（正味売却価額@￥36）で あった。仕入勘定で売上原価を計算する。

② ①につき、棚卸減耗損を売上原価に算入する仕訳を行う。

③ ①につき、商品評価損を売上原価に算入する仕訳を行う。

	借 方 科 目	金 額	貸 方 科 目	金 額
①				
②				
③				

解 答

	借 方 科 目	金 額	貸 方 科 目	金 額
①	仕　　　　入	3,500	繰 越 商 品	3,500
	繰 越 商 品	3,200	仕　　　　入	3,200
	棚 卸 減 耗 損	200	繰 越 商 品	200
	商 品 評 価 損	300	繰 越 商 品	300
②	仕　　　　入	200	棚 卸 減 耗 損	200
③	仕　　　　入	300	商 品 評 価 損	300

解 説

① 期首商品棚卸高を仕入勘定に振替え、期末商品帳簿棚卸高を繰越
　　商品勘定に振替えます。また、棚卸減耗損と商品評価損を計上しま
　　す。
　　　　期末商品帳簿棚卸高：＠￥40×80個＝￥3,200
　　　　棚卸減耗損：＠￥40×（80個－75個）＝￥200
　　　　商品評価損：（＠￥40－＠￥36）×75個＝￥300
② 棚卸減耗損を仕入勘定に振替えます。
③ 商品評価損を仕入勘定に振替えます。

期末商品帳簿棚卸高
3,200 円

原価@40 円

商品評価損 300 円	

時価@36 円

棚卸減耗損
200 円

期末商品実地棚卸高
2,700 円

実地棚卸数量　　　　帳簿棚卸数量
75 個　　　　　　　80 個

第6章 有形固定資産I

学習進度目安

さっくり 10日間	しっかり 15日間	じっくり 20日間
4日目	6日目	7日目

◉第6章で学習すること

① 修繕費と
資本的支出

② 建設仮勘定

③ 減価償却費の記帳
方法と計算方法

1 修繕費と資本的支出

イントロダクション

　3級でも学習しましたが、有形固定資産を修繕する場合、その修繕にかかった費用を修繕費として処理する場合と有形固定資産に上乗せする場合の2つの処理がありました。2級では少しだけ応用的な問題を見ていきます。また、第11章の「引当金」の部分と絡めて出題される可能性のある論点でもあります。

得意になっちゃえば、
得点源にできるわよ！

しっかり頭に整理
しておくべきね

1　建物をより良くするときと修理するとき

　建物などの有形固定資産をお金を払って修理したり改装したりする場合、固定資産の価値をより高める改良のための支出を「**資本的支出**」、固定資産の現状を維持するための支出を「**収益的支出**」といいました。

　資本的支出の部分は新たな固定資産の取得と考えて「建物」（資産）などの増加として、収益的支出の部分は「修繕費」（費用：販売費及び一般管理費）の増加として処理します。

具体的には、建物などの固定資産の耐用年数が延長する支出であったり、耐震構造強化のための支出は固定資産の価値を高めると考えられるため、資本的支出として処理し、単なるメンテナンスに係る支出は固定資産の価値を維持するための支出と考えられるため、収益的支出として処理します。

コトバ
資本的支出：固定資産の価値をより高める改良のための支出
収益的支出：固定資産の現状を維持するための支出

　通常の問題では、建物などの修繕を実施し、その支出を資本的支出と収益的支出に分けるので以下のような仕訳になります。

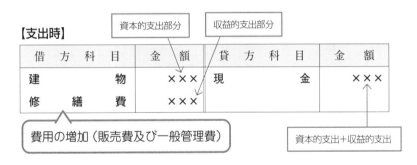

【支出時】

資本的支出部分　　収益的支出部分

借　方　科　目	金　額	貸　方　科　目	金　額
建　　　　　物	×××	現　　　　　金	×××
修　繕　費	×××		

費用の増加（販売費及び一般管理費）

資本的支出＋収益的支出

　なお、資本的支出の部分は、修繕を行ってから修繕した建物などが使えなくなるまで（耐用年数が経過するまで）の期間にわたって、減価償却していくことになります。

資本的支出の部分も減価償却費を計算するんだね

さっくり
4日目

しっかり
6日目

じっくり
7日目

☆　仕訳をしてみよう！

例6−1

問題　建物の修繕を行い、代金4,000円を小切手を振出して支払った。なお、このうち3,000円は耐用年数が延長する支出であり、残額は単なるメンテナンス費用であった。

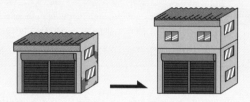

【解答】

借　方　科　目	金　額	貸　方　科　目	金　額
建　　　　物	3,000	当　座　預　金	4,000
修　　繕　　費	1,000		

【考え方】

① 3,000円は耐用年数が延長する支出

　＝ 建物の価値増加のための支出 ＝ 資本的支出

　⇒「建物」（資産）の増加

② 残額（4,000円−3,000円 ＝ 1,000円）は単なるメンテナンス費用

　＝ 建物の価値維持のための支出 ＝ 収益的支出

　⇒「修繕費」（販売費及び一般管理費）の増加

📖 修繕引当金

　実際に修繕を行う前に、修繕に備えて「**修繕引当金**」というものを準備しておくこともあります。これについては第11章で学習します。

2 建設仮勘定

イントロダクション

建物などが建設中であっても、建設代金をあらかじめ支払っている
ような場合、建設中の建物も会社の資産として計上する必要があ
ります。これを建設仮勘定といいます。建設仮勘定は、未完成の建
物であり、未だ使用を開始していないため、減価償却はしません。
このセクションでは、建設仮勘定について学習していきます。

1 建物を建設するときの支出は…

建設会社に頼んで、新しい建物を建ててもらっているとします。こ
の時、建物がまだ建設途中の段階で、建設代金の一部を先に支払う場
合があります。この建設代金は、まだ建物が完成していないので「建
物」（資産）ではなく、建設中の建物を示す**「建設仮勘定」**（資産）と
して処理しておきます。

その後、建物が完成して建設会社から引渡しを受けた時に、**「建設仮
勘定」**としておいた分を「建物」（資産）として計上します。

> 「建設仮勘定」は有形固定資産だよ！

さっくり
4日目

しっかり
6日目

じっくり
7日目

【建設代金一部支払時】

借　方　科　目	金　額	貸　方　科　目	金　額
建　設　仮　勘　定	×××	現　金　な　ど	×××

資産の増加

【建物引渡時】

借　方　科　目	金　額	貸　方　科　目	金　額
建　　　　　　物	×××	建　設　仮　勘　定	×××

資産の増加　　　　　　　　　　　　資産の減少　　　　　建設代金前払分

📖建設仮勘定と減価償却

　建物の建設中に「建設仮勘定」を減価償却することはしません。建物の完成・引渡時に「建物」と仕訳し、建物を使いはじめてから減価償却を開始します。

☆ 仕訳をしてみよう！

例6-2

問題 ① 八百源は建設会社に建物の建設を依頼し、請負金額
　　　5,000円のうち2,000円を小切手を振出して支払った。
　　② ①の建物が完成し、引渡しを受けた。また八百源は未払
　　　いの請負金額3,000円を小切手を振出して支払った。

建設途中です

【解答】

①

借　方　科　目	金　　額	貸　方　科　目	金　　額
建 設 仮 勘 定	2,000	当 座 預 金	2,000

②

借　方　科　目	金　　額	貸　方　科　目	金　　額
建　　　　　物	5,000	建 設 仮 勘 定	2,000
		当 座 預 金	3,000

【考え方】

① 請負金額5,000円のうち2,000円を支払った

　　⇒「建設仮勘定」（資産）の増加

②-1 建物が完成し、引渡しを受けた

　　　⇒「建物」（資産）の増加

　　　　前払分：「建設仮勘定」（資産）の減少、

②-2 未払いの請負金額を小切手を振出して支払った

　　　⇒「当座預金」（資産）の減少

さっくり
4日目

しっかり
6日目

じっくり
7日目

3 減価償却費の記帳方法と計算方法

イントロダクション

　３級では減価償却の記帳方法として「間接法」のみを学習しました。しかし、２級では間接法と異なり、「減価償却累計額」を使用しない記帳方法（直接法）を学習します。また、減価償却方法についても、３級で学習した「定額法」に加えて、２級では「定率法」「生産高比例法」「200％定率法」などの減価償却方法を学習します。学習量は多いですがイメージしやすいので、頑張れば得点源にできる分野です。

1 減価償却費の記帳方法（直接法とは…）

　３級で学習したように、「間接法」では減価償却費の計算をするときに、貸方に「減価償却累計額」を用いて仕訳しました。他方、資産の価値の減少を示す減価償却費と同じ金額だけ、資産の金額を直接減少させる記帳方法もあります。これを、「**直接法**」といいます。

【決算時（直接法）】

借方科目	金額	貸方科目	金額
減価償却費	×××	資　　産	×××

費用の増加 ｜ 価値減少分 ｜ 資産（実際は具体的な勘定科目を記入）を直接減額

これにより、資産の勘定は以下のようになります。

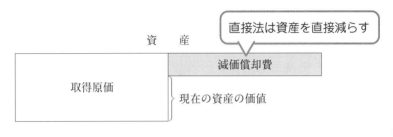

資　　産

直接法は資産を直接減らす

減価償却費

取得原価

現在の資産の価値

帳簿価額は取得原価ではなく、残っている資産の価値を表すよ！！

Kazu

借方の「減価償却費」は、間接法と同じだね！

さっくり
4日目

しっかり
6日目

じっくり
7日目

☆ 直接法で仕訳をしてみよう！

例6−3

問題　×2年3月31日、期末を迎え、車両の減価償却を定額法により行う。なお、この車両は×1年4月1日に取得したものであり、取得原価2,000円、耐用年数5年、残存価額は取得原価の10％である。

【解答】

借　方　科　目	金　　額	貸　方　科　目	金　　額
減価償却費	360	車　　　両	360

{取得原価2,000円−残存価額200円（取得原価2,000円×10％）}÷耐用年数5年＝360円

直接法は資産を直接減らす

【考え方】

① 取得原価2,000円、耐用年数5年、残存価額は取得原価の10％

　⇒ 取得原価が2,000円であるのに対し残存価額はその10％の200円なので5年間で1,800円の価値が減少

　⇒ 1年間で360円価値が減少 ＝ 360円の減価償却費を計上

　⇒ 減価償却費（費用）の増加

② 直接法で記帳 ⇒ 資産を直接減らす ⇒ 車両（資産）の減少

車　　両

	減価償却費360円
取得原価2,000円	現在の資産の価値1,640円

📖 有形固定資産の帳簿価額

　　有形固定資産の価値は、購入時点では取得原価と同じですが、減価償却により、徐々に価値が減少していきます。ここで、帳簿価額とは、帳簿に書いてある金額という意味ですが、有形固定資産では、有形固定資産の残っている価値として帳簿に書いてある金額のことを指します。つまり、有形固定資産の帳簿価額は、「取得原価－減価償却費の累計額」で求まります。

【直接法の場合】
帳簿価額＝資産の勘定の残高
【間接法の場合】
帳簿価額＝資産の勘定の残高－減価償却累計額

さっくり
4日目

しっかり
6日目

じっくり
7日目

　建物、備品、車両などは、長く使っていくうちに次第に価値が下がっていきます。そこで、当期に価値が下がった分（減価した分）を「**減価償却費**」（費用）として計上し、同じだけ資産の帳簿価額を引き下げる「**減価償却**」という手続きを行います。ただし、土地や建設会社に建設してもらっている途中の建物（建設仮勘定）は減価償却は行いません。

　減価償却費の計算方法として、「**定額法**」、「**定率法**」、「**生産高比例法**」を学習します。

定額法は３級で習った方法だね！

　「**定額法**」は、使い始めてから毎年同じ額ずつ減価していくと考える方法です。

> 減価償却費 ＝（取得原価－残存価額）÷耐用年数

　「**定率法**」は、使い始めた最初の頃に多く減価し、次第に減価の度合いがゆるやかになっていくと考える方法です。

> 減価償却費 ＝（取得原価－期首の減価償却累計額）×償却率

償却率は「20％」「0.2」といったように問題文で与えられるので、それを使って計算します

「**生産高比例法**」は時間の経過は関係なく、多く使えば多く減価し、あまり使わなければそれほど減価しないと考える方法です。

$$減価償却費 = (取得原価 - 残存価額) \times \frac{当期の利用量}{総利用可能量}$$

> 生産高比例法は、車両のように全部でどれだけ使えるかが分かり、また使えば使うほど減価するといえる資産にしか使えません

✏️ **重要** 減価償却費の計算方法（1年分の減価償却費）

定額法：（取得原価－残存価額）÷耐用年数

定率法：（取得原価－期首の減価償却累計額）×償却率

$$生産高比例法：（取得原価－残存価額）\times \frac{当期の利用量}{総利用可能量}$$

第6章

有形固定資産 I

📖 **償却方法と月割計算**

「定額法」と「定率法」は、時の経過により減価すると考えるので、月割計算をします。これに対して、生産高比例法は、あくまでも資産を利用した分だけ減価すると考えるので、月割計算をしません。

さっくり
4日目

しっかり
6日目

じっくり
7日目

☆ 仕訳をしてみよう！

例6-4

問題 ① ×2年3月31日、期末を迎え、×1年4月1日に取得した建物、備品、車両の減価償却を行う。記帳は間接法による。

建物は取得原価5,000円、耐用年数30年、残存価額は取得原価の10％とし、定額法により行う。備品は取得原価1,000円、償却率20％とし、定率法により行う。また車両は取得原価2,000円、見積総走行可能距離10,000km、当期の走行距離1,500km、残存価額は取得原価の10％とし、生産高比例法により行う。

② ×3年3月31日、期末を迎え、①の建物、備品、車両の減価償却を行う。なお、車両の当期の走行距離は2,000kmである。

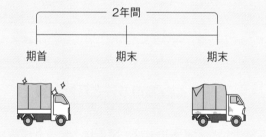

【解答】

①

借　方　科　目	金　　額	貸　方　科　目	金　　額
減　価　償　却　費	620	建物減価償却累計額	150
		備品減価償却累計額	200
		車両減価償却累計額	270

②

借　方　科　目	金　　額	貸　方　科　目	金　　額
減　価　償　却　費	670	建物減価償却累計額	150
		備品減価償却累計額	160
		車両減価償却累計額	360

【考え方】

①-1　建物は定額法なので、30年間毎年同じ額ずつ減価していくと考えます。

> 建物の減価償却費：(5,000円 − 5,000円 × 0.1) ÷ 30年
> ＝150円

①-2　備品は定率法なので、1年目に取得原価の20%が減価すると考えます。

> 備品の減価償却費：1,000円 × 0.2 ＝ 200円

償却率は残存価額を考慮して決められているので、定率法により減価償却費を求めるときに自分で残存価額を計算する必要はありません

①-3　車両は生産高比例法なので、走った距離の分だけ減価すると考えます。この車両は全部で10,000km走ることができ、10,000km走ることによって取得原価2,000円から残存価額200円まで全部で1,800円減価します。当期に走ったのは1,500kmなので、1,800円のうちこの分だけ減価すると考えます。

> 車両の減価償却費：$(2,000円 − 2,000円 × 0.1) \times \dfrac{1,500km}{10,000km}$
> ＝270円

さっくり
4日目

しっかり
6日目

じっくり
7日目

②-1　建物は定額法なので、2年目も1年目と同じ額だけ減価すると考えます。

> 建物の減価償却費：(5,000円 − 5,000円 × 0.1) ÷ 30年
> ＝ 150円

②-2　備品は定率法なので、2年目は、取得原価1,000円から1年目減価分200円を差引いた金額の20％が減価すると考えます。

> 備品の減価償却費：(1,000円 − 200円) × 0.2 ＝ 160円

> 定率法の場合は、取得原価1,000円から、×2年1月1日（期首）時点の減価償却累計額200円を差引き、それに償却率20％を掛けて減価償却費を算定します

②-3　車両は生産高比例法なので、走った距離の分だけ減価すると考えます。当期に走ったのは2,000kmなので、1,800円のうちこの分だけ減価すると考えます。

> 車両の減価償却費：$(2{,}000円 − 2{,}000円 × 0.1) \times \dfrac{2{,}000\text{km}}{10{,}000\text{km}}$
> ＝ 360円

> 生産高比例法はたくさん走れば走るほど多くの減価償却費が計上されるよ

Kazu

☆　仕訳をしてみよう！

例6-5

問題　×3年9月30日、備品を600円で売却し、代金は現金で受取った。この備品は×1年4月1日に取得したものであり、取得原価1,000円、償却率20％とし、定率法により減価償却を行っている。なお、決算日は毎年3月31日であり、記帳は間接法による。

【解答】

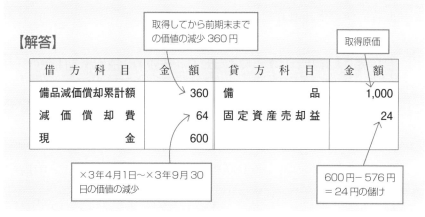

借　方　科　目	金　額	貸　方　科　目	金　額
備品減価償却累計額	360	備　　　　品	1,000
減　価　償　却　費	64	固定資産売却益	24
現　　　　　　金	600		

取得してから前期末までの価値の減少 360 円

取得原価

×3年4月1日～×3年9月30日の価値の減少

600 円－576 円＝24 円の儲け

【考え方】
① 備品を取得してから3年目の×3年9月30日に売却
　　⇒ ×1年に200円の価値が減少、×2年に160円の価値が減少、
　　　×3年9月30日までに64円の価値が減少
　　⇒ 前期以前の価値の減少は減価償却累計額（資産のマイナス）の
　　　減少、当期の価値の減少は減価償却費（費用）の増加
② 576円の車両を600円で売却 ＝ 24円の益
　　⇒ 固定資産売却益（収益）の増加

第6章
有形固定資産 I

さっくり
4日目

しっかり
6日目

じっくり
7日目

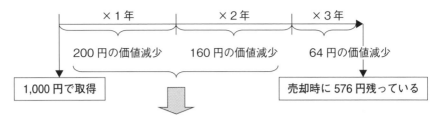

前期までの2年分の価値の減少（360円）は記帳済み

×1年度の減価償却費：1,000円×0.2 = 200円

×2年度の減価償却費：（1,000円 − 200円）×0.2 = 160円

期首の減価償却累計額：200円 + 160円 = 360円

　もし備品を売却しなかったとしたら、次の×3年3月31日までの1年間で（1,000円 − 360円）×0.2 = 128円減価したはずです。しかしここでは6ヶ月間（×3年4月1日〜×3年9月30日）だけ使って売却しているので、6ヶ月分を減価償却費として計上します。

×3年度の減価償却費：$(1{,}000円 - 360円) \times 0.2 \times \dfrac{6\,ヶ月}{12\,ヶ月} = 64円$

　以上から、取得してから売却するまでの減価が200円 + 160円 + 64円より424円、この備品の売却時点の価値は帳簿上576円であることが分かります。これを600円で売却しているので、24円が備品の売却による儲けになります。

売却時の帳簿価額：1,000円 − （200円 + 160円 + 64円）= 576円

固定資産売却益：600円 − 576円 = 24円

📖 【例6-5】を直接法で記帳していたら…

【例6-5】を直接法で記帳していたら以下の仕訳となります。

借 方 科 目	金 額	貸 方 科 目	金 額
減 価 償 却 費	64	備　　　　品	640
現　　　　金	600	固 定 資 産 売 却 益	24

取得原価1,000円－前期末までの価値減少分360円＝640円

📖 固定資産の売却による儲け

直接法では、資産の勘定の残高が資産の残っている価値（帳簿価額）を表すので「売却価額」と「資産の勘定の残高」との差額が固定資産の売却による損益になります。

> 直接法の儲け（or損）＝売却価額－資産の勘定の残高

一方、間接法では、資産の勘定の残高は資産の取得原価を、減価償却累計額は価値の減少分を表すので、「資産の勘定の残高－減価償却累計額」が資産の残っている価値（帳簿価額）を表します。そのため、「売却価額」と「資産の勘定の残高－減価償却累計額」との差額が固定資産の売却による損益になります。

> 間接法の儲け（or損）＝売却価額－（資産の勘定の残高－減価償却累計額）

ただし、直接法と間接法では、単に記帳方法が違うにすぎないので、どちらの記帳方法でも儲けや損は同じ金額になります。

第6章

有形固定資産I

さっくり
4日目

しっかり
6日目

じっくり
7日目

定率法には「**200%定率法**」という方法もあります。通常の定率法と同じように、使い始めた最初の頃に多く減価し、次第に減価の度合いがゆるやかになっていくと考える方法ですが、使用する償却率が通常の定率法とは異なります。

> 200%定率法償却率 ＝ 1 ÷ 耐用年数 × 200%

> 200%定率法減価償却費 ＝ （取得原価 － 期首の減価償却累計額）
> × 200%定率法償却率

また、固定資産を取得してからしばらくの間は上の算式で減価償却費を計算しますが、ある年度からは減価償却費の計算方法が変わります。具体的には、上の算式で求めた200%定率法の減価償却費と償却保証額を比べて、償却保証額が大きくなった場合は、その年度以降毎期均等額の減価償却費を計上します。つまり、途中から定額法に変わるということです。償却保証額は以下の算式で計算します。

> 償却保証額 ＝ 取得価額 × 保証率

200%定率法の減価償却費はだんだん減るから、いつか償却保証額の方が大きくなる時がやってくるんだ

エリート小林

まとめ：200%定率法

固定資産取得当初 ⇒ 200%定率法減価償却費

償却率：1÷耐用年数×200%

200%定率法償却費 < 償却保証額

償却保証額：取得価額×保証率

定額法償却費＝改定取得価額÷残りの耐用年数
　　　　　　＝改定取得価額×改定償却率

改定取得価額とは、はじめて200%定率法償却費が償却保証額を下回った年度の期首帳簿価額のことをいいます。

また、「改定取得価額÷残りの耐用年数」という計算は、実際には、「改定取得価額×改定償却率」という計算をします。

第6章

有形固定資産Ⅰ

さっくり
4日目

しっかり
6日目

じっくり
7日目

例 6 − 6

問題 八百源は×1年4月1日に機械を12,000円で購入してい
た。×2年3月31日、決算を迎えたので減価償却を行う。
減価償却は間接法で記帳し、200％定率法、耐用年数8年
で実施し、保証率は0.07909である。なお、償却保証額に
円未満の端数が生じるときは、円未満を切捨てるものとす
る。

【解答】

借　方　科　目	金　　額	貸　方　科　目	金　　額
減 価 償 却 費	3,000	減 価 償 却 累 計 額	3,000

【考え方】

① 200％定率法償却率：1 ÷耐用年数8年×200％ ＝ 0.25

② 200％定率法償却費：12,000円×0.25 ＝ 3,000円

③ 償却保証額：12,000円×保証率0.07909 ＝ 949.08円 → 949円

④ 比較：200％定率法償却費3,000円＞償却保証額949円

　　⇒ 当期の減価償却費は200％定率法償却費3,000円

200％定率法の残存
価額はゼロだよ

初年度は通常、定率法の減価償却費が
そのまま仕訳の金額になります

☆ 仕訳をしてみよう！

Q 例6-7

問題 八百源は×1年4月1日に機械を12,000円で購入していた。×7年3月31日、決算を迎えたので減価償却を行う。期首の機械の減価償却累計額は9,151円である。減価償却は間接法で記帳し、200％定率法、耐用年数8年で実施し、保証率は0.07909、改定償却率は0.334である。なお、減価償却費および償却保証額に円未満の端数が生じるときは、円未満を切捨てるものとする。

【解答】

借 方 科 目	金 額	貸 方 科 目	金 額
減 価 償 却 費	951	減 価 償 却 累 計 額	951

【考え方】

① 200％定率法償却率：1÷耐用年数8年×200％ = 0.25

② 200％定率法償却費：（12,000円 − 9,151円）× 0.25
  = 712.25円 → 712円

③ 償却保証額：12,000円 × 保証率0.07909 = 949.08円 → 949円

④ 比較：200％定率法償却費712円 ＜ 償却保証額949円
  ⇒ 当期の減価償却費は定額法償却費でやる

⑤ 定額法償却費：（12,000円 − 9,151円）× 改定償却率0.334
  = 951.566円 → 951円

償却保証額の方が大きくなったら、残りの期間は定額法で償却します

エリート小林

さっくり
4日目

しっかり
6日目

じっくり
7日目

4 古い車を新しい車に替える!?

　古い固定資産を下取りに出し、新しい固定資産を購入することを固定資産の「**買換え**」といいます。下取りは売却と同じことなので、売却と購入の仕訳をして合算したものが買換えの仕訳になります。

【売却（期中売却＆売却益が出る場合）】

古い固定資産

借　方　科　目	金　　額	貸　方　科　目	金　　額
減 価 償 却 累 計 額	×××	固　定　資　産	×××
減 価 償 却 費	×××	固 定 資 産 売 却 益	×××
未　収　入　金	×××		

実際に売却してお金を受取るわけではないので下取り金額は「未収入金」としておきます

【購入】

新しい固定資産

借　方　科　目	金　　額	貸　方　科　目	金　　額
固　定　資　産	×××	未　収　入　金	×××
		未 払 金 な ど	×××

上記売却と購入の仕訳を合わせると買換えの仕訳になります。

【買換え（売却＋購入）】

借　方　科　目	金　　額	貸　方　科　目	金　　額
減 価 償 却 累 計 額	×××	固　定　資　産	×××
減 価 償 却 費	×××	未 払 金 な ど	×××
固　定　資　産	×××	固 定 資 産 売 却 益	×××

☆ 仕訳をしてみよう！

Q 例6－8

問題 ×3年9月30日、車両を下取りに出し、新車を購入した。下取りに出した車両は×1年4月1日に取得したものであり、取得原価2,000円、見積総走行可能距離10,000km、×1年度の走行距離1,500km、×2年度の走行距離2,000km、×3年度の走行距離600km、残存価額は取得原価の10％とし、生産高比例法により減価償却を行っている。なお、決算日は毎年3月31日である。記帳は間接法による。また、新車の購入価額は2,500円であり、下取価額800円との差額は翌月末に支払うこととした。

【解答】

借　方　科　目	金　額	貸　方　科　目	金　額
車両減価償却累計額	630	車　　　　　両	2,000
減　価　償　却　費	108	未　　払　　金	1,700
固　定　資　産　売　却　損	462		
車　　　　　両	2,500		

> **コトバ**
> 買換え：古い固定資産を下取りに出し、新しい固定資産を購入すること

さっくり 4日目
しっかり 6日目
じっくり 7日目

【考え方】

① 古い車両の売却と新しい車両の購入に分けて仕訳を考える

② 古い車両の売却の仕訳

借 方 科 目	金 額	貸 方 科 目	金 額
車両減価償却累計額	630	車　　　　　両	2,000
減 価 償 却 費	108		
未 収 入 金	800		
固 定 資 産 売 却 損	462		

（吹き出し：古い車両）

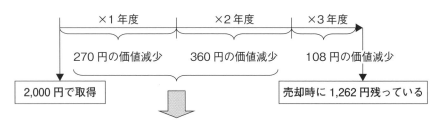

前期までの２年分の価値の減少（630円）は記帳済み

×１年度の減価償却費：$2,000円 \times 0.9 \times \dfrac{1,500km}{10,000km} = 270円$

×２年度の減価償却費：$2,000円 \times 0.9 \times \dfrac{2,000km}{10,000km} = 360円$

期首の減価償却累計額：270円 + 360円 = 630円

　　当期は６ヶ月間で600km走って売却しているので、６ヶ月間の減価分として600km分の減価償却費を計上します。

×３年度の減価償却費：$2,000円 \times 0.9 \times \dfrac{600km}{10,000km} = 108円$

以上から、取得してから買換えるまでの減価が270円＋360円＋108円より738円、この車両の買換時点の価値は帳簿上1,262円であることが分かります。これが800円で下取りされているので、差額462円が「**固定資産売却損**」（費用）となります。

買換時の帳簿価額：2,000円 − （270円 ＋ 360円 ＋ 108円）＝ 1,262円

固定資産売却損：800円 − 1,262円 ＝ △462円

③ 新しい車両の購入の仕訳

借　方　科　目	金　　額	貸　方　科　目	金　　額
車　　　　　両	2,500	未　収　入　金	800
		未　　払　　金	1,700

新しい車両

　新しい車両の取得原価2,500円を「車両」として仕訳します。なお、古い車両が800円で下取りされているので、支払いに充当します。よって、翌月末に支払わなければならないのは2,500円−800円より1,700円です。借方と貸方の「未収入金」は相殺します。ただし、古い車両と新しい車両を区別し、借方と貸方の「車両」は相殺しないで解答します。

　上記②と③の仕訳を合わせたものが【解答】の仕訳になります。

第6章

有形固定資産Ⅰ

さっくり
4日目

しっかり
6日目

じっくり
7日目

～資本的支出～

　本章で「資本的支出」と「収益的支出」を学習しました。「資本的支出」は固定資産の価値をより高めるための支出で、固定資産の金額に上乗せしました。一方、「収益的支出」は固定資産の価値を維持するような支出で、「修繕費」などとして当期の費用としました。

　では、何故資本的支出は固定資産の金額を増やすのでしょうか？

　答えは、「収益と費用の対応」にあります。固定資産の価値を増やすような支出は、会社の売上げなどの収益の獲得に役立ちます。一方その支出は、固定資産の金額に上乗せされ、減価償却費として徐々に費用となります。これにより、固定資産を使用して獲得した収益と固定資産の使用による費用が同じ会計期間に計上され、「収益と費用を対応」させることができます。

　会計の世界ではこのような「収益と費用の対応」がとても大切になります。このあと第11章で学習する「引当金」も「収益と費用を対応」させるための会計処理なのです。

確認テスト

問 題

次の取引を仕訳しなさい。

① ×3年1月1日、備品を¥1,300で売却し、代金は現金で受取った。この備品は×1年1月1日に取得したものであり、取得原価¥2,000、償却率25%とし、定率法により減価償却を行っている。なお、決算日は毎年12月31日である。記帳は間接法による。

② ×2年8月31日、車両を下取りに出し、新車を購入した。下取りに出した車両は×1年1月1日に取得したものであり、取得原価¥3,000、見積総走行可能距離12,000㎞、×1年度の走行距離2,000㎞、×2年度の走行距離800㎞、残存価額は取得原価の10%とし、生産高比例法により減価償却を行っている。なお、決算日は毎年12月31日である。記帳は間接法による。また、新車の購入価額は¥4,000であり、下取価額¥1,300との差額は月末に支払うこととした。

第6章

有形固定資産 I

	借 方 科 目	金 額	貸 方 科 目	金 額
①				
②				

さっくり
4日目

しっかり
6日目

じっくり
7日目

解 答

	借 方 科 目	金 額	貸 方 科 目	金 額
①	備品減価償却累計額	875	備　　　　　品	2,000
	現　　　　　金	1,300	固 定 資 産 売 却 益	175
②	車両減価償却累計額	450	車　　　　　両	3,000
	減 価 償 却 費	180	未　　払　　金	2,700
	固 定 資 産 売 却 損	1,070		
	車　　　　　両	4,000		

解 説

① ×1年度の減価償却費：￥2,000×0.25＝￥500

　　×2年度の減価償却費：（￥2,000－￥500）×0.25＝￥375

　　期首の減価償却累計額：￥500＋￥375＝￥875

　　備品の売却時点における価値は、帳簿上￥2,000－￥875より

￥1,125です。これを￥1,300で売却しているので、差額￥175が

「固定資産売却益」となります。

②

$$×1年度の減価償却費：￥3,000×0.9×\frac{2,000km}{12,000km}＝￥450$$

$$×2年度の減価償却費：￥3,000×0.9×\frac{800km}{12,000km}＝￥180$$

車両の買換時点における価値は、帳簿上￥3,000−(￥450＋￥180)より￥2,370です。これが￥1,300で下取りされているので、差額￥1,070が「固定資産売却損」となります。

【補足】直接法で処理した場合
直接法で処理した場合の解答は以下のとおりです。

	借 方 科 目	金 額	貸 方 科 目	金 額
①	現　　　　金	1,300	備　　　　品	1,125
			固 定 資 産 売 却 益	175
②	減 価 償 却 費	180	車　　　　両	2,550
	固 定 資 産 売 却 損	1,070	未　　払　　金	2,700
	車　　　　両	4,000		

① ×3年度の期首における備品勘定の残高は、￥2,000−￥875より￥1,125です。
② ×2年度の期首における車両勘定の残高は、￥3,000−￥450より￥2,550です。また、当期分の減価償却費が￥180なので、買換時点における価値は、￥2,550−￥180より￥2,370となります。

さっくり
4日目

しっかり
6日目

じっくり
7日目

有形固定資産II

学習進度目安

●第7章で学習すること

さっくり 10日間	しっかり 15日間	じっくり 20日間
5日目	7日目	8日目

① 除却と廃棄

② 未決算

③ 固定資産の割賦購入等

1 除却と廃棄

ここでは、固定資産に関する2つの取引を学習します。1つは、会社の活動で使わなくなった固定資産を倉庫などにしまうときの処理で、もう1つは、固定資産を棄ててしまうときの処理になります。

これ廃棄します

除却でも廃棄でも基本的には処理の仕方は同じよ

1 使わなくなった固定資産を 倉庫にしまう

固定資産の利用価値がなくなった時は、もう使わなくなるので、事業の用から取除きます。このように、事業の用から取除くことを「**除却**」といいます。除却した固定資産に価値があるときは、売却できるであろう金額（見積売却価額）を見積り、売却するまで「**貯蔵品**」（資産）で処理しておきます。除却した時点における固定資産の価値と売却できるであろう金額の差額が「**固定資産除却損**」（特別損失）になります。

【除却時（期中除却）】

借　方　科　目	金　額	貸　方　科　目	金　額
減価償却累計額	×　×　×	固　定　資　産	×　×　×
減　価　償　却　費	×　×　×		
貯　　蔵　　品	×　×　×		
固　定　資　産　除　却　損	×　×　×		

費用（特別損失）の増加

見積売却価額

除却時簿価－見積売却価額

売却では、売却した時点での価値である
帳簿価額に着目しましたが、除却では、
除却時点での帳簿価額に着目します

通常、除却で利益
はでないよ！

コトバ

除却：固定資産を事業の用から取り除くこと

さっくり
5日目

しっかり
7日目

じっくり
8日目

☆　仕訳をしてみよう！

例7－1

問題　期首において、使用しなくなった備品を除却した。この備品は取得原価5,000円、期首減価償却累計額4,200円である。記帳は間接法による。なお、備品の売却価値が250円と見積もられた。

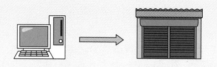

【解答】

借　方　科　目	金　　額	貸　方　科　目	金　　額
減 価 償 却 累 計 額	4,200	備　　　　　　品	5,000
貯　　蔵　　品	250		
固 定 資 産 除 却 損	550		

【考え方】

① 備品を除却した
　　⇒「備品」（資産）の減少
　　　「減価償却累計額」（資産のマイナス）の減少
② 売却価値が250円と見積もられた
　　⇒「貯蔵品」（資産）の増加
③ 除却時の帳簿価額：5,000円－4,200円 ＝ 800円
④ 固定資産除却損；800円－250円 ＝ 550円

> 800円の価値のある備品が
> 250円で売れるので差額の
> 550円が除却損になるよ

2　使わなくなった固定資産を廃棄する

　利用価値がなくなった固定資産を売却できない時は、棄てることになります。これを「**廃棄**」（はいき）といいます。そのため、廃棄時の固定資産価値が「**固定資産廃棄損**」（はいきそん）（特別損失）となります。また、廃棄するために費用がかかった時は、固定資産廃棄損に含めて処理します。

【廃棄時】

借　方　科　目	金　　額	貸　方　科　目	金　　額
減 価 償 却 累 計 額	×××	固　定　資　産	×××
固 定 資 産 廃 棄 損	×××		

廃棄時簿価

廃棄した場合は、廃棄した時点の固定資産の価値がそのまま損失になるよ！

エリート小林

コトバ

廃棄：利用価値のなくなった固定資産を棄てること

さっくり
5日目

しっかり
7日目

じっくり
8日目

第7章

有形固定資産Ⅱ

☆　仕訳をしてみよう！

例7−2

問題　期首において、使用不能となった備品を廃棄した。この備品は取得原価5,000円、減価償却累計額4,200円である。記帳は間接法による。

これ廃棄します

回収しちゃっていいですか？

さっさと積んで！

【解答】

借　方　科　目	金　額	貸　方　科　目	金　額
減 価 償 却 累 計 額	4,200	備　　　　　品	5,000
固 定 資 産 廃 棄 損	800		

【考え方】

① 備品を廃棄した
　　⇒「備品」（資産）の減少
　　　「減価償却累計額」（資産のマイナス）の減少
② 除却時の帳簿価額：5,000円 − 4,200円 ＝ 800円
③ 固定資産廃棄損：800円

期首に廃棄しているから当期分の減価償却費は計上しないよ！

800円の価値のある備品を棄てるので800円がそのまま廃棄損だニャ〜！！

【例7－1】および【例7－2】を直接法で記帳していたら…

① 【例7－1】を直接法で記帳していたら以下の仕訳となります。

借 方 科 目	金 額	貸 方 科 目	金 額
貯 蔵 品	250	備 品	800
固 定 資 産 除 却 損	550		

取得原価5,000円－前期末までの
価値減少分4,200円＝800円

② 【例7－2】を直接法で記帳していたら以下の仕訳となります。

借 方 科 目	金 額	貸 方 科 目	金 額
固 定 資 産 廃 棄 損	800	備 品	800

取得原価5,000円－前期末までの
価値減少分4,200円＝800円

第7章

有形固定資産Ⅱ

さっくり
5日目

しっかり
7日目

じっくり
8日目

2 未決算

イントロダクション

ここでは、固定資産が火災で焼失するなどの場合を学習します。固定資産には、通常、保険が掛けられており、受け取る保険金額が多い場合や少ない場合で処理が異なります。両者の違いを正確におさえましょう！

うう…。
ひどい目に合った！

1 火事で資産が焼失してしまった…

　火災や地震などにより建物や商品が滅失してしまうことに備えて保険に入ることがあります。火災などにより建物などが滅失してしまった時は、保険会社に請求して保険金をもらいます。

　保険金が確定する日は、建物などが滅失した日よりも後です。そこで、もらえる保険金が確定するまでの間、滅失した建物などの価値を「未決算」（仮勘定）で処理しておきます。

滅失　　　　　保険金確定　　　保険金受取

未決算勘定で仮置き

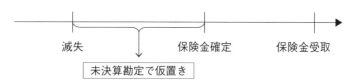

【固定資産滅失時】

借　方　科　目	金　　額	貸　方　科　目	金　　額
減 価 償 却 累 計 額	×××	固　定　資　産	×××
未　　決　　算	×××		

仮勘定　　　　　　　　滅失した固定資産の価値

　また、商品が滅失したときは、滅失した商品の価値を「未決算」として処理するとともに「**仕入（または繰越商品）**」の減少として仕訳します。

【商品滅失時】

借　方　科　目	金　　額	貸　方　科　目	金　　額
未　　決　　算	×××	**仕入（繰越商品）**	×××

仮勘定　　　　　　　　滅失した商品の価値

　保険金額が確定したら、「未決算」を取消すとともに、もらえることになった金額を「未収入金」として仕訳します。このとき、災害などで失われた資産の価値よりも、確定した保険金が多ければ、その差額を「**保険差益**」（特別利益）とします。

【保険金確定時（資産の帳簿価額＜保険金額）】

借　方　科　目	金　　額	貸　方　科　目	金　　額
未　収　入　金	×××	未　　決　　算	×××
		保　険　差　益	×××

収益（特別利益）の増加　　　　　　保険金額－資産の帳簿価額

たくさん保険金がもらえたんだね

第7章

有形固定資産Ⅱ

さっくり
5日目

しっかり
7日目

じっくり
8日目

また、災害などで失われた資産の価値よりも、確定した保険金額が少なければ、その差額は「**火災損失**」（特別損失）とします。

【保険金確定時（資産の帳簿価額＞保険金額）】

借　方　科　目	金　　額	貸　方　科　目	金　　額
未　収　入　金	×××	未　　決　　算	×××
火　災　損　失	×××		

費用（特別損失）の増加

資産の帳簿価額－保険金額

📖 「未決算」勘定

「**未決算**」勘定には、未決算の内容が分かるように「○○**未決算**」と具体的な名称をつけることもあります。例えば、火災で焼失してしまった資産に対する保険金が未決算であるときは「**火災未決算**」とします。

☆ 仕訳をしてみよう！

例7-3

問題 ① 期首に火災が発生し、商品と建物が焼失した。この商品は原価500円、建物は取得原価5,000円、減価償却累計額3,600円である。記帳は間接法による。なお、これらの資産には上限3,000円の火災保険が付されていたため、保険会社に保険金を請求した。
② 保険会社から、査定の結果2,000円を支払う旨の連絡を受けた。

【解答】

①

借 方 科 目	金 額	貸 方 科 目	金 額
建物減価償却累計額	3,600	仕 入	500
火 災 未 決 算	1,900	建 物	5,000

②

借 方 科 目	金 額	貸 方 科 目	金 額
未 収 入 金	2,000	火 災 未 決 算	1,900
		保 険 差 益	100

「仕入」じゃなくて「繰越商品」を使うこともありますよ

【考え方】

①-1 商品が焼失
⇒「仕入」（費用）の減少

①-2 建物が焼失
⇒「建物」（資産）の減少
「減価償却累計額」（資産のマイナス）の減少

①-3 保険会社に保険金を請求した
⇒「火災未決算」（仮勘定）の計上

①-4 失われた商品の価値：500円

①-5 失われた建物の価値：5,000円 − 3,600円 ＝ 1,400円

①-6 「火災未決算」の金額：500円 ＋ 1,400円 ＝ 1,900円

②-1 査定の結果2,000円を支払う旨の連絡を受けた
⇒「未収入金」（資産）の増加
「火災未決算」（仮勘定）の取消し

②-2 もらえる保険金2,000円 − 火災未決算1,900円 ＝ 100円
⇒「保険差益」（特別利益）100円

☆ 仕訳をしてみよう！

例7－4

問題　① 期首に火災が発生し、商品と建物が焼失した。この商品は原価500円、建物は取得原価5,000円、期首減価償却累計額3,600円である。記帳は間接法による。なお、これらの資産には上限3,000円の火災保険が付されていたため、保険会社に保険金を請求した。

② 保険会社から、査定の結果1,500円を支払う旨の連絡を受けた。

【解答】

①

借　方　科　目	金　額	貸　方　科　目	金　額
建物減価償却累計額	3,600	仕　　　　　　入	500
火　災　未　決　算	1,900	建　　　　　　物	5,000

②

借　方　科　目	金　額	貸　方　科　目	金　額
未　収　入　金	1,500	火　災　未　決　算	1,900
火　災　損　失	400		

第7章　有形固定資産Ⅱ

【考え方】

①-1 商品が焼失
⇒「仕入」（費用）の減少

①-2 建物が焼失
⇒「建物」（資産）の減少
「減価償却累計額」（資産のマイナス）の減少

①-3 保険会社に保険金を請求した
⇒「火災未決算」（仮勘定）の計上

①-4 失われた商品の価値：500円

①-5 失われた建物の価値：5,000円 − 3,600円 = 1,400円

①-6 「火災未決算」の金額：500円 + 1,400円 = 1,900円

②-1 査定の結果1,500円を支払う旨の連絡を受けた
⇒「未収入金」（資産）の増加
「火災未決算」（仮勘定）の取消し

②-2 もらえる保険金1,500円 − 火災未決算1,900円 = △400円
⇒「火災損失」（特別損失）400円

3 固定資産の割賦購入等

イントロダクション

会社の資金が不足しているなどの理由で、固定資産の購入時に一括して代金を支払わずに、分割払いの条件で固定資産を購入する場合があります。分割払いであるため、利息も支払わなければなりません。

分割払いなら
大きな買い物も
できるね！

利息の支払は
忘れずにね！

1 分割払いで固定資産を買うと…

固定資産を買ってくるとき、まとめてお金を支払わずに支払いを何回かに分ける分割払いで買う場合があります。このような、分割払いでの購入を「**割賦購入**」といいます。割賦購入すると、約束の日にお金を支払わなければいけないので、それを「**未払金**」（流動負債）で表します。また、割賦購入すると固定資産本体（取得原価）のお金だけでなく、支払いを延ばす分だけの利息を支払わなければなりません。この利息は購入時に「**前払費用**」（流動資産）として表します。なお、購入時に手形を振出した場合は、「**営業外支払手形**」（流動負債）で代金を支払わなければいけない義務を表します。

さっくり
5日目

しっかり
7日目

じっくり
8日目

【割賦購入時】

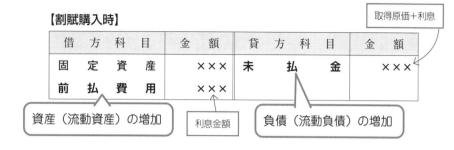

借　方　科　目	金　額	貸　方　科　目	金　額
固　定　資　産	×××	**未　　払　　金**	×××
前　払　費　用	×××		

取得原価+利息

資産（流動資産）の増加

利息金額

負債（流動負債）の増加

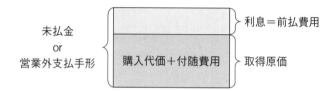

未払金
or
営業外支払手形

購入代価＋付随費用

利息＝前払費用

取得原価

約束手形を振り出した場合は、未払金の代わりに「営業外支払手形」を使うのか！

利息を支払っていないけど前払利息にするのよ！！

割賦代金を支払うたびに「**未払金**」（負債）を減らします。

【割賦代金支払時】

借　方　科　目	金　　額	貸　方　科　目	金　　額
未　　払　　金	×××	現　金　預　金	×××

負債の減少

決算整理では当期に発生した利息を「**支払利息**」（費用）で表し、その分、購入時に計上した「前払費用」（資産）を取り崩します。

【決算時】

借　方　科　目	金　　額	貸　方　科　目	金　　額
支　払　利　息	×××	前　払　費　用	×××

費用の増加　　　当期の利息　　　資産の減少

📖 支払期日が１年を超える場合は…

　もし約束の支払期日が、決算日の次の日から数えて一年を超えてやってくる場合、代金を支払わなければいけない義務は、**一年基準**により「**長期未払金**」（固定負債）で表します。また、同じように利息部分も、**一年基準**により「**長期前払費用**」（投資その他の資産）で表します。

第7章
有形固定資産Ⅱ

さっくり
5日目

しっかり
7日目

じっくり
8日目

☆ 仕訳をしてみよう！

例7-5

問題 ① ×1年4月1日において八百源は現金購入価額1,500円
の備品を分割払いで購入した。代金は月末ごとに支払期
限の到来する額面120円の約束手形を15枚振出して交
付した。なお、利息部分は前払費用で処理する。

② ×1年4月30日をむかえ、120円が当座預金口座から引
落された。

③ ×2年3月31日、決算日をむかえ、1年分の利息を計上
した。

分割なら
買えるわね

【解答】

①

借 方 科 目	金 額	貸 方 科 目	金 額
備 品	1,500	営 業 外 支 払 手 形	1,800
前 払 費 用	300		

②

借 方 科 目	金 額	貸 方 科 目	金 額
営 業 外 支 払 手 形	120	当 座 預 金	120

③

借 方 科 目	金 額	貸 方 科 目	金 額
支 払 利 息	240	前 払 費 用	240

【考え方】

①-1　代金は約束手形を振出した

　　　⇒備品は商品ではない

　　　⇒「営業外支払手形」（負債）の増加

①-2　手形額面120円×15枚 − 備品現金購入価額1,500円

　　　＝ 利息部分300円

　　　⇒「前払費用」（資産）の増加

②-1　120円が当座預金口座から引落された

　　　⇒「営業外支払手形」（負債）の減少

②-2　③より、利息部分の処理は期末に行う

③-1　1年分の利息を計上した

　　　⇒「支払利息」（費用）の増加、「前払費用」（資産）の減少

③-2　利息300円÷15ヶ月 ＝ 1ヶ月あたりの利息20円

　　　⇒1ヶ月あたりの利息20円×12ヶ月（×1年4月1日〜×2

　　　　年3月31日）＝ 240円

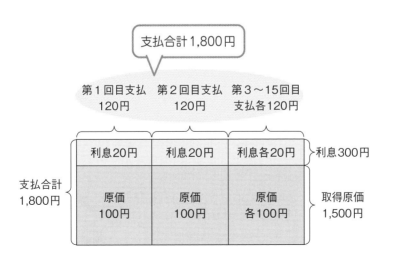

支払合計1,800円

第1回目支払 120円	第2回目支払 120円	第3〜15回目 支払各120円	
利息20円	利息20円	利息各20円	利息300円
原価 100円	原価 100円	原価 各100円	取得原価 1,500円

支払合計
1,800円

さっくり
5日目

しっかり
7日目

じっくり
8日目

📖 割賦購入時の会計処理

　ここでは、固定資産を割賦購入するとき、利息部分を「前払費用」で計上し、決算時に当期の利息部分の金額を「前払費用」から「支払利息」に振り替える仕訳を学習しました。

　しかし、固定資産を割賦購入するとき、①いったん利息部分の全てを「支払利息」として費用処理し、②決算で、当期に発生しなかった利息部分を「前払費用」に振り替える処理をする場合もあります。

　いずれの方法でも、最終的には支払利息と前払費用の金額は同じになりますが、どちらの方法で処理するかは問題の指示に従ってください。

　【例7－5】について、割賦購入時に支払利息で処理する場合、以下の仕訳になります。

【割賦購入時】

借　方　科　目	金　　額	貸　方　科　目	金　　額
固　定　資　産	1,500	未　　払　　金	1,800
支　払　利　息	300		

【決算時】

借　方　科　目	金　　額	貸　方　科　目	金　　額
前　払　費　用	60	支　払　利　息	60

当期に発生しなかった利息3ヶ月分
（×2年4月1日～×2年6月30日）

×2年6月30日が15ヶ月目で、最後の代金支払日だね

　地球環境に優しい資産など、国の政策のために固定資産を購入する場合、その固定資産の代金に充当するために国から補助金（国庫補助金）が交付される場合があります。この補助金を受取ったときは、「**国庫補助金受贈益**」（特別利益）で仕訳します。

【国庫補助金受取時】

借　方　科　目	金　　額	貸　方　科　目	金　　額
現　金　預　金	×××	**国庫補助金受贈益**	×××

収益（特別利益）の増加

　上記のような、国からの補助金をもとに固定資産を取得するときに、国庫補助金の金額分だけ固定資産の取得原価を減らすことが認められています。このような処理を「**圧縮記帳**」といいます。圧縮記帳をすると固定資産の金額を減らすことになりますが、同時に「**固定資産圧縮損**」（特別損失）を計上します。

【固定資産取得時（圧縮時）】

借　方　科　目	金　　額	貸　方　科　目	金　　額
固　定資産圧縮損	×××	固　定　資　産	×××

費用（特別損失）の増加
⇒国庫補助金受贈益と同額

国庫補助金相当額

　固定資産を取得した後は、減価償却計算を行うことになりますが、減価償却は圧縮した固定資産の金額をもとに行います。
　国庫補助金の交付を受けた場合、確かに補助金の分だけ固定資産の

さっくり
5日目

しっかり
7日目

じっくり
8日目

購入時に支払う金額が安く済みますが、交付時に国庫補助金受贈益（特別利益）を計上するので、利益の金額が大きくなり、税金の納付額も増えてしまいます。そこで、このような一時的に税金納付額が大きくなることを回避するために圧縮記帳を行います。圧縮記帳をすると、国庫補助金受贈益と同じ金額の固定資産圧縮損（特別損失）を計上するので、利益に与える影響はなくなり、一時的に税金納付額が大きくなることを回避できます。

　なお、圧縮記帳は税金の金額を免除する免税ではありません。圧縮記帳をした場合は、圧縮した固定資産の金額をもとに計算する減価償却費が圧縮しない場合と比べて小さくなり、その分利益が大きくなります。利益が大きくなれば支払う税金の金額が増えるので、取得時以降の減価償却を考えると、最終的に支払う税金の金額は圧縮記帳をしてもしなくても同じ金額になります。

📖 直接減額方式

　ここで学習した圧縮記帳は「**直接減額方式**」といって、資産取得時に国庫補助金相当額の金額だけ固定資産の金額を直接減額しました。2級ではこの「**直接減額方式**」のみしか出題されませんが、1級になると「積立金方式」というもう一つの圧縮記帳の方法を学習します。

☆ 仕訳をしてみよう！

例7−6

問題　① 八百源は当期首（×5年4月1日）に機械を取得するための国庫補助金3,000円を現金で受取った。

　　　② ×5年6月1日、①の国庫補助金を使用して機械12,000円を現金で購入した。

　　　③ 機械の購入時に補助金相当額の圧縮記帳を行った。

　　　④ 決算日（×6年3月31日）を迎えた。機械は、残存価額ゼロ、定額法、耐用年数5年、記帳方法は間接法で減価償却を行う。

【解答】

①

借　方　科　目	金　額	貸　方　科　目	金　額
現　　　　　金	3,000	国庫補助金受贈益	3,000

②

借　方　科　目	金　額	貸　方　科　目	金　額
機　　　　　械	12,000	現　　　　　金	12,000

③

借　方　科　目	金　額	貸　方　科　目	金　額
固 定 資 産 圧 縮 損	3,000	機　　　　　械	3,000

④

借　方　科　目	金　額	貸　方　科　目	金　額
減 価 償 却 費	1,500	機械減価償却累計額	1,500

さっくり
5日目

しっかり
7日目

じっくり
8日目

【考え方】

① 国庫補助金を受取った
　⇒「国庫補助金受贈益」（特別利益）の増加

③-1　機械の購入時に補助金相当額の圧縮記帳を行った
　　　⇒「固定資産圧縮損」（特別損失）の増加

③-2　機械の購入時に補助金相当額の圧縮記帳を行った
　　　⇒ 機械の金額を3,000円圧縮

④-1　圧縮後の機械9,000円（購入金額12,000円−圧縮額3,000円）を
　　　もとに減価償却

④-2　圧縮後の機械9,000円÷耐用年数5年×$\dfrac{10\text{ヶ月}}{12\text{ヶ月}}$ = 1,500円

「国庫補助金受贈益」3,000円と「固定資産圧縮損」3,000円が打ち消されて、利益には影響を与えないようになるね

📖 工事負担金

　国庫補助金の交付を受けたときだけでなく、「**工事負担金**」を受取ったときも同じように圧縮記帳をすることができます。工事負担金とは、電気やガスなどの公共事業がサービスの提供に必要な施設等の建設のために利用者から受取る資金のことで、資金受取時に「工事負担金受贈益」（特別利益）を計上します。そのため、工事負担金により固定資産を取得した場合、国庫補助金の場合と同じように圧縮記帳が認められます。

確認テスト

💬 問 題

次の各取引について仕訳しなさい。なお、会計期間は×3年4月1日～×4年3月31日の1年間である。

1. ×3年12月31日において、使用しなくなった機械を除却した。この機械×1年4月1日に取得原価20,000円で取得し、定額法、残存価額ゼロ、耐用年数10年で減価償却している。なお、記帳は直接法による。また、機械の売却価値が400円と見積もられた。

2.
① ×4年1月31日において、建物が焼失した。焼失した建物の取得原価は100,000円、期首減価償却累計額は54,000円、定額法、残存価額は取得原価の10%、耐用年数20年で減価償却している。なお、当該建物には保険が掛けられていたが、保険金額は確定していない。

② ×4年2月28日において、①の建物の保険金が43,000円であると確定した。

③ ×4年3月31日において、②の保険金が普通預金口座に振り込まれた。

第7章
有形固定資産Ⅱ

さっくり
5日目

しっかり
7日目

じっくり
8日目

		借 方 科 目	金　額	貸 方 科 目	金　　額
1.					
2.	①				
	②				
	③				

314　LEC東京リーガルマインド　日商簿記2級 光速マスターNEO 商業簿記テキスト〈第6版〉

解 答

		借 方 科 目	金 額	貸 方 科 目	金 額
1.		減 価 償 却 費	1,500	機 械	16,000
		貯 蔵 品	400		
		固 定 資 産 除 却 損	14,100		
2.	①	減 価 償 却 累 計 額	54,000	建 物	100,000
		減 価 償 却 費	3,750		
		火 災 未 決 算	42,250		
	②	未 収 入 金	43,000	火 災 未 決 算	42,250
				保 険 差 益	750
	③	普 通 預 金	43,000	未 収 入 金	43,000

 解 説

1. 直接法で記帳しているため、期首減価償却累計額4,000円（＝取
   得原価20,000円÷耐用年数10年×経過年数2年）は機械から直接
   控除されます。

   また、当期9ヶ月分の減価償却費は当期の費用として計上します。
   機械除却時の価値が14,500円で、それを400円で売却できる見込み
   なので、14,500円－400円＝14,100円が除却による損となります。

2．火災時の建物の価値は42,250円（＝取得原価100,000円－減価償
　却累計額54,000円－減価償却費3,750円）であり、確定した保険金
　が43,000円であるため、保険差益43,000円－42,250円＝750円が
　計上されます。
　　また、保険金が確定するまでは、火災時の建物の価値42,250円を
　「火災未決算」として仮置きします。なお、当期10ヶ月分の減価償
　却費は100,000円×（1－残存価額10%）÷耐用年数20年×10ヶ
　月/12ヶ月＝3,750円と計算します。

第 8 章　無形固定資産

学習進度目安

●第8章で学習すること

さっくり 10日間	しっかり 15日間	じっくり 20日間
5日目	7日目	8日目

① 無形固定資産とは

② ソフトウェア

③ のれん

1 無形固定資産とは

イントロダクション

ここで学習する「無形固定資産」は目に見えない資産です。具体的には、何らかの権利や、ブランド価値やノウハウなどですが、目に見えないからといって重要性が低いわけではありません。むしろ、ブランド価値やノウハウなどは会社の命運を握る資産になる場合もあります。

やっぱり、スーツは
ブランド物に限るぜ！

ま～ちゃん

あまり見ちゃ
だめよ

あのおじさん
ギラギラだよ！

1 無形固定資産とは…

　資産は大きく「流動資産」「固定資産」「繰延資産」の3つに分類されます。固定資産のうち、長く商売のために役立つもので、有形固定資産のような実体がなく目に見えない権利などを「**無形固定資産**」といいます。

　無形固定資産には、特許権、商標権、借地権などの法律上の権利や、「**のれん**」という目に見えない経済上の価値が含まれます。

	流動資産		
資産	固定資産	有形固定資産	
		無形固定資産	
		投資その他の資産	

2 会社のブランド価値やノウハウ

　同じような商売をしている会社が2社あったとして、一方の会社が他方よりもうまく商売をしているとします。うまく商売をしている要因としては、会社の名前が世間で広く知られていて評判が良かったり、有名なブランドを持っていたり、古くから続く老舗で昔からのお得意さんがたくさんいたりといったことが考えられます。会社が持っているこのような目に見えない価値を「**のれん**」といいます。

> コトバ
> のれん：会社が持っている、目に見えない価値

第8章

無形固定資産

さっくり
5日目

しっかり
7日目

じっくり
8日目

2 ソフトウェア

イントロダクション

　IT化の進む現代では、会社の事務作業のため、娯楽のため、工場の効率化のためなど様々なソフトウェアが溢れています。ここでは、会社の事務や工場の効率化・自動化のために会社が使用するソフトウェアの会計処理を学習します。

安いのあるかな

1 自分の会社で使うソフトウェア

　会社の経営を効率的に行うために、会計ソフトなどのソフトウェアを使う場合があります。このようなソフトウェアは会社の経営に役立ち、また目に見えないので無形固定資産の区分に「**ソフトウェア**」（無形固定資産）として計上します。

【購入時】

借　方　科　目	金　　　額	貸　方　科　目	金　　　額
ソ フ ト ウ ェ ア	×　×　×	現 金 預 金 な ど	×　×　×

自分の会社で使うソフト
ウェアを「自社利用のソフ
トウェア」というのよ！

　なお、自社で使うソフトウェアの開発を外部に依頼して作ってもら
う場合に、完成する前に代金を支払うときは、「**ソフトウェア仮勘定**」
（無形固定資産）で処理します。

建設仮勘定のソフトウェア
バージョンである！

第8章　無形固定資産

さっくり
5日目

しっかり
7日目

じっくり
8日目

コトバ
ソフトウェア：会計ソフトなど、コンピュータを機能させるた
　　　　　　　めのプログラム

ソフトウェアは他の固定資産と同じように、決算時に償却計算を行います。具体的には「**ソフトウェア償却**」（費用：販売費及び一般管理費）で表し、同時に「**ソフトウェア**」（資産）を減らします。なお、ソフトウェアの償却は、残存価額ゼロで償却し、必ず直接法で記帳します。

【決算時】

借　方　科　目	金　　　額	貸　方　科　目	金　　　額
ソフトウェア償却	×××	ソフトウェア	×××

費用（販売費及び一般管理費）の増加

「減価償却累計額」はど〜した！

ま〜ちゃん

▎**重要**　ソフトウェア償却のまとめ

償却方法	一般的に定額法
残存価額	ゼロ
償却期間	利用可能期間 （原則：5年以内）
記帳方法	直接法のみ
P／L表示	販売費及び一般管理費

☆ 仕訳をしてみよう！

例8−1

問題 ① 期首において、自社利用目的でソフトウェアを購入し、
代金3,000円は小切手で支払った。

② 決算にあたり、ソフトウェアの償却を行う。償却期間5
年、定額法による。

うちもIT化で、
大儲けね！

【解答】

①

借 方 科 目	金 額	貸 方 科 目	金 額
ソ フ ト ウ ェ ア	3,000	当 座 預 金	3,000

②

借 方 科 目	金 額	貸 方 科 目	金 額
ソフトウェア償却	600	ソ フ ト ウ ェ ア	600

【考え方】

① ソフトウェアを購入した

⇒「ソフトウェア」（資産）の増加

② ソフトウェアの償却を行う

⇒「ソフトウェア償却」（販売費及び一般管理費）

③ ソフトウェア償却：3,000円 ÷ 5 年 = 600円

第8章

無形固定資産

さっくり
5日目

しっかり
7日目

じっくり
8日目

コラム ～直接控除～

　有形固定資産の減価償却の記帳方法は「直接法」と「間接法」の両方が認められていますが、無形固定資産の減価償却の記帳方法は「直接法」しか認められていません。

　これは、有形固定資産と無形固定資産の特徴の違いからきています。

　一般的に有形固定資産は使い終わった後に、同じような資産を再び購入して経営活動に使っていくことが考えられるからです。そのため、その資産をいくらで買ってきたかが分かるように仕訳をする必要があります。「間接法」によれば「減価償却累計額」を使って仕訳するので、その資産をいくらで買ってきたか、つまり取得原価が常に分かるのです。

　一方、無形固定資産は権利やのれんなので、使い終わった後に同じような資産を再び購入して経営活動に使うことはあまりありません。そのため、取得原価が常に分かるようにしなくても特に問題はなく、「間接法」を用いる必要がないのです。

3 のれん

イントロダクション

普段のニュースでも「合併」という言葉を耳にすることがあると
思います。会社が会社を買ってきてしまうという大掛かりな取引
です。実際は、比較的規模の大きな会社で行われる場合が多いで
すが、2級でもその基礎部分を学習していきます。

合併したら、
儲かるかしら

どんどん会社を
大きくするぜ！

第8章

無形固定資産

1 他の会社を吸収合併したとき

例えば、八百源が鹿児島商事をまるごと買ってくるとすると、鹿児
島商事が持っていた現金や土地などの資産はすべて八百源のものに
なりますが、同時に鹿児島商事が負っていた借入金などの負債もすべ
て八百源が負うことになります。そして鹿児島商事は消滅します。

このように、ある会社が他の会社をまるごと買ってくることを「**吸
収合併**」といいます。

さっくり
5日目

しっかり
7日目

じっくり
8日目

このような吸収合併によって、八百源はそれまで鹿児島商事の株式を持っていた人（鹿児島商事の株主）に八百源の株式を渡します。これにより鹿児島商事の株主は八百源の株主になります。

コトバ

吸収合併：ある会社が他の会社を吸収すること

2 手に入れたものと支払った対価

　他の会社を吸収合併するなどしてまるごと自分のものにしたときは、他の企業を「**取得**」したと考えます。先ほどの例で、八百源が鹿児島商事を取得したとき、八百源が手に入れられるのは「鹿児島商事から引継ぐ資産から負債を差引いた分（純資産）」です。なお、引継ぐ資産や負債は時価で受入れます。一方、鹿児島商事を取得するために支払う対価は「鹿児島商事の株主に渡す八百源の株式」です。

吸収合併時の仕訳では、手に入れる資産の内容が分かれば「現金」や「売掛金」など具体的な科目を用いて、各資産の増加の仕訳をします。しかし、手に入れる資産の具体的な内容が分からないときは、資産を1つにまとめて「**諸資産**」という科目を用いて資産の増加を仕訳します。

　負債も同じように、手に入れる負債の内容が分かれば「買掛金」や「借入金」など具体的な科目を用いて、各負債の増加の仕訳をします。しかし、手に入れる負債の具体的な内容が分からないときは、負債を1つにまとめて「**諸負債**」という科目を用いて負債の増加を仕訳します。

　また、交付した株式（支払対価）は「資本金」や「資本準備金」などにしますが、内訳は問題文の指示に従います。

【合併時（手に入れる純資産の価値＝支払う対価）】

借　方　科　目	金　額	貸　方　科　目	金　額
諸　　資　　産	×××	諸　　負　　債	×××
		資　　本　　金	×××
		（資　本　準　備　金）	（×××）

具体的な内容が分かれば
その科目を使います

交付した株式

貸借対照表

| 資　産 5,000円 | 負　債 3,000円 |
| | 純資産 2,000円 |

⟺　2,000円 分の株式

さっくり
5日目

しっかり
7日目

じっくり
8日目

吸収合併するときに手に入れる「純資産」の価値よりも、対価として支払う「八百源の株式」の価値の方が大きい場合があります。これは、鹿児島商事の名前が世間で広く知られていて評判が良かったり、有名なブランドを持っていたり、古くから続く老舗で昔からのお得意さんがたくさんいたり、他の会社にはないような技術やノウハウを持っていたりして、鹿児島商事を取得することによって「純資産」だけでなく、このような目に見えない「**のれん**」という資産も手に入れられると八百源が考えているからです。つまり、「純資産」の価値と「のれん」の価値の合計が「八百源の株式」の価値になっているといえるのです。

　このように、手に入れる「純資産」の価値よりも、対価として支払う株式の価値の方が大きいような吸収合併は、その差額を「**のれん**」（資産）として仕訳します。

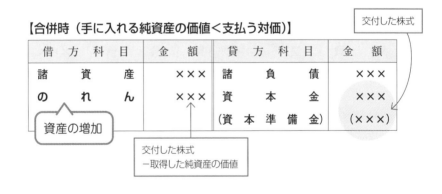

【合併時（手に入れる純資産の価値＜支払う対価）】

借　方　科　目	金　　額	貸　方　科　目	金　　額
諸　　資　　産	×××	諸　　負　　債	×××
の　　れ　　ん	×××	資　　本　　金	×××
		（資 本 準 備 金）	（×××）

交付した株式

資産の増加

交付した株式
－取得した純資産の価値

📖 負ののれん発生益

　合併により受入れる純資産よりも交付する株式の時価が小さい場合は、その差額を、負ののれん発生益（収益）として仕訳します。

また、資産とした「のれん」は決算で償却をします。そのとき「**の
れん償却**」（費用：販売費及び一般管理費）を増やし、「のれん」（資産）
を減らします。のれんは**20年以内**に償却し、記帳方法は必ず直接法
で行います。

【決算時】

借　方　科　目	金　　額	貸　方　科　目	金　　額
の　れ　ん　償　却	×××	の　　れ　　ん	×××

費用の増加　　　　　　　　　　資産の減少

鹿児島商事の純資産は
3,000円だけど
もっと価値があるぞ

八百源の株式　株式
時価　3,500円

3,500円の価値がある
株式を渡すよ

B/S

負債

資産　　純資産　3,000円

鹿児島商事の資産・負債

10000

鹿児島商事の株主

株式

さっくり
5日目

しっかり
7日目

じっくり
8日目

☆ 仕訳をしてみよう！

例 8 − 2

問題 期首に、八百源は鹿児島商事を吸収合併し、諸資産を7,000円で、諸負債を4,000円で引継いだ。また、鹿児島商事の株主に対して八百源の株式を交付した。交付した株式の時価は3,000円であり、このうち2,000円を資本金とし、残額を資本準備金とする。

【解答】

借 方 科 目	金 額	貸 方 科 目	金 額
諸 資 産	7,000	諸 負 債	4,000
		資 本 金	2,000
		資 本 準 備 金	1,000

【考え方】

① 吸収合併し、諸資産を引継いだ ⇒ 「諸資産」（資産）の増加

② 吸収合併し、諸負債を引継いだ ⇒ 「諸負債」（負債）の増加

③ 株式を交付した ⇒ 「資本金」や「資本準備金」の増加

④ 交付した株式の時価は3,000円で、このうち2,000円を資本金、残額を資本準備金とする ⇒ 資本金2,000円、資本準備金1,000円

⑤ 手に入れる純資産の価値3,000円（諸資産7,000円－諸負債4,000円）＝ 交付した株式の時価3,000円 ⇒ のれん無

☆ 仕訳をしてみよう！

例8-3

問題 ① 期首に、八百源は鹿児島商事を吸収合併し、諸資産を
7,000円で、諸負債を4,000円で引継いだ。また、鹿児島
商事の株主に対して八百源の株式を交付した。交付した
株式の時価は3,500円であり、このうち2,000円を資本金
とし、残額を資本準備金とする。なお、のれんは20年間
にわたって定額法により償却していくこととする。
② ①の１年後、決算日を迎えた。

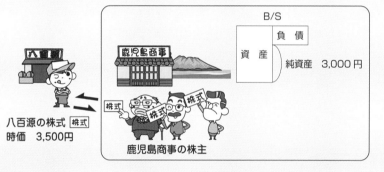

八百源の株式 株式
時価 3,500円

鹿児島商事の株主

B/S

資 産	負 債
	純資産 3,000円

【解答】

①

借 方 科 目	金 額	貸 方 科 目	金 額
諸 資 産	7,000	諸 負 債	4,000
の れ ん	500	資 本 金	2,000
		資 本 準 備 金	1,500

②

借 方 科 目	金 額	貸 方 科 目	金 額
の れ ん 償 却	25	の れ ん	25

第8章

無形固定資産

さっくり
5日目

しっかり
7日目

じっくり
8日目

【考え方】

①-1 吸収合併し、諸資産を引継いだ
 ⇒「諸資産」（資産）の増加

①-2 吸収合併し、諸負債を引継いだ
 ⇒「諸負債」（負債）の増加

①-3 株式を交付した
 ⇒「資本金」や「資本準備金」の増加

①-4 交付した株式の時価は3,500円であり、このうち2,000円を資本
 金とし、残額を資本準備金とする
 ⇒ 資本金：2,000円、資本準備金1,500円

①-5 手に入れる純資産の価値3,000円（諸資産7,000円 − 諸負債
 4,000円）＜交付した株式の時価3,500円
 ⇒ のれん500円：3,500円 − 3,000円

②-1 のれんは20年間にわたって定額法により償却していくこと
 とする
 ⇒「のれん償却」（費用：販売費及び一般管理費）の増加
 「のれん」（資産）の減少

②-2 残存価額はゼロとして償却額を計算する
 ⇒ 500円÷20年 ＝ 25円

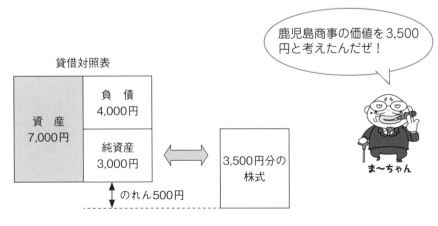

貸借対照表

| 資　産
7,000円 | 負　債
4,000円 |
| | 純資産
3,000円 |

のれん500円

3,500円分の
株式

鹿児島商事の価値を3,500
円と考えたんだぜ！

ま〜ちゃん

3 | 他の会社の事業を買収したとき

　対価を支払って他の会社の事業の全部または一部を譲受けることがあります。この場合、事業の全部または一部を譲渡した会社は消滅しません。これを「**事業買収**」といいます。

　「事業買収」をした場合、吸収合併と同様に、譲受けた事業に関する「資産」と「負債」を時価で取込むことになり、手に入れる純資産の価値よりも支払う対価が大きい場合には「のれん」（資産）を計上します。なお、支払う対価は、株主に株式を交付する場合と現金などを支払う場合があります。

【株式を交付する場合（手に入れる純資産の価値＜支払う対価）】

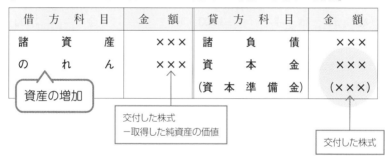

借　方　科　目	金　額	貸　方　科　目	金　額
諸　　資　　産	×××	諸　　負　　債	×××
の　　れ　　ん	×××	資　　本　　金	×××
		（資　本　準　備　金）	（×××）

資産の増加

交付した株式
－取得した純資産の価値

交付した株式

【現金を対価とする場合（手に入れる純資産の価値＜支払う対価）】

借　方　科　目	金　額	貸　方　科　目	金　額
諸　　資　　産	×××	諸　　負　　債	×××
の　　れ　　ん	×××	現　　　　金	×××

資産の増加

支払った現金
－取得した純資産の価値

支払った現金

コトバ
事業買収：対価を支払って、事業の全部または一部を譲受けること

さっくり
5日目

しっかり
7日目

じっくり
8日目

第8章

無形固定資産

☆ 仕訳をしてみよう！

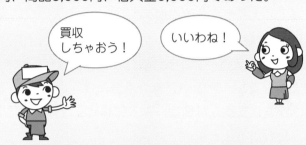

例8−4

問題　期首に、八百源は鹿児島商事を、現金10,000円で買収した。買収したときの鹿児島商事の資産・負債は売掛金12,000円、商品3,000円、借入金6,000円であった。

【解答】

借　方　科　目	金　　額	貸　方　科　目	金　　額
売　　　掛　　　金	12,000	借　　入　　金	6,000
繰　越　商　品	3,000	現　　　　　金	10,000
の　　れ　　ん	1,000		

【考え方】

① 鹿児島商事を現金で買収し、取得した資産・負債は売掛金12,000円、商品3,000円、借入金6,000円であった
　⇒「売掛金」（資産）の増加、「繰越商品」（資産）の増加、借入金（負債）の増加
② 手に入れる純資産の価値9,000円（売掛金12,000円＋商品3,000円−借入金6,000円）＜支払った現金10,000円
　⇒ のれん：10,000円−9,000円 ＝ 1,000円

「売掛金」や「借入金」など具体的な科目が分かるからそれを使うんだ

貸借対照表

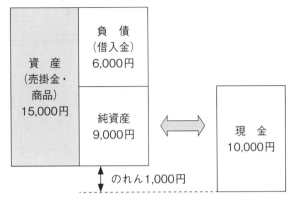

のれん1,000円

📖 株式交付による買収

仮に、【例8−4】で10,000円の株式を交付して鹿児島商事を買収した場合の仕訳は以下のようになります。なお、交付した株式は全額資本金とします。

借　方　科　目	金　額	貸　方　科　目	金　額
売　　掛　　金	12,000	借　　入　　金	6,000
繰　越　商　品	3,000	資　　本　　金	10,000
の　　れ　　ん	1,000		

📖 買収や合併で受入れた商品

買収や吸収合併で商品を受入れたとき、【例8−4】のように「繰越商品」（資産）や「商品」（資産）を使う場合もあれば、「仕入」（費用）を使って表す場合もあります。どちらを使うかは問題文の指示に従います。

確認テスト

問題

次の各取引の仕訳を示しなさい。

1. 会社の事務で使用する目的で購入した200,000円のソフトウェア
   につき、決算をむかえたため、減価償却を行う。当該ソフトウェア
   の償却期間は5年であり、定額法により償却計算を行う。

2. 当社は当期首に香川商事株式会社を1株当たりの時価1,000円の
   株式を5,000株発行することにより吸収合併した。以下の①および
   ②の仕訳を示しなさい。

   ① 合併時の香川商事株式会社の諸資産は帳簿価額8,500,000円、時
     価9,000,000円、諸負債の帳簿価額4,400,000円、時価4,400,000
     円であった。なお、このうち3,000,000円を資本金とし、残額は
     資本準備金とする。

   ② 期末をむかえたため、合併により発生したのれんの償却をおこな
     う。のれんは最長償却期間にわたり、定額法により償却する。

		借 方 科 目	金 額	貸 方 科 目	金 額
1.					
2.	①				
	②				

解答

	借 方 科 目	金 額	貸 方 科 目	金 額
1.	ソフトウェア償却	40,000	ソフトウェア	40,000
2. ①	諸 資 産	9,000,000	諸 負 債	4,400,000
	の れ ん	400,000	資 本 金	3,000,000
			資 本 準 備 金	2,000,000
②	の れ ん 償 却	20,000	の れ ん	20,000

解説

1. 会社の事務で使用する目的で購入したソフトウェアは自社利用目的で取得しているため、無形固定資産に「ソフトウェア」として計上します。なお、償却額は残存価額ゼロで計算し、直接法により記帳します。

　　ソフトウェア償却＝取得原価200,000円÷耐用年数5年
　　　　　　　　　　　＝40,000円

2.

① 合併する場合、吸収される会社の資産及び負債を時価で評価して、受け入れます。なお、4,600,000円の価値のある香川商事株式会社を5,000,000円で買ってきたと考えるため、のれんが400,000円計上されます。

吸収される香川商事株式会社の価値（時価）
　＝諸資産の時価9,000,000円－諸負債の時価4,400,000円
　＝4,600,000円
取得原価＝時価1,000円×5,000株＝5,000,000円
のれん＝取得原価5,000,000円－香川商事株式会社の価値
　　　　4,600,000円
　　　＝400,000円

② 　のれんの最長償却期間は20年です。また、のれんは無形固定資産であるため、残存価額ゼロ、直接法により記帳します。
　　のれん償却額：のれん400,000円÷20年＝20,000円

リース取引

◉第9章で学習すること

さっくり 10日間	しっかり 15日間	じっくり 20日間
5日目	8日目	9日目

① リース取引

1 リース取引

イントロダクション

固定資産を購入する資金がない場合や最新の固定資産を常に使用したい場合は、固定資産を借りて、会社の活動に使います。この章では、固定資産を借りた会社の会計処理を学習します。

1 固定資産を借りて使うと…

固定資産を購入するのではなく、ある会社から固定資産を借りて事業活動に使用する場合があります。固定資産を借りた会社は①借りた固定資産（リース物件）を使用する代わりに、②一定の使用料（リース料）を貸してくれた会社に支払います。このような取引を「**リース取引**」といいます。

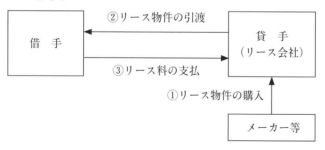

コトバ

> リース取引：貸手が借手に対し、あらかじめ約束されたリース期間
>   に渡りリース物件を使用する権利を与え、借手はあら
>   かじめ約束されたリース料を貸手に支払う取引

　リース取引は、自分で資産を購入した場合とほぼ同じ効果が考えられる「**ファイナンス・リース取引**」とそれ以外のリース取引である「**オペレーティング・リース取引**」に分類されます。

　具体的には、①実質的に解約ができないリース取引（**解約不能**）で、②自己所有の資産と同じ利益が得られ、かつ、コストを負担することとなるリース取引（**フルペイアウト**）は「**ファイナンス・リース取引**」、それ以外のリース取引を「**オペレーティング・リース取引**」といいます。

> コトバ
>
> ファイナンス・リース取引：解約不能とフルペイアウトの要件をともに満たすリース取引
> オペレーティング・リース取引：ファイナンス・リース取引以外のリース取引

📖 所有権の移転について…

　リース期間が終了した後にリース物件を所有する権利が借手に移るファイナンス・リース取引を「**所有権移転ファイナンス・リース取引**」といいます。しかし、2級で学習するファイナンス・リース取引はリース期間が終了してもリース物件を所有する権利が借手に移転しない「**所有権移転外ファイナンス・リース取引**」です。

第9章

リース取引

さっくり
5日目

しっかり
8日目

じっくり
9日目

ファイナンス・リース取引は、自分で資産を購入した場合と同じような効果を有するので、会計処理も売買取引と同じように処理します。具体的には、自己所有の資産と同じように考えるので「**リース資産**」（資産）を計上し、同時にリース料の支払いを借入金と同じように考えて「**リース債務**」（負債）を計上します。

また、借手が支払うリース料には、現金で即購入する場合の金額に利息相当額が上乗せされていると考えます。

> 借手が支払うリース料＝現金購入対価＋利息相当額

ここで、リース資産とリース債務の金額は現金購入対価に利息相当額を含めない方法（**利子抜法**）と現金購入対価に利息相当額を含める方法（**利子込法**）があります。原則は利子抜法で容認処理として利子込法の採用が認められています。

【リース取引開始日】

借　方　科　目	金　　額	貸　方　科　目	金　　額
リ　ー　ス　資　産	×××	リ　ー　ス　債　務	×××

資産の増加　　　　　　　　負債の増加

利子抜法（原則）：現金購入対価
利子込法（容認）：現金購入対価＋利息相当額

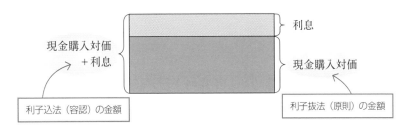

現金購入対価
＋利息

利息

現金購入対価

利子込法（容認）の金額

利子抜法（原則）の金額

ファイナンス・リース取引
は、①お金を借りて、②借り
たお金で物件を購入し、③借
りたお金の返済と利息の支
払いをすると考えます！！

コトバ

利子抜法：リース資産およびリース債務の金額を現金購入対価のみ
　　　　　で計算する方法

利子込法：リース資産およびリース債務の金額を現金購入対価に利
　　　　　息相当額を加算して計算する方法

📖 リース資産およびリース債務の貸借対照表表示

　「リース資産」は資産の部の有形固定資産に表示されます。一
方、「リース債務」は「**一年基準**」に従って流動か固定かを判断
します。そのため、決算日の翌日から起算して1年以内に支払
期限が到来すれば流動負債に、到来しなければ固定負債に表示
します。

第9章

リース取引

さっくり
5日目

しっかり
8日目

じっくり
9日目

☆ 利子抜法で仕訳をしてみよう！

例9−1

問題 八百源は当期首（×1年4月1日）にリース期間3年で備品のリース取引を開始した。

この備品の見積現金購入価額は4,500円であり、リース料は1年で2,000円である。なお、このリース取引はファイナンス・リース取引である。

ファイナンスって？

【解答】

借 方 科 目	金 額	貸 方 科 目	金 額
リ ー ス 資 産	4,500	リ ー ス 債 務	4,500

【考え方】

① ファイナンス・リース取引

　⇒ リース資産およびリース債務の計上

② 利子抜法

　⇒ 見積現金購入価額4,500円がリース資産およびリース債務の計上金額

☆ 利子込法で仕訳をしてみよう!

Q 例9−2

問題　八百源は当期首(×1年4月1日)にリース期間3年で備品のリース取引を開始した。
　　　この備品の見積現金購入価額は4,500円であり、リース料は1年で2,000円である。なお、このリース取引はファイナンス・リース取引である。

貸しといて
やるぜ!

【解答】

借　方　科　目	金　　額	貸　方　科　目	金　　額
リ　ー　ス　資　産	6,000	リ　ー　ス　債　務	6,000

【考え方】

① ファイナンス・リース取引

　⇒ リース資産およびリース債務の計上

② 利息相当額:(1年あたりのリース料2,000円×リース期間3年)
　　　　　　　　−見積現金購入価額4,500円 = 1,500円

③ 利子込法

　⇒ 見積現金購入価額4,500円 + 利息相当額1,500円
　　= 6,000円がリース資産およびリース債務の計上金額

第9章

リース取引

4 リース料支払時の会計処理

ファイナンス・リース取引はお金を借りて、借りたお金で固定資産を購入すると考えるので、リース料はリース債務（元本）の返済部分と利息の支払い部分の合計額と考えます。

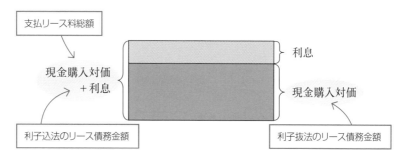

支払リース料総額

現金購入対価 ＋ 利息

利子込法のリース債務金額

利息

現金購入対価

利子抜法のリース債務金額

ここで、利子抜法はリース債務の金額に利息部分が含まれていないので、リース料支払日に利息部分の支払いは「支払利息」（費用）を計上し、リース債務（元本）の返済部分はリース債務を取崩します。

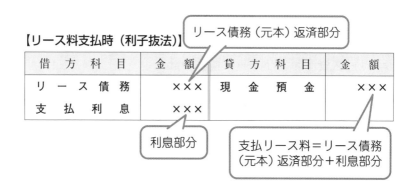

【リース料支払時（利子抜法）】

リース債務（元本）返済部分

借 方 科 目	金 額	貸 方 科 目	金 額
リ ー ス 債 務	×××	現 金 預 金	×××
支 払 利 息	×××		

利息部分

支払リース料＝リース債務（元本）返済部分＋利息部分

これに対し、利子込法はリース債務の金額に利息部分の金額が含まれているので、リース料支払日には利息部分が含まれたリース債務を取崩すだけの仕訳をします。

【リース料支払時（利子込法）】

借　方　科　目	金　額	貸　方　科　目	金　額
リ　ー　ス　債　務	×××	現　金　預　金	×××

リース債務（元本）返済部分
＋利息部分

支払リース料＝リース債務
（元本）返済部分＋利息部分

さっくり
5日目

しっかり
8日目

じっくり
9日目

例9-3

問題 八百源は当期首（×1年4月1日）にリース期間3年で備品のファイナンス・リース取引を開始した。この備品の見積現金購入価額は4,500円であり、リース料は1年で2,000円である（リース料支払日は毎期3月31日である）。×2年3月31日を迎え、リース料を現金で支払った。

利息たっぷりだぜ！

ま～ちゃん

【解答】

借　方　科　目	金　　額	貸　方　科　目	金　　額
リ ー ス 債 務	1,500	現　　　　　金	2,000
支 払 利 息	500		

【考え方】

① リース料を現金で支払った

　⇒「現金」の減少 ＝ リース債務（元本）返済部分＋利息部分

② 利子抜法：リース債務（元本）部分と利息部分が分けられている

③ リース債務（元本）返済部分である1,500円（ ＝ 4,500円÷3年）を取崩す

④ 利息の部分：（1年あたりのリース料2,000円×リース期間3年）

　　　　　　　　－見積現金購入価額は4,500円 ＝ 1,500円

⑤ 利息の支払部分：利息部分1,500円÷3年 ＝ 500円

☆ リース料支払日の仕訳を利子込法でしてみよう！

例9-4

問題 八百源は当期首（×1年4月1日）にリース期間3年で備品のファイナンス・リース取引を開始した。この備品の見積現金購入価額は4,500円であり、リース料は1年で2,000円である（リース料支払日は毎期3月31日である）。×2年3月31日を迎え、リース料を現金で支払った。

【解答】

借　方　科　目	金　額	貸　方　科　目	金　額
リ　ー　ス　債　務	2,000	現　　　　　金	2,000

【考え方】

① リース料を現金で支払った

　⇒「現金」の減少 ＝ リース債務（元本）返済部分＋利息部分

② 利子込法：リース債務（元本）部分と利息部分が分けられていない

③ リース債務（元本）返済部分＋利息部分であるリース債務2,000円を取崩す

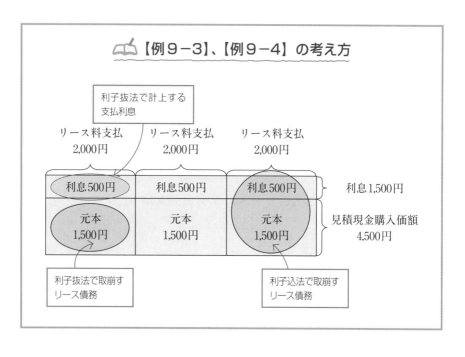

【例9−3】、【例9−4】の考え方

利子抜法で計上する
支払利息

リース料支払
2,000円

リース料支払
2,000円

リース料支払
2,000円

利息500円	利息500円	利息500円	利息1,500円
元本 1,500円	元本 1,500円	元本 1,500円	見積現金購入価額 4,500円

利子抜法で取崩す
リース債務

利子込法で取崩す
リース債務

利子込法はリース債務の
中に利息分が含まれてい
るから、「支払利息」は出
てこないのである！

利息は
どーした！

ま〜ちゃん

5 決算時の会計処理

　ファイナンス・リース取引を開始したときに「リース資産」を計上しますが、このリース資産は自己所有の資産と同じように会社の活動に使っていくので、決算時には減価償却費を計上します。ただし、リース資産は最終的には貸手に返却するので自己所有の資産と全く同じ減価償却費の計算というわけにはいきません。リース資産の減価償却は**残存価額ゼロ、耐用年数をリース期間**として行います。ただ、減価償却方法は状況に応じて会社が自由に決めます。

【決算時（利子抜法・利子込法）】

> 直接法のときはリース資産になります

借　方　科　目	金　額	貸　方　科　目	金　額
減　価　償　却　費	×××	リース資産減価償却累計額	×××

> は？

> 利子抜法も利子込法も仕訳の科目は同じだけど、金額は異なるよ

📖 リース資産の減価償却

残存価額	耐用年数	減価償却方法	記帳方法
ゼロ	リース期間	定額法、定率法など	直接法、間接法

第9章

リース取引

さっくり
5日目

しっかり
8日目

じっくり
9日目

例 9 - 5

問題　八百源は当期首（×1年4月1日）にリース期間3年で備品のファイナンス・リース取引を開始した。この備品の見積現金購入価額は4,500円であり、リース料は1年で2,000円である（リース料支払日は毎期3月31日である）。×2年3月31日を迎え、必要な決算整理を行った。なお、減価償却方法は定額法、記帳方法は間接法を採用している。

価値が減ってきましたね…

【解答】

借　方　科　目	金　　額	貸　方　科　目	金　　額
減　価　償　却　費	1,500	リース資産減価償却累計額	1,500

【考え方】

① リース資産の減価償却

　　⇒ 残存価額ゼロ、耐用年数をリース期間で減価償却

② 利子抜法 ⇒ リース資産4,500円

③ 減価償却費：4,500円÷リース期間3年 ＝ 1,500円

☆ 決算時の仕訳を利子込法でしてみよう！

例9−6

問題 八百源は当期首（×1年4月1日）にリース期間3年で備品のファイナンス・リース取引を開始した。この備品の見積現金購入価額は4,500円であり、リース料は1年で2,000円である（リース料支払日は毎期3月31日である）。×2年3月31日を迎え、必要な決算整理を行った。なお、減価償却方法は定額法、記帳方法は間接法を採用している。

1,500円じゃないのかしら…

【解答】

借 方 科 目	金 額	貸 方 科 目	金 額
減 価 償 却 費	2,000	リース資産減価償却累計額	2,000

【考え方】

① リース資産の減価償却

　⇒ 残存価額ゼロ、耐用年数をリース期間で減価償却

② 利子込法 ⇒ リース資産6,000円 （ ＝ リース料2,000円×3年）

③ 減価償却費：6,000円÷リース期間3年 ＝ 2,000円

第9章

リース取引

オペレーティング・リース取引は、解約不能かフルペイアウトの要件のどちらかまたは両方を満たさないので、ファイナンス・リース取引のようにリース物件を自己所有の資産と同じようには考えません。オペレーティング・リース取引は、資産を借りているという側面を重視し、リース取引を開始したときに特に仕訳は行いません。つまり、資産や負債を計上しないのです。そのため、減価償却も行いません。

【リース取引開始時】

借　方　科　目	金　　額	貸　方　科　目	金　　額
仕訳なし			

リース料を支払ったときに「**支払リース料**」（販売費及び一般管理費）を計上します。

【リース料支払時】

借　方　科　目	金　　額	貸　方　科　目	金　　額
支 払 リ ー ス 料	×××	現 金 預 金 な ど	×××

費用（販売費及び一般管理費）の増加

☆ 仕訳をしてみよう！

例9－7

問題 八百源は当期首（×1年4月1日）にリース期間3年で備品のオペレーティング・リース取引を開始した。リース料は1年で2,000円である（リース料支払日は毎期3月31日である）。×2年3月31日を迎え、小切手を振出してリース料を支払った。

POSレジ
借りたいな～

バーテンダー古屋

【解答】

①取引開始時

借　方　科　目	金　　額	貸　方　科　目	金　　額
仕訳なし			

②リース料支払時

借　方　科　目	金　　額	貸　方　科　目	金　　額
支 払 リ ー ス 料	2,000	当 座 預 金	2,000

【考え方】

① オペレーティング・リース取引を開始した

　⇒ リース取引開始時点は仕訳なし

② リース料を支払った

　⇒「支払リース料」（販売費及び一般管理費）の増加

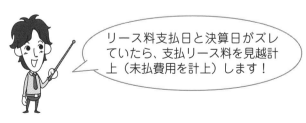

リース料支払日と決算日がズレていたら、支払リース料を見越計上（未払費用を計上）します！

さっくり
5日目

しっかり
8日目

じっくり
9日目

確認テスト

問題

次のリース取引に関する各仕訳をしなさい。

① 当社（会計期間は4/1～3/31）は×2年4月1日に機械のファイナンス・リース取引を開始した。当該機械の見積現金購入価額は10,000円、リース料は5年間総額で12,000円（リース料支払日は毎年3月31日）、リース期間は5年である。また、当社は利子抜法により処理している。

② ×3年3月31日のリース料支払日を迎え、小切手を振出してリース料を支払った。

③ ×3年3月31日の決算日を迎え、リース資産の減価償却を行った。なお、当社は減価償却方法は定額法を採用し、間接法で記帳している。

	借 方 科 目	金 額	貸 方 科 目	金 額
①				
②				
③				

解 答

	借　方　科　目	金　　額	貸　方　科　目	金　　額
①	リ ー ス 資 産	10,000	リ ー ス 債 務	10,000
②	リ ー ス 債 務	2,000	当 座 預 金	2,400
	支 払 利 息	400		
③	減 価 償 却 費	2,000	リース資産減価償却累計額	2,000

解 説

① 当社は利子抜法を採用しているので、リース資産およびリース債務の金額は見積現金購入価額となる。

② 利子抜法では、リース料に含まれる、リース債務の返済部分と支払利息を分けて考えるので、１年あたりのリース料からリース債務の返済部分を差引いた額が支払利息になる。

　　　リース料/年：リース料総額12,000円÷リース期間５年
　　　　　　　　　＝2,400円

　　　リース債務の取崩/年：リース債務10,000円÷リース期間５年
　　　　　　　　　　　　　＝2,000円

　　　支払利息：リース料2,400円－リース債務2,000円＝400円

③ リース資産の減価償却は残存価額ゼロ、耐用年数をリース期間として行う。

　　　減価償却費：リース資産10,000円÷リース期間５年＝2,000円

税金

学習進度目安

●第10章で学習すること

さっくり 10日間	しっかり 14日間	じっくり 20日間
6日目	8日目	9日目

① 費用となる税金

② 消費税

③ 法人税等

1 費用となる税金

イントロダクション

固定資産税や印紙税は「租税公課」という費用で処理する税金でした。租税公課で処理される税金に共通することは、会社の儲けとは関係なしに課税される点です。ここでは、3級で学習した税金に関する内容を簡単に振り返りましょう。

税金って、色々あってけっこうかかるな…

仕方ないのよね

1 税金は費用なの?

　固定資産税や印紙税は会社の費用として、「**租税公課**」（販売費及び一般管理費）という税金の費用を表す科目で仕訳します。

　ここで、固定資産税は納税通知書を受け取ったときに「租税公課」を増やします。

　また、納税通知書を受取ってから実際に税金を納付するまでは、固定資産税を納付しなければいけない義務が発生しますので、その義務を「**未払税金**」（負債）で表します。また「未払税金」は「**未払金**」（負債）で表すこともあります。

　なお、固定資産税の納税通知書を受け取ったときは何もせず、納付したときに租税公課（費用）で処理する場合もあります。

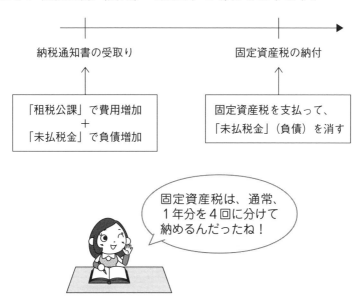

　一方、印紙税は収入印紙を購入した時に「**租税公課**」（販売費及び一般管理費）を増やします。その後、決算整理で期中に使用していない収入印紙は、「租税公課」から「貯蔵品」へ振り替えます。

重要　**費用となる税金の処理**

固定資産税	納税通知書を受け取ったときに「租税公課」で費用処理。
印紙税	①印紙税は収入印紙を購入した時に「租税公課」で費用処理。 ②決算で、使用していない分を「貯蔵品」へ振り替える。

さっくり
6日目

しっかり
8日目

じっくり
9日目

2 消費税

消費税の処理も一通り3級で学習しました。消費税の処理方法には、「税抜方式」と「税込方式」がありますが、「税抜方式」の復習をしましょう。

1 消費税を納める

　会社は商品を仕入れるときは消費税を払っていますが、商品を売上げるときは消費税を受け取っています。よって、決算時に、受取った額が支払った額を上回る分を計算して、これを納めます。

　消費税の会計処理には「**税抜方式**」と「**税込方式**」があります。しかし、会計のルール上は「税抜方式」のみしか認められていません。

　会社が商品を仕入れたときに消費税を支払います。支払った消費税は「仮払消費税」（資産）として仕訳します。

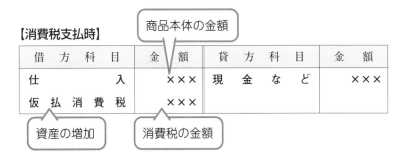

【消費税支払時】

借　方　科　目	金　額	貸　方　科　目	金　額
仕　　　　　　入	×××	現　金　な　ど	×××
仮　払　消　費　税	×××		

商品本体の金額

資産の増加　　消費税の金額

　会社が商品を販売したときに消費税を受取ります。受取った消費税は「仮受消費税」（負債）として仕訳します。

【消費税受取時】

借　方　科　目	金　額	貸　方　科　目	金　額
現　金　な　ど	×××	売　　　　　　上	×××
		仮　受　消　費　税	×××

商品本体の金額

負債の増加　　消費税の金額

　1年間の取引が全て終了し、決算になると、消費税を納付する義務である「未払消費税」（負債）を計上します。

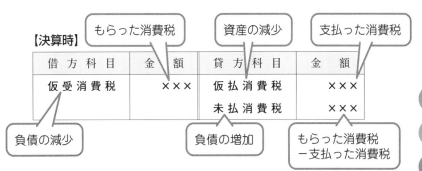

【決算時】

借　方　科　目	金　額	貸　方　科　目	金　額
仮　受　消　費　税	×××	仮　払　消　費　税	×××
		未　払　消　費　税	×××

もらった消費税　　資産の減少　　支払った消費税

負債の減少　　負債の増加　　もらった消費税－支払った消費税

さっくり 6日目

しっかり 8日目

じっくり 9日目

☆ 仕訳をしてみよう！

例10－1

問題 ① 商品3,300円（うち消費税300円）を仕入れ、代金は現
　　　金で支払った。
　　 ② 商品4,400円（うち消費税400円）を売上げ、代金は現
　　　金で受取った。
　　 ③ 決算において、当期の消費税の未払分を計上する。
　　 ④ 確定申告を行い、消費税を小切手を振出して納付した。

税抜方式で
考えてね！

【解答】

①

借　方　科　目	金　　額	貸　方　科　目	金　　額
仕　　　　　　入	3,000	現　　　　　　金	3,300
仮　払　消　費　税	300		

②

借　方　科　目	金　　額	貸　方　科　目	金　　額
現　　　　　　金	4,400	売　　　　　　上	4,000
		仮　受　消　費　税	400

③

借　方　科　目	金　　額	貸　方　科　目	金　　額
仮　受　消　費　税	400	未　払　消　費　税	100
		仮　払　消　費　税	300

④

借　方　科　目	金　　額	貸　方　科　目	金　　額
未　払　消　費　税	100	当　座　預　金	100

【考え方】

① 商品を仕入れ、代金は現金で支払った

　　⇒ 消費税300円は「仮払消費税」（資産）の増加

② 商品を売上げ、代金は現金で受取った

　　⇒ 消費税400円は「仮受消費税」（負債）の増加

③-1　決算において、当期の消費税の未払分を計上する

　　　　⇒ もらった消費税400円 − 支払った消費税300円

　　　＝ 納付する消費税100円

③-2　決算において、当期の消費税の未払分を計上する

　　　　⇒「未払消費税」（負債）の増加

④ 確定申告を行った

　　⇒「未払消費税」（負債）の減少

📖 直接税と間接税

　消費税は、国や地方自治体へ税金を納める「納税義務者」と、税金を実際に負担する「担税者」が異なるので「**間接税**」になります。

　一方、法人税等や固定資産税は、「納税義務者」と「担税者」が同じなので「**直接税**」になります。

さっくり
6日目

しっかり
8日目

じっくり
9日目

3 法人税等

イントロダクション

法人税等の処理を見ていきます。ポイントは、会計処理そのものよりも、納付の仕組みや納付のタイミングです。納付の仕組みや納付のタイミングをおさえていないと、せっかく覚えた仕訳などもすぐに忘れてしまいます。基本的に3級で学習していますが、一部応用的な内容を新たに学習します。

納付の仕組みや、タイミングを、しっかりおさえましょー！

単に、会計処理をするだけじゃ、ダメだね！

1 法人税等を納める!

　法人税・住民税・事業税（まとめて法人税等ともいいます）は、会社が儲かるほどたくさん納めなければならない税金です。会社は期中に「**中間申告**」を行って、法人税等を一部納めておきます。その後、決算を行って法人税等がいくらか決まったら、期中に中間申告をして納めた額を差し引いて、残りまだ納めていない分を納めます。これを「**確定申告**」といいます。

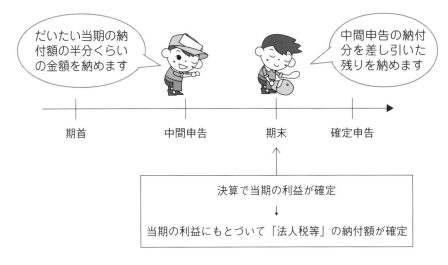

期中に中間申告をして納めた分は「**仮払法人税等**」（資産）で仕訳します。

【中間申告時】

借　方　科　目	金　　額	貸　方　科　目	金　　額
仮 払 法 人 税 等	×××	現 金 預 金 な ど	×××

資産の増加　　　　　　　　中間納付額

　その後、決算を行って当期の利益が確定すると、それに基づいて当期の法人税等の金額が確定します。法人税等の分だけ利益が少なくなるので利益のマイナスとして「**法人税等**」（または「**法人税、住民税及び事業税**」）と仕訳します。また、法人税等の一部は中間納付で納めているので「**仮払法人税等**」（資産）を減らし、後日納めなければならない残りの金額を「**未払法人税等**」（負債）で仕訳します。

さっくり
6日目

しっかり
8日目

じっくり
9日目

【決算時】

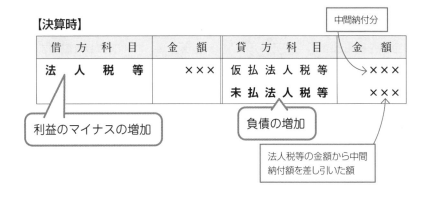

借　方　科　目	金　額	貸　方　科　目	金　額
法　人　税　等	×××	仮　払　法　人　税　等	×××
		未　払　法　人　税　等	×××

中間納付分

利益のマイナスの増加

負債の増加

法人税等の金額から中間
納付額を差し引いた額

「未払法人税等」は「未払金」
の一種なのよ！！

　　後日、確定申告時に残りの法人税等を納めます。その時に「未払法
人税等」（負債）を減らします。

【確定申告時】

借　方　科　目	金　額	貸　方　科　目	金　額
未　払　法　人　税　等	×××	現　金　預　金　な　ど	×××

コトバ

中間申告：期中に前年度の法人税額等の半分を納付すること
確定申告：　決算日よりも後に、会社の確定した利益をもとに
　　　　　　確定した税金を納付すること

☆　仕訳をしてみよう！

例10－2

問題　① ×1年11月25日に中間申告を行い、法人税等600円を
小切手を振出して納付した。

②×1年度（×1年4月1日～×2年3月31日）の決算で、
法人税等1,400円が計上された。

③ ×2年5月25日に確定申告を行い、中間申告額を差し引
いた残額を小切手を振出して納付した。

【解答】

①

借　方　科　目	金　　額	貸　方　科　目	金　　額
仮 払 法 人 税 等	600	当 座 預 金	600

②

借　方　科　目	金　　額	貸　方　科　目	金　　額
法 人 税 等	1,400	仮 払 法 人 税 等	600
		未 払 法 人 税 等	800

③

借　方　科　目	金　　額	貸　方　科　目	金　　額
未 払 法 人 税 等	800	当 座 預 金	800

さっくり
6日目

しっかり
8日目

じっくり
9日目

【考え方】

① 中間申告を行い、納付した

　　⇒「仮払法人税等」（資産）の増加

②-1　決算で法人税等が計上された

　　　⇒「法人税等」（利益のマイナス）の増加

　　　「仮払法人税等」（資産）の減少

　　　「未払法人税等」（負債）の増加

②-2　未払法人税等800円：法人税等1,400円 – 仮払法人税等600円

③ 確定申告を行い、納付した

　　⇒「未払法人税等」（負債）の減少

📖 法人税等の追徴・還付

　税務調査で過年度の法人税等が間違っていたことが分かった場合、不足していた分は追加で納付します（追徴）。また、納付し過ぎていた分は払戻してもらいます（還付）。

【追徴の場合】

借　方　科　目	金　額	貸　方　科　目	金　額
追 徴 法 人 税 等	×××	未 払 法 人 税 等	×××

【還付の場合】

借　方　科　目	金　額	貸　方　科　目	金　額
未 収 還 付 法 人 税 等	×××	還 付 法 人 税 等	×××

2 利息や配当の源泉所得税って??

　会社が受け取る利息（受取利息）や配当金（受取配当金）も会社の儲けなので、税金がかかります。利息や配当金を受取るとき、通常、源泉所得税という税金が控除された後の残額を受取ります。つまり、利息や配当金から税金が控除されているのです。この控除される源泉所得税は、法人税の前払いと考えるため「仮払法人税等」で処理します。

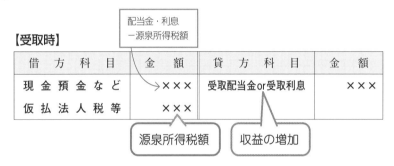

配当金・利息
－源泉所得税額

【受取時】

借　方　科　目	金　　額	貸　方　科　目	金　　額
現　金　預　金　など	×××→	受取配当金or受取利息	×××
仮　払　法　人　税　等	×××		

源泉所得税額　　　　収益の増加

中間申告と同じ「仮払法人税等」を使うのでアル！

さっくり
6日目

しっかり
8日目

じっくり
9日目

☆ 仕訳をしてみよう！

例10−3

問題 配当金150,000円から20％の源泉所得税が控除され、残額
が普通預金口座に入金された。

【解答】

借 方 科 目	金 額	貸 方 科 目	金 額
普 通 預 金	120,000	受 取 配 当 金	150,000
仮 払 法 人 税 等	30,000		

【考え方】

① 配当金150,000円から20％の源泉所得税が控除された

　　⇒ 150,000円×20％ ＝ 源泉所得税30,000円

　　⇒「仮払法人税等」（資産）の増加

② 配当金150,000円から20％の源泉所得税が控除された

　　⇒「受取配当金」（収益）の増加

③ 残額が普通預金口座に入金された。

　　⇒ 配当金150,000円 − 源泉所得税30,000円

　　＝ 普通預金120,000円

　　⇒「普通預金」（資産）の増加

確認テスト

問題

次の各取引について仕訳しなさい。

1．（1）兵庫株式会社は、中間申告を行い、法人税4,500,000円と住民税800,000円、事業税200,000円を小切手で納付した。

（2）決算に際し、当期の法人税8,000,000円と住民税1,000,000円、事業税800,000円を計上した。

2．利息300,000円から15%の源泉所得税が控除され、残額が当社の当座預金口座に入金された。

		借 方 科 目	金　　額	貸 方 科 目	金　　額
1	(1)				
	(2)				
2					

解 答

		借 方 科 目	金 額	貸 方 科 目	金 額
1	(1)	仮払法人税等	5,500,000	当 座 預 金	5,500,000
	(2)	法 人 税 等	9,800,000	仮払法人税等	5,500,000
				未払法人税等	4,300,000
2		当 座 預 金	255,000	受 取 利 息	300,000
		仮払法人税等	45,000		

 解 説

1．(1) 中間申告を行い、法人税等を納付したときは、仮払法人税等
    で処理します。

    (2) 決算において、1年間の法人税等の金額が確定したときは、法
    人税等で処理し、中間申告額との差額は未払法人税等で処理し
    ます。

2．利息を受け取ったときは、源泉徴収が差し引かれた残額が入金さ
    れます。なお、控除された源泉所得税は法人税等の前払いと考える
    ため、仮払法人税等として仕訳します。

    源泉所得税額：受取利息300,000円×15％＝45,000円

    入金額：受取利息300,000円－源泉所得税45,000円＝255,000円

引当金

●第11章で学習すること

学習進度目安

さっくり 10日間	しっかり 15日間	じっくり 20日間
6日目	8日目	10日目

① いろいろな引当金

役員賞与

エグゼクティブ松沢

1 いろいろな引当金

ここまで、「貸倒引当金」を学習してきましたが、引当金は他にも様々あります。このセクションでは色々な引当金を見ていきますが、目的は「正しい損益を計算する」ためです。そのために将来の費用を前倒しで計上していますので、一つ一つ確認してみてください。

色々な種類の引当金があるんだなぁ…

しっかり、覚えなさい！

1 修繕費の支払いに備えておく

　建物などは定期的に修繕を行っています。ここで、当期に修繕を行わず、次の修繕は次期に行うことにした場合、修繕費は当期ではなく次期に支払うことになります。しかし、修繕は建物を使っているから必要となるのであり、当期にも建物をずっと使っていたわけですから、支出する会計期間だけではなく、当期にも費用として計上し、引当金を設定しておきます。

　決算時に修繕引当金を準備する場合、「**修繕引当金繰入**」（費用：販売費及び一般管理費）を計上し、同時に「**修繕引当金**」（負債）を設定します。

【決算時】

借　方　科　目	金　　額	貸　方　科　目	金　　額
修繕引当金繰入	×××	修　繕　引　当　金	×××

費用（販売費及び一般管理費）の増加

負債の増加

　次期以降、実際に修繕したときに、決算時に設定した「**修繕引当金**」（負債）を取崩します。また、準備した引当金よりも多くのお金が修繕にかかった場合、引当金を超えた分は「**修繕費**」（費用：販売費及び一般管理費）とします。

【修繕時（準備した修繕引当金の金額を超えた場合）】

借　方　科　目	金　　額	貸　方　科　目	金　　額
修　繕　引　当　金	×××	現　金　預　金　な　ど	×××
修　　　繕　　　費	×××		

費用（販売費及び一般管理費）の増加

準備した引当金を超えた額

　また、予定していた修繕を行わなかった場合は、設定しておいた引当金を取崩します。取崩す分は、「**修繕引当金戻入**」（収益：営業外収益）として計上します。

【予定していた修繕を行わなかった場合】

借　方　科　目	金　　額	貸　方　科　目	金　　額
修　繕　引　当　金	×××	修　繕　引　当　金　戻　入	×××

負債の減少

収益（営業外収益）の増加

さっくり
6日目

しっかり
8日目

じっくり
10日目

☆ 仕訳をしてみよう！

例11－1

問題 ① 決算において、修繕引当金700円を計上した。

② ①の次期となり、建物の修繕を行い、代金1,000円を小切手を振出して支払った。

③ ①の次期となったが、予定していた修繕を行わなかった場合の決算整理仕訳を行いなさい。

【解答】

①

借 方 科 目	金 額	貸 方 科 目	金 額
修 繕 引 当 金 繰 入	700	修 繕 引 当 金	700

②

借 方 科 目	金 額	貸 方 科 目	金 額
修 繕 引 当 金	700	当 座 預 金	1,000
修 繕 費	300		

③

借 方 科 目	金 額	貸 方 科 目	金 額
修 繕 引 当 金	700	修 繕 引 当 金 戻 入	700

【考え方】

① 決算において、修繕引当金を計上した

⇒「修繕引当金繰入」（費用：販売費及び一般管理費）の増加

「修繕引当金」（負債）の増加

②-1 次期となり、建物の修繕を行い、代金を小切手を振出して支払った
⇒「修繕引当金」（負債）の減少
②-2 修繕代金1,000円 − 修繕引当金700円 = 修繕費300円
⇒「修繕費」（費用）の増加
③ 次期となったが、予定していた修繕を行わなかった
⇒「修繕引当金」（負債）の減少
「修繕引当金戻入」（収益：営業外収益）の計上

📖 修繕時の資本的支出は??

固定資産を修繕するときは、単なる修繕にとどまらず、資産の価値を増加させる「資本的支出」を伴う場合があります。

仮に【例11−1】の②が『①の次期となり、建物の修繕と改装を行い、代金4,000円を小切手を振出して支払った。なお、このうち3,000円は資本的支出とみなされた』という問題であれば、仕訳は以下のようになります。

資本的支出部分の金額

借 方 科 目	金 額	貸 方 科 目	金 額
建 物	3,000	当 座 預 金	4,000
修 繕 引 当 金	700		
修 繕 費	300		

収益的支出部分の金額

さっくり
6日目

しっかり
8日目

じっくり
10日目

　会社は、退職する従業員に退職金としてお金を渡します。このお金は、長いあいだ働いてくれたことを評価して支払うものであるため、支出する会計期間だけではなく、働いてくれている会計期間に費用として計上し、引当金を設定しておきます。

　決算時に当期に発生した退職金を「**退職給付費用**」（費用：販売費及び一般管理費）で表し、「**退職給付引当金**」（負債）を設定します。

【決算時】

借 方 科 目	金 額	貸 方 科 目	金 額
退 職 給 付 費 用	×× ×	退 職 給 付 引 当 金	×× ×

費用（販売費及び一般管理費）の増加　　　　負債の増加

　実際に退職金を支払ったときに「**退職給付引当金**」（負債）を取崩します。

【退職金支払時】

借 方 科 目	金 額	貸 方 科 目	金 額
退 職 給 付 引 当 金	×× ×	現 金 預 金 な ど	×× ×

負債の減少

退職金は給料の一種だから、「販売費及び一般管理費」にするんだね

Kazu

☆ 仕訳をしてみよう！

例11-2

問題 ① 決算において、退職給付引当金4,000円を計上した。
　　　② 退職する従業員に退職金500円を小切手を振出して支払い、同額の退職給付引当金を充当した。

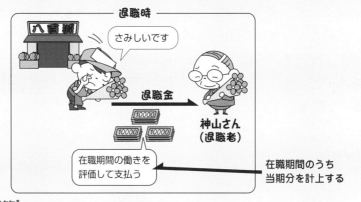

【解答】

①

借　方　科　目	金　　額	貸　方　科　目	金　　額
退 職 給 付 費 用	4,000	退 職 給 付 引 当 金	4,000

②

借　方　科　目	金　　額	貸　方　科　目	金　　額
退 職 給 付 引 当 金	500	当 　座 　預 　金	500

【考え方】

① 決算において、退職給付引当金を計上した
　⇒「退職給付費用」（費用：販売費及び一般管理費）の増加
　　「退職給付引当金」（負債）の増加
② 従業員に退職金を小切手を振出して支払い、同額の退職給付引当金を充当した
　⇒「退職給付引当金」（負債）の減少

　会社は、従業員に賞与を支払うことがあります。賞与は、賞与の対象となった期間に従業員が働いたことによる対価を後から支払うものです。そのため、翌期に支払う予定の賞与の中に含まれている当期の分を、当期の費用として計上し、引当金を設定しておきます。そこで、決算時に、支払予定の賞与のうち当期に属する分を見積もって、「**賞与引当金繰入**」（費用：販売費及び一般管理費）で表し、「**賞与引当金**」（負債）を設定します。

【決算時】

借　方　科　目	金　　額	貸　方　科　目	金　　額
賞 与 引 当 金 繰 入	×××	賞　与　引　当　金	×××

費用（販売費及び一般管理費）の増加　　　　　　　　　　　負債の増加

　賞与を支払ったときには、「賞与引当金」（負債）を取崩すとともに、「**賞与**」（費用：販売費及び一般管理費）を計上します。

【賞与支払時】

借　方　科　目	金　　額	貸　方　科　目	金　　額
賞　与　引　当　金	×××	現 金 預 金 な ど	×××
賞　　　　　　与	×××		

費用（販売費及び一般管理費）の増加

☆ 仕訳をしてみよう！

例11－3

問題 ① 決算において、賞与支給見込額3,000円のうち2,000円を賞与引当金として計上した。
② ①の次期となり、賞与3,000円を当座預金から支払った。

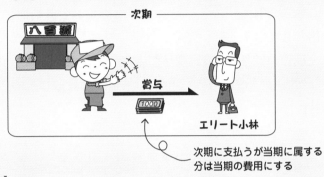

次期に支払うが当期に属する分は当期の費用にする

【解答】

①

借　方　科　目	金　　額	貸　方　科　目	金　　額
賞 与 引 当 金 繰 入	2,000	賞　与　引　当　金	2,000

②

借　方　科　目	金　　額	貸　方　科　目	金　　額
賞　与　引　当　金	2,000	当　座　預　金	3,000
賞　　　　　　与	1,000		

【考え方】

① 決算において、賞与引当金を計上した
　⇒「賞与引当金繰入」（費用：販売費及び一般管理費）の増加
　　「賞与引当金」（負債）の増加
② 賞与を支払った
　⇒「賞与引当金」（負債）の減少
　　「賞与」（費用：販売費及び一般管理費）の増加

さっくり 6日目
しっかり 8日目
じっくり 10日目

4 役員賞与の支払いに備えておく

　会社は、役員に賞与としてお金を渡します。このお金は、当期に役員が果たした功績を評価して支払うものですが、支払いは次の会計期間に行われることになります。そこで、支出する会計期間ではなく、当期に費用として計上し、引当金を設定しておきます。決算時に当期に発生した役員の賞与を「**役員賞与引当金繰入**」（費用：販売費及び一般管理費）で表し、「**役員賞与引当金**」（負債）を設定します。

【決算時】

借 方 科 目	金 額	貸 方 科 目	金 額
役員賞与引当金繰入	×× ×	役 員 賞 与 引 当 金	×× ×

費用（販売費及び一般管理費）の増加　　　　　負債の増加

　賞与を支払ったときに「役員賞与引当金」（負債）を取崩します。

【賞与支払時】

借 方 科 目	金 額	貸 方 科 目	金 額
役 員 賞 与 引 当 金	×× ×	現 金 預 金 な ど	×× ×

負債の減少

☆ 仕訳をしてみよう！

例11−4

問題　① 決算において、役員賞与引当金1,000円を計上した。

② ①の次期となり、役員に役員賞与1,000円を小切手を振出して支払った。

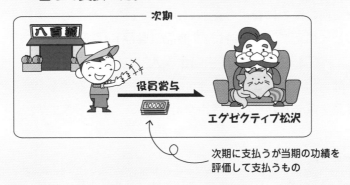

次期に支払うが当期の功績を評価して支払うもの

【解答】

①

借 方 科 目	金 額	貸 方 科 目	金 額
役員賞与引当金繰入	1,000	役員賞与引当金	1,000

②

借 方 科 目	金 額	貸 方 科 目	金 額
役員賞与引当金	1,000	当 座 預 金	1,000

【考え方】

① 決算において、役員賞与引当金を計上した

⇒「役員賞与引当金繰入」（費用：販売費及び一般管理費）の増加、「役員賞与引当金」（負債）の増加

② 役員に役員賞与を小切手を振出して支払った

⇒「役員賞与引当金」（負債）の減少

将来の無償の修理に備えておく

　お客さんに商品や製品を販売する場合に、品質について保証を付けることがあります。もし、保証期間中に保証することになったときは、補修や交換のために費用の支払いが生じます。そこで、補修や交換をすることに備えて、決算時に、「**商品（製品）保証引当金**」（負債）を設定し、「**商品（製品）保証引当金繰入**」（費用：販売費及び一般管理費）を計上します。これにより、補修や交換をするときではなく、商品や製品を販売した期間に費用を計上することができます。

【決算時】

借　方　科　目	金　　額	貸　方　科　目	金　　額
商品保証引当金繰入	×××	**商 品 保 証 引 当 金**	×××

費用（販売費及び一般管理費）の増加　　　負債の増加

📖 商品（製品）保証引当金を計上しない場合

　商品や製品を販売した場合に、長期保証サービスなどの追加の保証サービスを提供するときは、収益認識基準における履行義務に該当するため、引当金の計上はしません。

　単なる品質の保証　……　引当金の計上
　長期保証サービス　……　履行義務として処理

実際に保証することになり、補修や交換をしたときは、「商品（製品）保証引当金」（負債）を取崩します。ただし、商品保証引当金の残高が足りないときや保証が当期の売上に対するものであるときは、「**補修費**」（費用：販売費及び一般管理費）や「**商品保証費**」（費用：販売費及び一般管理費）を計上します。

【保証した時】

借　方　科　目	金　　額	貸　方　科　目	金　　額
商 品 保 証 引 当 金	×××	現 金 預 金 な ど	×××
補　　修　　費	×××		

費用（販売費及び一般管理費）の増加

　商品保証引当金を設定したあと、翌期の期末に保証期間が経過したなどの理由で商品保証引当金を取崩す場合は、「**商品保証引当金戻入**」（収益：営業外収益）を計上します。

【保証期間が過ぎた場合など】

借　方　科　目	金　　額	貸　方　科　目	金　　額
商 品 保 証 引 当 金	×××	**商品保証引当金戻入**	×××

負債の減少　　　　　　　　収益（営業外収益）の増加

さっくり
6日目

しっかり
8日目

じっくり
10日目

☆　仕訳をしてみよう！

例11－5

問題　① 決算において、品質保証付きで販売した商品の当期における売上高200,000円に対し1％の商品保証引当金を計上した。

② ①の次期となり、保証付き商品の補修費として1,500円を現金で支払った。なお、そのうち400円は当期の売上に対する補修であった。

保証は大事ね

【解答】

①

借　方　科　目	金　　額	貸　方　科　目	金　　額
商品保証引当金繰入	2,000	商 品 保 証 引 当 金	2,000

②

借　方　科　目	金　　額	貸　方　科　目	金　　額
商 品 保 証 引 当 金	1,100	現　　　　　　　金	1,500
補　　修　　費	400		

【考え方】

①-1　決算において、商品保証引当金を計上した

　　　⇒「商品保証引当金繰入」（費用：販売費及び一般管理費）の
　　　　増加

　　　　「商品保証引当金」（負債）の増加

①-2　商品保証引当金：200,000円×1% = 2,000円

② 保証付き商品の補修費として1,500円を現金で支払った

　　⇒ 前期売上分1,100円：「商品保証引当金」（負債）の減少

　　　当期売上分400円：「補修費」（費用：販売費及び一般管理費）
　　　の増加

📖 修理用部品を準備していたら

　　無償の修理に使う部品を準備しておく場合に、部品購入時に
「貯蔵品」（資産）として計上しておくことがあります。この場
合は、修理をしたときに「貯蔵品」（資産）を減らします。

　　例えば、前期末に計上した商品保証引当金1,000円に関する無
償修理について、貯蔵品として計上していた修理用部品1,000円
を使って修理したときの仕訳は、次のようになります。

【部品購入時】

借　方　科　目	金　　額	貸　方　科　目	金　　額
貯　　蔵　　品	1,000	現　金　な　ど	1,000

【修理時】

借　方　科　目	金　　額	貸　方　科　目	金　　額
商 品 保 証 引 当 金	1,000	貯　　蔵　　品	1,000

さっくり
6日目

しっかり
8日目

じっくり
10日目

確認テスト

💬 問 題

次の各取引の仕訳を示しなさい。

1. ① 決算日（3月31日）を迎え、倉庫の修繕費の当期負担分2,000,000円を計上した。

   ② 翌期になり、倉庫の定期修繕と改築を行い、代金5,000,000円を小切手を振出して支払った。なお、このうち1,800,000円は倉庫の価値が増加したとみなされる支出である。

2. ① 決算日（3月31日）を迎え、6月に支給する賞与の見込額1,200,000円のうち当期の負担分を計上する。なお、6月賞与の支給対象期間は12月から5月までである。

   ② 6月賞与を予定どおり支給することなり、社会保険料の従業員負担分180,000円と源泉所得税40,000円を差引いた手取額を当座預金口座から支払った。

		借 方 科 目	金　　額	貸 方 科 目	金　　額
1.	①				
	②				
2.	①				
	②				

解 答

		借 方 科 目	金 額	貸 方 科 目	金 額
1.	①	修繕引当金繰入	2,000,000	修 繕 引 当 金	2,000,000
	②	建 物	1,800,000	当 座 預 金	5,000,000
		修 繕 引 当 金	2,000,000		
		修 繕 費	1,200,000		
2.	①	賞与引当金繰入	800,000	賞 与 引 当 金	800,000
	②	賞 与 引 当 金	800,000	預 り 金	220,000
		賞 与	400,000	当 座 預 金	980,000

解 説

1. ① 修繕引当金を設定するときは、その見積額を修繕引当金繰入
   および修繕引当金で処理します。

   ② 実際に修繕を行った場合は、修繕引当金を充当します。修繕
   のために支払った金額が修繕引当金の設定額を超えるときは、
   その超過額を修繕費（収益的支出）で処理します。ただし、価
   値増加部分とみなされた金額（資本的支出）は、建物の取得原
   価に加算します。

2．① 賞与の支給見込額のうち、当期の負担分（12月から3月の分）を賞与引当金として設定します。

$$賞与引当金：1,200,000円 \times \frac{4 ヶ月}{6 ヶ月} = 800,000円$$

② 賞与の支給時に賞与引当金を充当し、不足分は賞与で処理します。また、差引いた社会保険料の従業員負担分と源泉所得税は預り金で処理します。

第12章 外貨換算会計

●第12章で学習すること

学習進度目安

さっくり 10日間	しっかり 15日間	じっくり 20日間
6日目	9日目	11日目

① 外貨建取引

② 為替予約

1 外貨建取引

最近では、外国との取引も簡単にできる時代になりました。ここ
では、外国の会社と取引をする場合の会計処理を学習します。ド
ルやユーロなどで取引する場合はどうするのでしょう！？

1 外国の会社と取引をすると…

　外国の会社に商品を販売したり、外国の会社から商品を仕入れたり
した場合、ドルやユーロなど外国のお金（**外貨**）でそのやりとりを行
うことになりますが、仕訳や転記は日本円で行う必要があります。そ
のため、外国のお金の単位から日本円に換算する必要があります。こ
の換算に用いるレートのことを「**為替相場**」といいます。

外国の会社に商品を販売したり、外国の会社から商品を仕入れたりした場合、取引があった日の為替相場で換算します。

コトバ
> 外貨：自国以外の外国のお金
> 外貨建取引：取引が外貨で表示されている取引
> 為替相場：外貨の換算に用いるレート

【掛売上時】

借　方　科　目	金　　額	貸　方　科　目	金　　額
売　　掛　　金	×××	売　　　　　上	×××

> 取引発生時の為替相場

重要　**外貨建取引時の換算**

取引発生時の為替相場で換算

> 一回一回換算するんだね
>
> Kazu
>
> 面倒じゃないか…

さっくり 6日目
しっかり 9日目
じっくり 11日目

☆ 仕訳をしてみよう！

例12−1

問題 ① 八百源は8月15日にアメリカのカリフォルニア商店から商品100ドルを掛けで仕入れた。

② 八百源は9月30日にアメリカのニューヨーク商店へ商品120ドルを掛けで売上げた。

③ 8月15日は1ドル110円、9月30日は1ドル105円であった。

カリフォルニアから
仕入れることに
したから！

群馬商店

【解答】

①

借　方　科　目	金　　額	貸　方　科　目	金　　額
仕　　　　　入	11,000	買　　掛　　金	11,000

②

借　方　科　目	金　　額	貸　方　科　目	金　　額
売　　掛　　金	12,600	売　　　　　上	12,600

【考え方】

① 8月15日は1ドル110円

　⇒ 商品100ドル×110円（8月15日為替相場）＝ 11,000円

② 9月30日は1ドル105円

　⇒ 商品120ドル×105円（9月30日為替相場）＝ 12,600円

2 売掛金や買掛金が約束の期日を迎えたら

　外貨建取引での商品の販売や商品の仕入れにより売掛金や買掛金が計上された場合、約束の期日に決済されますが、その時点までに為替相場が動いているときは、決済時点の為替相場で換算した金額を受取ったり、支払ったりすることになります。この場合、取引をしたときに換算した売掛金や買掛金の金額との間に差額があるときは、この差額を「**為替差益**」（営業外収益）または「**為替差損**」（営業外費用）で仕訳します。

【1ドルの商品を掛けで仕入れた場合（仕訳は決済時のもの）】

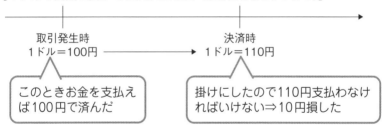

借　方　科　目	金　額	貸　方　科　目	金　額
買　　掛　　金	100	現　金　預　金	110
為　替　差　損	10		

為替相場の変動で10円損した
⇒為替差損

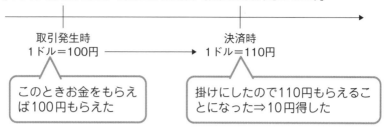

【１ドルの商品を掛けで売上げた場合（仕訳は決済時のもの）】

取引発生時
１ドル＝100円

決済時
１ドル＝110円

このときお金をもらえ
ば100円もらえた

掛けにしたので110円もらえるこ
とになった⇒10円得した

借　方　科　目	金　　額	貸　方　科　目	金　　額
現　金　預　金	110	売　　掛　　金	100
		為　替　差　益	10

為替相場の変動で10円得した
⇒為替差益

　もし、決済時の為替相場が１ドル＝90円であれば、買掛金を決済し
たときに10円の為替差益が、売掛金を決済したときに10円の為替差損
がでます。

📖 「為替差益」および「為替差損」の表示

　「為替差益」および「為替差損」は、為替相場の変動で儲かっ
た収益や損をしてしまった費用を表し、本業の商品売買からの
収益・費用とは考えません。そのため、「為替差損」は営業外費
用に、「為替差益」は営業外収益に表示されます。

☆ 仕訳をしてみよう！

例12－2

問題　① 【例12－1】のカリフォルニア商店の買掛金100ドルを
11月10日に決済した。

② 【例12－1】のニューヨーク商店の売掛金120ドルが11
月25日に決済された。

③ 11月10日は1ドル100円、11月25日は1ドル98円で
あった。

買掛金を支
払わなきゃ！

【解答】

①

借　方　科　目	金　　額	貸　方　科　目	金　　額
買　　掛　　金	11,000	現　金　預　金	10,000
		為　替　差　益	1,000

②

借　方　科　目	金　　額	貸　方　科　目	金　　額
現　金　預　金	11,760	売　　掛　　金	12,600
為　替　差　損	840		

為替差益や為替差損の代
わりに、**為替差損益**を使う
コトもあるのでアル！！

さっくり
6日目

しっかり
9日目

じっくり
11日目

【考え方】

①-1　11月10日は1ドル100円

　　　⇒ 商品100ドル×100円（11月10日の為替相場）

　　　= 10,000円の支払い

①-2　買掛金11,000円（例12-1より）－支払い10,000円

　　　= 1,000円

　　　（為替相場が1ドル110円から1ドル100円に変動したこと

　　　で1,000円得した）

②-1　11月25日は1ドル98円

　　　⇒ 商品120ドル×98円（11月25日の為替相場）

　　　= 11,760円をもらう

②-2　売掛金12,600円（例12-1より）－受取り11,760円

　　　= 840円

　　　（為替相場が1ドル105円から1ドル98円に変動したこと

　　　で840円損した）

3 決算時の会計処理

外貨建取引での商品の販売や商品の仕入れにより売掛金や買掛金が計上された場合に、決済される前に決算日を迎えてしまったときは、この時点で一度換算をしなければいけません。売掛金や買掛金以外にも、将来に現金等のやり取りを行う項目である「**貨幣項目**」（預金、売掛金、買掛金など）は決算時の為替相場で換算しなければいけません。換算による損益は為替差損または為替差益で表します。なお、すでに現金等のやり取りが行われており、将来、為替相場の影響を受けることのない項目である「**非貨幣項目**」（商品、前払金、前受金など）は決算時の為替相場で換算しません。つまり、非貨幣項目は取得時の為替相場で換算された金額のまま据え置きます。

▍重要　決算時の換算

貨幣項目	外国通貨、外貨預金、売掛金、受取手形、買掛金、支払手形など	決算時の為替相場で換算
非貨幣項目	商品、前払金、前受金など	取得時の為替相場で据え置き

> 将来、現金預金が動くかどうかで判断すればいいんだね

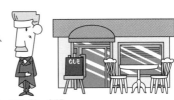

バーテンダー古屋

さっくり
6日目

しっかり
9日目

じっくり
11日目

☆ 仕訳をしてみよう！

例12−3

問題 ① 【例12−1】のカリフォルニア商店の買掛金100ドルを決済する前に12月31日の決算を迎えた。
② 【例12−1】のニューヨーク商店の売掛金120ドルが決済される前に12月31日の決算を迎えた。
③ また、八百源が【例12−1】においてカリフォルニア商店から仕入れた商品は販売されずに12月31日の決算時点ですべて残っていた。
④ 12月31日（決算日）の為替相場は1ドル102円であった。

なんで、いちいちなおすのよ！

【解答】

①

借　方　科　目	金　額	貸　方　科　目	金　額
買　　掛　　金	800	為　替　差　益	800

②

借　方　科　目	金　額	貸　方　科　目	金　額
為　替　差　損	360	売　　掛　　金	360

③

借　方　科　目	金　額	貸　方　科　目	金　額
仕　訳　な　し			

【考え方】

①-1　買掛金 = 貨幣項目 ⇒ 決算時の為替相場で換算

①-2　決算時買掛金：商品100ドル×102円（12月31日の為替相場）
　　　　　　　 ＝ 10,200円

①-3　為替差益：取得時買掛金11,000円 − 決算時買掛金10,200円
　　　　　　　 ＝ 800円
　　　　　　　 （為替相場が1ドル110円から1ドル102円に変
　　　　　　　 動したことで800円得した）

②-1　売掛金 = 貨幣項目 ⇒ 決算時の為替相場で換算

②-2　決算時売掛金：商品120ドル×102円（12月31日の為替相場）
　　　　　　　 ＝ 12,240円

②-3　為替差損：取得時売掛金12,600円 − 決算時売掛金12,240円
　　　　　　　 ＝ 360円
　　　　　　　 （為替相場が1ドル105円から1ドル102円に変
　　　　　　　 動したことで360円損した）

③ 商品 = 非貨幣項目 ⇒ 取得時の為替相場で据え置き

期末に外国通貨や外貨預金があっても
決算時の為替相場で換算替えするよ！！

さっくり
6日目

しっかり
9日目

じっくり
11日目

☆　仕訳をしてみよう！

例12-4

問題　① ×2年3月15日に八百源はカリフォルニア商店から商品100ドルで仕入れ、代金は掛けとした。3月15日の為替相場は1ドル108円であった。

　　　② ×2年3月31日に決算を迎えた。決算時の為替相場は1ドル113円であった。

　　　③ ×2年4月10日に①のカリフォルニア商店の買掛金100ドルを決済した。4月10日の為替相場は1ドル115円であった。

買掛金が
増えていく…

【解答】

①

借　方　科　目	金　額	貸　方　科　目	金　額
仕　　　　　　入	10,800	買　　掛　　金	10,800

②

借　方　科　目	金　額	貸　方　科　目	金　額
為　替　差　損	500	買　　掛　　金	500

③

借　方　科　目	金　額	貸　方　科　目	金　額
買　　掛　　金	11,300	現　金　預　金	11,500
為　替　差　損	200		

【考え方】

① 3月15日は1ドル108円

　　⇒ 商品100ドル×108円（3月15日の為替相場）

　＝ 10,800円

②-1　決算時買掛金：商品100ドル×113円（3月31日の為替相場）

　　　　　　　　　　＝ 11,300円

②-2　為替差損：取得時買掛金10,800円 − 決算時買掛金11,300円

　　　　　　　　　＝ △500円

　　　　　　　　　（3月15日から決算時までの間に為替相場が1
　　　　　　　　　ドル108円から1ドル113円に変動したことで
　　　　　　　　　500円損した）

③-1　支払額：商品100ドル×115円（4月10日の為替相場）

　　　　　　　　＝ 11,500円

③-2　為替差損：決算時買掛金11,300円 − 支払額11,500円

　　　　　　　　＝ △200円

　　　　　　　　（決算時から4月10日までの間に為替相場が1
　　　　　　　　ドル113円から1ドル115円に変動したことで
　　　　　　　　200円損した）

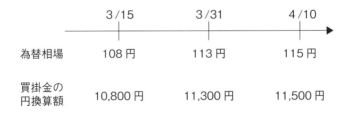

	3/15	3/31	4/10
為替相場	108円	113円	115円
買掛金の円換算額	10,800円	11,300円	11,500円

さっくり
6日目

しっかり
9日目

じっくり
11日目

☆ 仕訳をしてみよう!

例12−5

問題 決算日において当期中に取得した外国通貨200ドルを保有
している。取得時の為替相場は1ドル111円であり、決算
時の為替相場は1ドル105円であった。

お金が減って
くんだけど…

気のせい
かしら???

【解答】

借 方 科 目	金 額	貸 方 科 目	金 額
為 替 差 損	1,200	現 金 預 金	1,200

【考え方】

① 取得時現金預金:200ドル×1ドル111円(取得時為替相場)
　　　　　　　　　=22,200円

② 決算時現金預金:200ドル×1ドル105円(決算時為替相場)
　　　　　　　　　=21,000円

③ 為替差損:21,000円−取得時現金預金22,200円 = △1,200円(取得
　　　　　　　時から決算時までの間に為替相場が1ドル111円から
　　　　　　　1ドル105円に変動したことで1,200円損した)

4 前受金・前払金の会計処理

　前受金はあらかじめお金を受取り、前払金（前渡金）はあらかじめお金を支払っており、非貨幣項目であるため換算替えをしません。その後、商品を売上げたときに前受金は受取時の為替相場で換算した金額を売上げの金額に充当します。前払金（前渡金）も同じように、商品を仕入れたときに取得時の為替相場で換算した金額を仕入の金額に充当します。

【前受金受取時】

借 方 科 目	金 額	貸 方 科 目	金 額
現 金 預 金	×××	前 受 金	×××

【前受金受取後の掛売上時】

借 方 科 目	金 額	貸 方 科 目	金 額
前 受 金	×××	売 上	×××
売 掛 金	×××		

（外貨建売上－外貨建前受金）
×掛売上時為替相場

前受金＋売掛金

【前払金（前渡金）支払時】

借 方 科 目	金 額	貸 方 科 目	金 額
前 払 金（前 渡 金）	×××	現 金 預 金	×××

【前払金（前渡金）支払後の掛仕入時】

借 方 科 目	金 額	貸 方 科 目	金 額
仕 入	×××	前 払 金（前 渡 金）	×××
		買 掛 金	×××

前払金＋買掛金

（外貨建仕入－外貨建前払金）
×掛仕入時為替相場

さっくり 6日目

しっかり 9日目

じっくり 11日目

☆ 仕訳をしてみよう！

例12-6

問題 ① 八百源は100ドルでシカゴ商店と商品を仕入れる契約を結び、手付金20ドルを支払った。支払時の為替相場は１ドル105円であった。

② 決算を迎えた。決算時の為替相場は１ドル107円であった。

③ 翌期になり、商品100ドルを仕入れ、手付金20ドルを充当し、残額は掛けとした。仕入時の為替相場は１ドル110円であった。

先に20ドル
払っておいて
よかったぜ！

【解答】

①

借　方　科　目	金　　額	貸　方　科　目	金　　額
前 払 金（前 渡 金）	2,100	現　金　預　金	2,100

②

借　方　科　目	金　　額	貸　方　科　目	金　　額
仕　訳　な　し			

③

借　方　科　目	金　　額	貸　方　科　目	金　　額
仕　　　　入	10,900	前 払 金（前 渡 金）	2,100
		買　　掛　　金	8,800

【考え方】

① 支払時の為替相場は1ドル105円

⇒ 20ドル×1ドル105円 = 2,100円

② 前払金（前渡金）= 非貨幣項目

⇒ 支払時の為替相場で据え置き

③-1　買掛金：（100ドル−前払金20ドル）×110円（仕入時為替相場）= 8,800円

③-2　仕入：前払金2,100円＋買掛金8,800円 = 10,900円

100ドル×110円＝11,000円
って計算すると間違えちゃうよ！！

仕入の金額は日本円に
なおした後の前払金と
買掛金を合計する

さっくり
6日目

しっかり
9日目

じっくり
11日目

2 為替予約

　為替相場が変動すると、得する場合もあれば損する場合もあります。大きな会社では為替相場が1円変動するだけで何億円も損することもあるのです。ここでは、為替相場の変動を回避する会計処理を学習します。

わたくしは
予約しといた
から♪

もらえる金額が
減ってしまった…

1　為替相場の変動を回避したいときは

　外貨建取引をすると、為替相場の変動により為替差益や為替差損が発生します。為替差益ならばいいかもしれませんが、都合よく為替差益ばかりが発生するとは限りません。為替差損が生じる場合も当然に考えられます。ここで、このような為替相場の変動の影響を回避したい場合は「**為替予約**」を行います。「**為替予約**」とは、将来お金のやりとりをする時の為替相場をあらかじめ契約で固定することをいいます。

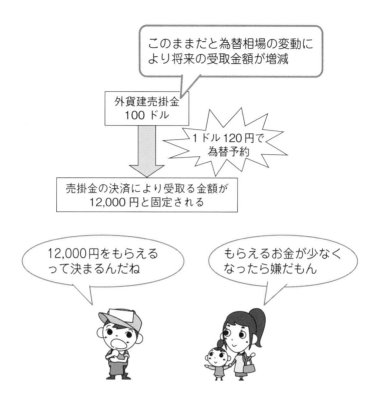

ここで、将来の予約に用いる為替相場は「**先物為替相場**」といいます。上の例では、為替予約をした1ドル＝120円が先物為替相場となります。これに対して、通常の取引に用いられる為替相場を「**直物為替相場**」といいます。

コトバ

為替予約：将来の決済時の為替相場をあらかじめ固定すること
先物為替相場：為替予約で用いられる為替相場
直物為替相場：通常の取引で用いられる為替相場

さっくり
6日目

しっかり
9日目

じっくり
11日目

　仕入取引や売上取引が行われた後に、為替相場の変動の影響を回避したいと考えて、為替予約を行う場合、仕入取引や売上取引が行われた時の直物為替相場による換算額と為替予約が行われた時の先物為替相場による換算額との差額を「為替差益」または「為替差損」とします。為替予約を行うと、為替相場の変動の影響を回避できるので、その後は「為替差益」や「為替差損」が発生しません。

【1ドルの商品を掛けで仕入れた場合（仕訳は為替予約時のもの）】

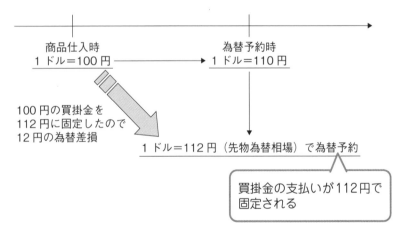

　商品仕入時の直物為替相場1ドル100円と為替予約時の先物為替相場1ドル112円との間に12円の差額があるため、為替差損が生じます。

借 方 科 目	金 額	貸 方 科 目	金 額
為 替 差 損	12	買 掛 金	12

買掛金が12円増えた分だけ損をした

為替予約後買掛金112円－商品仕入時買掛金100＝12円（為替予約により買掛金が12円増えた）

確かに予約で買掛金が増えたけど、ここで予約をしなかったらもっと買掛金が増えると予想したんだよ！

📖 独立処理・振当処理

　　為替予約の会計処理には実は２つの方法があります。２級で学習した為替予約は「**振当処理**」という方法です。１級になると「**独立処理**」という方法も学習します。問題文中に「**振当処理**」という言葉が使われる可能性も考えられるので、２級で学習した方法が「**振当処理**」という方法だということは知っておいてください。

📖 為替相場の略語

取得時・取引発生時の為替相場	H R（historical rate）
決算時の為替相場	C R （current rate）
先物為替相場	F R （forward rate）

さっくり
6日目

しっかり
9日目

じっくり
11日目

☆ 仕訳をしてみよう！

例12-7

問題 ① 八百源はワシントン商店に200ドルで商品を売上げ、代金は掛けとした。なお、売上時の直物為替相場は1ドル123円、先物為替相場は1ドル121円であった。
② その後、八百源はワシントン商店の売掛金200ドルについて、為替予約を行った。なお、予約時の直物為替相場は1ドル119円、先物為替相場は1ドル117円であった。
③ ワシントン商店に対する売掛金200ドルの決済日を迎えた。なお、決済は現金で行われた。

【解答】

①

借　方　科　目	金　　額	貸　方　科　目	金　　額
売　　掛　　金	24,600	売　　　　　上	24,600

②

借　方　科　目	金　　額	貸　方　科　目	金　　額
為　替　差　損	1,200	売　　掛　　金	1,200

③

借　方　科　目	金　　額	貸　方　科　目	金　　額
現　　　　　金	23,400	売　　掛　　金	23,400

【考え方】

① 売上時は1ドル123円 ⇒ 商品200ドル×123円 = 24,600円

②-1　予約後売掛金：商品200ドル×117円（予約時先物為替相場）
　　　　　　　　 = 23,400円

②-2　為替差損：売上時売掛金24,600円 − 予約後売掛金23,400円
　　　　　　 = 1,200円
　　　　　　（為替予約により売掛金が24,600円から23,400
　　　　　　　円に減ったことで1,200円損した）

③ 為替予約後の売掛金23,400円で決済する

📖 取引発生以前の予約

　取引発生前や取引発生時に為替予約を行ったときは、予約した為替相場（先物為替相場）を使って仕訳します。

　取引発生前に将来の取引の為替予約を行う場合、為替予約時は特に仕訳はしません。取引発生時に予約した為替相場（予約時の先物為替相場）をもとに売掛金や買掛金の金額を算定し、仕訳します。この場合、「為替差損」や「為替差益」は発生しません。

【予約時】

借　方　科　目	金　額	貸　方　科　目	金　額
仕　訳　な　し			

【仕入時】

借　方　科　目	金　額	貸　方　科　目	金　額
仕　　　　　入	×××	買　　掛　　金	×××

外貨建仕入金額×予約時先物為替相場

　なお、商品売上時も同じように考えます。

確認テスト

問題

次の外貨建取引に関する各仕訳をしなさい。

① ×1年3月10日（為替相場：1ドル＝102円）に商品50ドルを輸入し、代金はすべて掛けとした。

② ×1年3月26日（為替相場：1ドル＝100円）に商品を70ドルで仕入れる契約を締結し、手付金30ドルを現金で支払った。

③ ×1年3月31日、決算日を迎えた。同日の為替相場は1ドル＝99円であった。

④ ×1年4月30日（為替相場：1ドル＝95円）に上記①の買掛金50ドルを当座預金から振込んで決済した。

⑤ ×1年5月10日（為替相場：1ドル＝98円）に上記②の商品70ドルを輸入し、手付金30ドルを充当し、残額は掛けとした。

⑥ ×1年6月30日（為替相場：1ドル＝95円）に上記⑤の買掛金を当座預金から振込んで決済した。

	借　方　科　目	金　　額	貸　方　科　目	金　　額
①				
②				
③				
④				
⑤				
⑥				

解 答

	借 方 科 目	金 額	貸 方 科 目	金 額
①	仕　　　　入	5,100	買　掛　金	5,100
②	前　払　金	3,000	現　　　金	3,000
③	買　掛　金	150	為　替　差　益	150
④	買　掛　金	4,950	当　座　預　金	4,750
			為　替　差　益	200
⑤	仕　　　　入	6,920	前　払　金	3,000
			買　掛　金	3,920
⑥	買　掛　金	3,920	当　座　預　金	3,800
			為　替　差　益	120

解 説

③　買掛金50ドル×（3月10日:102円/ドル－3月31日:99円/ドル）
　　＝為替差益150円
④　買掛金4,950円－（買掛金50ドル×（4月30日:95円/ドル））
　　＝為替差益200円
⑤　（仕入70ドル－前払金30ドル）×5月10日:98円/ドル
　　＝買掛金3,920円
　　なお、仕入6,920円は前払金3,000円と買掛金3,920円の合計額になります。
⑥　買掛金3,920円－（買掛金40ドル×（6月30日:95円/ドル））
　　＝為替差益120円

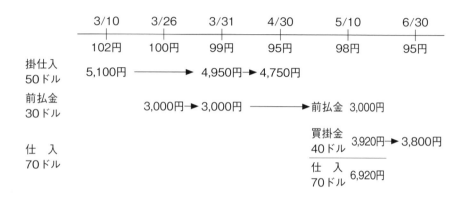

第13章 決算手続

学習進度目安

●第13章で学習すること

さっくり 10日間	しっかり 15日間	じっくり 20日間	
7日目	9日目	12日目	① 決算
			② 月次決算
			③ 精算表
			④ 帳簿の締切り
			⑤ 財務諸表を作ろう!
	10日目	13日目	⑥ 製造業の決算

1 決算

イントロダクション

この章では、1年間の経営活動をまとめていく「決算」を学習します。基本的には、3級で学習した内容と変わりません。ここでは、決算手続の流れを意識しながら学習することが重要です。

1年間の
成績発表ね！

今期は、利益
でているかなぁ

1 決算整理仕訳と転記

期首から期末までの1年間、簿記上の取引があるたびに仕訳を行い、これを転記します。その後、決算整理仕訳を行い、これも転記します。

3級でも
勉強したね！

決算の流れは
とても大事だっ
たような…

決算整理を終えたら、**損益振替**を行って、すべての収益・費用の勘定の残高を「損益」勘定に振替えます。つづいて、損益勘定の残高（当期純利益または当期純損失）を「**繰越利益剰余金**」勘定に振替えます（**資本振替**）。最後に、すべての資産・負債・純資産の勘定を締切ることになります。

コトバ

損益振替：すべての収益・費用の勘定の残高を損益勘定に振替えること

資本振替：損益勘定の残高を繰越利益剰余金勘定に振替ること

3　貸借対照表・損益計算書・株主資本等変動計算書の作成

帳簿を締切ったら、財務諸表を作成します。

財務諸表とは、株主・債権者などに対して企業の財務状態や経営成績を報告するために作成する書類です。主要な財務諸表として「貸借対照表」・「損益計算書」・「株主資本等変動計算書」があります。

さっくり
7日目

しっかり
9日目

じっくり
12日目

2 月次決算

イントロダクション

ここまで、会計期間は1年で、決算も1年に1回期末に行われる
という場合を想定してきました。しかし、実際には1ヶ月に1回
の決算を行う場合が少なくありません。ただし、1ヶ月に1回の
決算を行うときには、期末に年1回行われる決算よりも簡単な手
続で済みます。

毎月決算なんて
大変よー…

頑張って
ください

1　1ヶ月に1回業績を把握する

　経営者が1年に1回だけ会社の収益や費用を把握するのでは、日々
の経営活動の管理にあまり役立ちません。そこで、1ヶ月に一度小さ
な決算をおこない日々の経営活動に役立てる場合があります。この1
カ月ごとの決算を「**月次決算**」といいます。これに対し、1年に1度
行う、今まで学習してきた通常の決算を「**年次決算**」といいます。

コトバ

月次決算：1ヶ月に一度、月末に行う決算
年次決算：1年に一度、会計期間期末に行う決算

　月次決算は1年に1度実施する年次決算とは異なり期間が短いので、年次決算と同じ手続きをしていたのでは時間がかかり過ぎてしまいます。そこで、月次決算では「**減価償却費を月割計算**」、「**前払費用を月割で費用計上**」、「**再振替仕訳をしない**」など年次決算と比べて簡単な手続きを実施します。

今月も
儲かったぜ！

ま～ちゃん

さっくり
7日目

しっかり
9日目

じっくり
12日目

☆　決算整理後残高試算表を作成しよう！

例13－1

問題　以下の①～③にもとづき、3月31日における決算整理後残高試算表（一部）を作成しなさい。なお、会計期間は4月1日から3月31日とする。

① 減価償却費は、固定資産の期首の残高を基礎として、建物について1,000円を、4月から2月までの11カ月間、毎月見積計上している。なお、1年分の減価償却費は12,000円である。

② 前払費用の残高4,500円は、12月1日に1年分の保険料を現金で前払いしたものであり、12月から2月まで毎月費用に振替えている。

③ 決算整理前残高試算表（一部）

<table>
<tr><th colspan="3">決算整理前残高試算表（一部）</th></tr>
<tr><th>借　　方</th><th>勘定科目</th><th>貸　　方</th></tr>
<tr><td></td><td>：</td><td></td></tr>
<tr><td>4,500</td><td>前　払　費　用</td><td></td></tr>
<tr><td></td><td>減価償却累計額</td><td>35,000</td></tr>
<tr><td>11,000</td><td>減　価　償　却　費</td><td></td></tr>
<tr><td>1,500</td><td>支　払　保　険　料</td><td></td></tr>
<tr><td></td><td>：</td><td></td></tr>
</table>

【解答】

決算整理後残高試算表（一部）

借　方	勘定科目	貸　方
:	:	
（　　4,000　）	前 払 費 用	
	減価償却累計額	（　　36,000　）
（　　12,000　）	減 価 償 却 費	
（　　2,000　）	支 払 保 険 料	
	:	

【考え方】

決算整理前残高試算表の「減価償却費」と「支払保険料」は、月次決算により２月末までの費用が、すでに計上されています。そのため、そこに３月分の費用を加えると、解答の金額になります。また、決算整理前残高試算表の「前払費用」は月次決算により12月〜２月分を「支払保険料」に振替えた後の残りの金額、つまり、３月〜11月の9ヶ月分の保険料を表しています。

① 減価償却費：

決算整理前残高試算表11,000円（４月〜２月分：1,000円×11ヶ月）＋1,000円（３月分）＝ 12,000円（４月〜３月分）

② 減価償却費累計額：

35,000円＋1,000円（３月分）＝ 36,000円

③ 前払費用：

4,500円（３月〜11月分）−500円（３月分：4,500円÷9ヶ月）＝ 4,000円（４月〜11月分）

④ 支払保険料：

1,500円（12月〜２月分）＋500円（３月分：4,500円÷9ヶ月）＝ 2,000円

さっくり
7日目

しっかり
9日目

じっくり
12日目

3 精算表

財務諸表作成までのリハーサルといえるのが「精算表」です。作成方法などは、3級で学習した内容と全く同じなので、思い出しながら学習していきましょう！

3級と同じなら楽勝ね！

油断は
禁物ですよ

エリート小林

1 決算のリハーサル

　期首から期末までの1年間、簿記上の取引があるたびに仕訳を行い、これを転記します。期末を迎えた時点での各勘定の残高のことを「**決算整理前残高**」といいます。その後、決算整理を行い、これも転記します。この決算整理を終えた時点での各勘定の残高のことを「**決算整理後残高**」といいます。

　「**精算表**」は、決算整理前残高から決算整理後残高を算出するまでの過程を明らかにする表です。

重要　期中〜決算手続の流れ

ここが
ポイント!

| 簿記上の取引・仕訳・転記 |
| 決算整理前残高 |
| 決 算 整 理 |
| 決算整理後残高 |
| 損 益 振 替 |
| 資 本 振 替 |
| 勘 定 の 締 切 り |
| 財務諸表の作成 |

精算表に記入

第13章 決算手続

コトバ

決算整理前残高：期末を迎えた時点での各勘定の残高
決算整理後残高：決算整理を終えた時点での各勘定の残高
精算表：決算整理前残高から決算整理後残高を算出するまでの
　　　　過程を明らかにする表

2　精算表の記入方法

　精算表には通常、「**試算表**」欄、「**修正記入**」欄、「**損益計算書**」欄、「**貸借対照表**」欄の4つの欄が設けられます。それぞれに借方の列と貸方の列があるので、合計8列になり、このことから「**8けた精算表**」とも呼ばれています。

さっくり
7日目

しっかり
9日目

じっくり
12日目

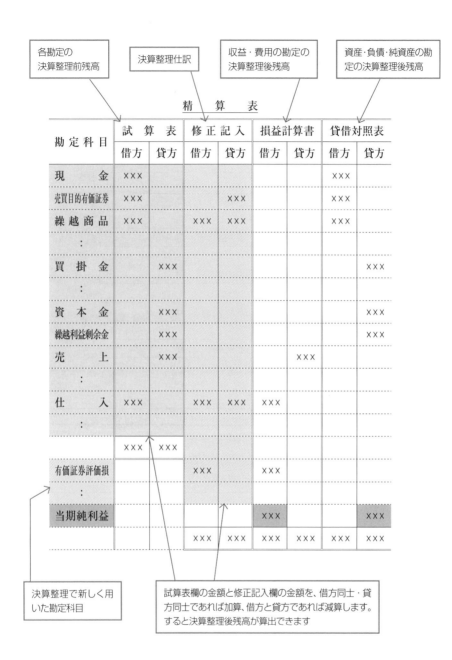

各勘定の決算整理前残高

決算整理仕訳

収益・費用の勘定の決算整理後残高

資産・負債・純資産の勘定の決算整理後残高

精　算　表

勘定科目	試　算　表		修正記入		損益計算書		貸借対照表	
	借方	貸方	借方	貸方	借方	貸方	借方	貸方
現　　金	×××						×××	
売買目的有価証券	×××			×××			×××	
繰越商品	×××		×××	×××			×××	
：								
買　掛　金		×××						×××
：								
資　本　金		×××						×××
繰越利益剰余金		×××						×××
売　　上		×××				×××		
：								
仕　　入	×××		×××	×××	×××			
：								
	×××	×××						
有価証券評価損			×××		×××			
：								
当期純利益					×××			×××
			×××	×××	×××	×××	×××	×××

決算整理で新しく用いた勘定科目

試算表欄の金額と修正記入欄の金額を、借方同士・貸方同士であれば加算、借方と貸方であれば減算します。すると決算整理後残高が算出できます

4 帳簿の締切り

イントロダクション

期末になったら、1年間書きためてきた帳簿を締切ります。「英米式決算法」という締切りの方法を学習しますが、3級で学習した内容と同じです。また、繰越利益剰余金勘定を推定する例題がありますが、このような推定は試験でも必要となる力なので、得点源にできるようしっかりと学習しましょう。

推定なんて楽勝だぜ

ま～ちゃん

本当かなぁ…

1 収益・費用の勘定と損益勘定の締切り

1章でも学習したように決算整理を終えたら、損益振替を行って、すべての収益・費用の勘定の残高を損益勘定に振替え、すべての収益・費用の勘定を締切ります。つづいて、損益勘定の残高（当期純利益または当期純損失）を繰越利益剰余金勘定に振替え（資本振替）、損益勘定を締切ります。

さっくり 7日目

しっかり 9日目

じっくり 12日目

仮に、決算整理後の仕入勘定、支払利息勘定、売上勘定、繰越利益剰余金勘定の残高がそれぞれ1,200円、350円、2,000円、10,000円の場合の「損益振替」・「資本振替」は以下のようになります。

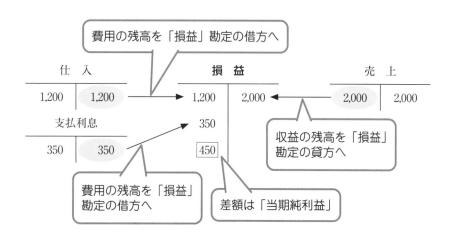

また、仕訳は以下のようになります。

借　方　科　目	金　額	貸　方　科　目	金　額
売　　　　　上	2,000	損　　　　　益	2,000
損　　　　　益	1,550	仕　　　　　入	1,200
		支　払　利　息	350

利益がでたぜ！

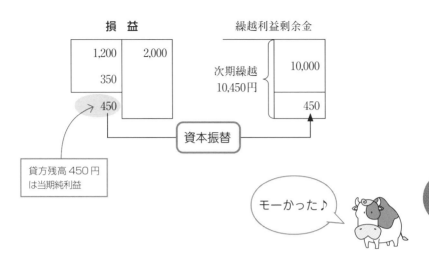

損　益

1,200	2,000
350	
450	

貸方残高450円
は当期純利益

繰越利益剰余金

| | 10,000 |
| 450 | 450 |

次期繰越
10,450円

資本振替

モーかった♪

また、仕訳は以下のようになります。

借　方　科　目	金　額	貸　方　科　目	金　額
損　　　　　益	450	繰 越 利 益 剰 余 金	450

2 　資産・負債・純資産の勘定の締切り

　その後、すべての資産・負債・純資産の勘定に「次期繰越」「前期繰越」と記入してこれらの勘定を締切り、繰越試算表を作ります。このような帳簿の記入方法を「**英米式決算法**」といいます。

> コトバ
>
> 英米式決算法：すべての資産・負債・純資産の勘定に「次期繰越」「前期繰越」と記入してこれらの勘定を締切る記帳方法

さっくり
7日目

しっかり
9日目

じっくり
12日目

📖 勘定の締切り

　　貸借対照表に関する「資産」・「負債」・「純資産」の勘定の残高はすべて次期に繰り越します。

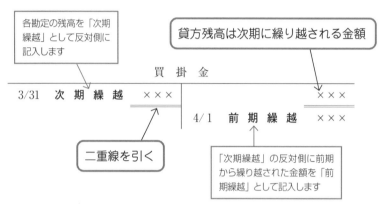

各勘定の残高を「次期繰越」として反対側に記入します

貸方残高は次期に繰り越される金額

買　掛　金

3/31	次 期 繰 越	×××		×××
			4/1　前 期 繰 越	×××

二重線を引く

「次期繰越」の反対側に前期から繰り越された金額を「前期繰越」として記入します

　　また、損益計算書に関する「収益」「費用」の勘定は、損益振替によってその残高がゼロになっています。「収益」「費用」は次期に繰り越すことはありませんが、貸借対照表の各勘定の締切りと同じように、二重線を引くことにより勘定を締切ります。

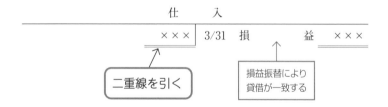

仕　　　入

	×××	3/31　損　　　益	×××

二重線を引く

損益振替により貸借が一致する

☆ 英米式簿記法で各勘定を締切ろう！

例13-2

問題 期末（×2年3月31日）において決算整理を行った後の各勘定の残高は次の通りである。英米式決算法により各勘定を締切りなさい。

資産・負債・純資産の各勘定をどうやって締切るんだろう

現 金	
3,120	

売 掛 金	
8,000	

繰 越 商 品	
2,560	

買 掛 金	
	1,460

貸倒引当金	
	160

資 本 金	
	10,000

売 上	
	9,000

仕 入	
6,880	

貸倒引当金繰入	
60	

第13章
決算手続

さっくり 7日目

しっかり 9日目

じっくり 12日目

【解答：各勘定の締切り】

現　金

	3,120	3/31 次 期 繰 越	3,120
4/1 前 期 繰 越	3,120		

売　掛　金

	8,000	3/31 次 期 繰 越	8,000
4/1 前 期 繰 越	8,000		

繰越商品

	2,560	3/31 次 期 繰 越	2,560
4/1 前 期 繰 越	2,560		

買　掛　金

3/31 次 期 繰 越	1,460		1,460
		4/1 前 期 繰 越	1,460

貸倒引当金

3/31 次 期 繰 越	160		160
		4/1 前 期 繰 越	160

資本金

3/31 次 期 繰 越	10,000		10,000
		4/1 前 期 繰 越	10,000

繰越利益剰余金

3/31 次 期 繰 越	2,060	3/31 損　　　益	2,060
		4/1 前 期 繰 越	2,060

売　上

3/31 損　　　益	9,000		9,000

仕　入

	6,880	3/31 損　　　益	6,880

貸倒引当金繰入

	60	3/31 損　　　益	60

損　益

3/31 仕　　　入	6,880	3/31 売　　　上	9,000
〃　貸倒引当金繰入	60		
〃　繰越利益剰余金	2,060		
	9,000		9,000

【考え方】

① 損益振替

　　まず、収益の勘定に注目します。収益の勘定はここでは「売上」しかなく、決算整理後残高は貸方残高9,000円となっています。ここで、売上勘定の残高がゼロとなるように、仕訳をします。このとき、相手勘定科目は「損益」とします。

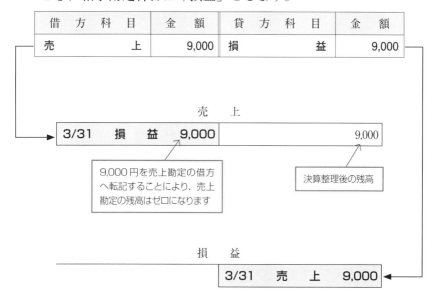

借　方　科　目	金　額	貸　方　科　目	金　額
売　　　　　　上	9,000	損　　　　　　益	9,000

売　　上

| 3/31 | 損　　益 | 9,000 | | | 9,000 |

9,000円を売上勘定の借方へ転記することにより、売上勘定の残高はゼロになります

決算整理後の残高

損　　益

| | | | 3/31 | 売　　上 | 9,000 |

費用の勘定も収益の勘定と同じように、各費用の勘定の残高が
ゼロとなるように仕訳をします。

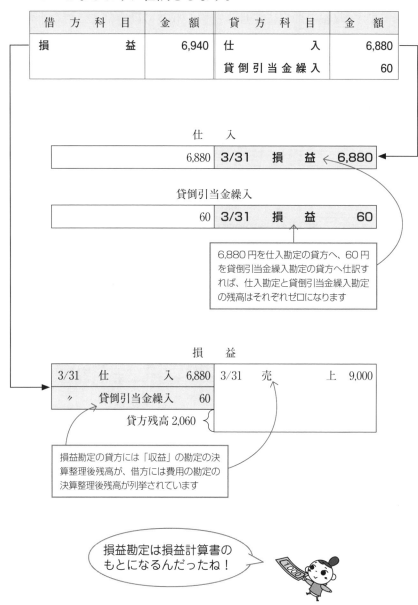

借　方　科　目	金　額	貸　方　科　目	金　額
損　　　　　益	6,940	仕　　　　　入	6,880
		貸 倒 引 当 金 繰 入	60

仕　　入

	6,880	3/31	損　　益	6,880

貸倒引当金繰入

	60	3/31	損　　益	60

6,880円を仕入勘定の貸方へ、60円
を貸倒引当金繰入勘定の貸方へ仕訳す
れば、仕入勘定と貸倒引当金繰入勘定
の残高はそれぞれゼロになります

損　　益

3/31	仕　　　　　入	6,880	3/31	売　　　　　上	9,000
〃	貸倒引当金繰入	60			
	貸方残高 2,060				

損益勘定の貸方には「収益」の勘定の決
算整理後残高が、借方には費用の勘定の
決算整理後残高が列挙されています

損益勘定は損益計算書の
もとになるんだったね！

② 資本振替

つづいて、損益勘定の残高を繰越利益剰余金勘定に振替えます。損益勘定は貸方残高2,060円なので、借方に「損益2,060」と仕訳して損益勘定の残高がゼロとなるようにします。このとき、相手勘定科目は「繰越利益剰余金」とします。

借　方　科　目	金　　額	貸　方　科　目	金　　額
損　　　　　益	2,060	繰 越 利 益 剰 余 金	2,060

損　　益

3/31	仕　　　　入	6,880	3/31	売　　　　上	9,000
〃	貸倒引当金繰入	60			
〃	繰越利益剰余金	2,060			

繰越利益剰余金

次期繰越 2,060	3/31 損　益 2,060

以上により、繰越利益剰余金勘定の残高は貸方残高2,060円となります。これを次期に繰越します。

③ 各勘定の締切り

　　資産・負債・純資産の勘定の残高は次期繰越高です。英米式決
算法の場合は、この金額を資産・負債・純資産の勘定に「次期繰
越」「前期繰越」として記入します。例えば、現金勘定は借方残
高3,120円なので、貸方に「次期繰越3,120」と記入して借方と貸
方が同じ金額になるようにします。

　　そして、次の会計期間の現金勘定の残高が借方残高3,120円から
始められるように、現金勘定の借方に「前期繰越3,120」と記入し
ます。

現　　金

	3,120	3/31	次 期 繰 越	3,120
4/ 1	前 期 繰 越	3,120		

④ 繰越試算表の作成（参考）

　　最後に、資産・負債・純資産の勘定の残高（次期繰越高）をま
とめて、「**繰越試算表**」を作ります。

繰　越　試　算　表
×2年3月31日　　　　　（単位：円）

借　　方	勘定科目	貸　　方
3,120	現　　　　　金	
8,000	売　　掛　　金	
2,560	繰　越　商　品	
	買　　掛　　金	1,460
	貸 倒 引 当 金	160
	資　　本　　金	10,000
	繰越利益剰余金	2,060
13,680		13,680

☆ **繰越利益剰余金勘定を推定しよう！！**

例13-3

問題　次の資料にもとづいて繰越利益剰余金勘定に記入しなさ
い。なお、当期は×5年4月1日〜×6年3月31日である。

① ×5年6月25日の株主総会で繰越利益剰余金の配当等
が決議され、利益準備金を180円積立て、配当金として
1,800円支払い、別途積立金を300円積立てることと
なった。

② 繰越利益剰余金の決算整理前残高は、貸方残高470円で
あった。

③ ×5年度（×5年4月1日〜×6年3月31日）の決算で、
当期純利益2,080円が計上された。

配当金の支払い
利益準備金の積立て
別途積立金の積立て

【解答】

繰越利益剰余金

6/25	未払配当金	(1,800)	4/ 1	前期繰越	(2,750)
〃	利益準備金	(180)	3/31	損　益	(2,080)
〃	別途積立金	(300)			
3/31	次期繰越	(2,550)			
		(4,830)			(4,830)
			4/ 1	前期繰越	(2,550)

第13章

決算手続

さっくり
7日目

しっかり
9日目

じっくり
12日目

【考え方】

　問題文からは繰越利益剰余金勘定の前期繰越高が分かりません。しかし、期中に行われた配当などで合計2,280円減少しており、決算整理前の時点で470円となっています。その後、決算で2,080円増加し、次期に繰越されます。

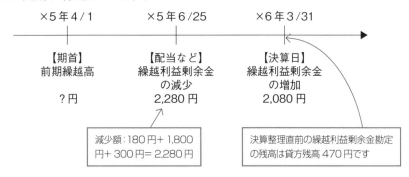

① ×5年6月25日の仕訳

借　方　科　目	金　　額	貸　方　科　目	金　　額
繰越利益剰余金	2,280	未　払　配　当　金	1,800
		利　益　準　備　金	180
		別　途　積　立　金	300

　上記の仕訳により、繰越利益剰余金勘定の借方に合計2,280円が転記され、×6年3月31日に期末を迎えます。決算整理を行う直前の残高は、貸方残高470円です。

　ここから、前期繰越高は、2,280円＋470円 ＝ 2,750円と分かります。

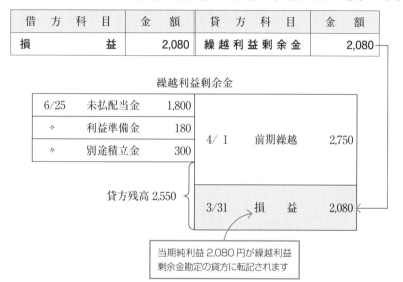

繰越利益剰余金

6/25	未払配当金	1,800			
〃	利益準備金	180	4/ 1	前期繰越	2,750
〃	別途積立金	300			
	貸方残高 470				

② ×6年3月31日の決算の結果、当期純利益2,080円が計上されています。この繰越利益剰余金勘定への振替の仕訳は次の通りです。

借　方　科　目	金　　額	貸　方　科　目	金　　額
損　　　　　益	2,080	繰 越 利 益 剰 余 金	2,080

繰越利益剰余金

6/25	未払配当金	1,800			
〃	利益準備金	180	4/ 1	前期繰越	2,750
〃	別途積立金	300			
	貸方残高 2,550		3/31	損　　益	2,080

当期純利益 2,080 円が繰越利益
剰余金勘定の貸方に転記されます

　繰越利益剰余金勘定の次期繰越高は2,550円となります。これは、×5年6月25日に配当を行った後に残った470円と、×5年4月1日～×6年3月31日の当期純利益2,080円の合計です。

5 財務諸表を作ろう!

イントロダクション

試験対策上、財務諸表作成問題は、とても重要です。ポイントは①表示区分と②表示科目です。第1章で学習した区分の基準（正常営業循環基準と一年基準）と照らし合わせながら、表示区分を丁寧に確認し、内部管理の勘定科目との違いを意識しながら表示科目を学習していきましょう。

表示科目が勘定科目と異なることがあるので、注意してください！

表示科目って何？

---

1 損益計算書・貸借対照表・株主資本等変動計算書を作成しよう!!

　帳簿を締切った後は、株主などの会社外部の関係者に会社の経営成績や財政状態を報告するために財務諸表を作成します。第1章でも学習しましたが、今までの内容を踏まえて、損益計算書・貸借対照表・株主資本等変動計算書を作ってみましょう。

☆ 損益計算書を作ろう！

例13-4

問題 次の損益勘定を参照して当期（×8年4月1日～×9年3月31日）の損益計算書を作成しなさい。なお、商品に関する決算整理仕訳は次の資料に基づいており、仕入勘定で売上原価を計算し、棚卸減耗損及び商品評価損は売上原価に算入する。

① 期首商品棚卸高2,000円
② 当期商品仕入高7,440円
③ 期末商品帳簿棚卸高20個（原価@128円）
④ 期末商品実地棚卸高17個（正味売却価額@123円）

損　益

3/31	仕　　　　入	7,349	3/31	売　　　　上	9,900
〃	給　　　料	440	〃	有価証券利息	380
〃	貸倒引当金繰入	100	〃	固定資産売却益	40
〃	減価償却費	680			
〃	支払利息	480			
〃	有価証券売却損	121			
〃	固定資産売却損	750			
〃	法人税等	120			
〃	繰越利益剰余金	280			
		10,320			10,320

【解答】

損 益 計 算 書　　　（単位：円）

自×8年4月1日　至×9年3月31日

Ⅰ	売　　上　　高				（ 9,900 ）
Ⅱ	売　上　原　価				
	1	期首商品棚卸高	（ 2,000 ）		
	2	当期商品仕入高	（ 7,440 ）		
		合　　　計	（ 9,440 ）		
	3	期末商品棚卸高	（ 2,560 ）		
		差　　　引	（ 6,880 ）		
	4	棚 卸 減 耗 損	（ 384 ）		
	5	商 品 評 価 損	（ 85 ）	（ 7,349 ）	
	売 上 総 利 益				（ 2,551 ）
Ⅲ	販売費及び一般管理費				
	1	給　　料	（ 440 ）		
	2	減 価 償 却 費	（ 680 ）		
	3	貸倒引当金繰入	（ 100 ）	（ 1,220 ）	
	営 業 利 益				（ 1,331 ）
Ⅳ	営 業 外 収 益				
	1	有 価 証 券 利 息			（ 380 ）
Ⅴ	営 業 外 費 用				
	1	支 払 利 息	（ 480 ）		
	2	有 価 証 券 売 却 損	（ 121 ）	（ 601 ）	
	経 常 利 益				（ 1,110 ）
Ⅵ	特 別 利 益				
	1	固 定 資 産 売 却 益			（ 40 ）
Ⅶ	特 別 損 失				
	1	固 定 資 産 売 却 損			（ 750 ）
	税引前当期純利益				（ 400 ）
	法 人 税 等				（ 120 ）
	当 期 純 利 益				（ 280 ）

【考え方】

① 問題の損益勘定の内容のうち「仕入7,349」以外は、そのまま損益計算書に表示します。損益勘定では「仕入7,349」となっているため、売上原価が7,349円であることはわかります。しかし、損益計算書には、7,349円を算出するまでの計算過程も示します。売上原価7,349円は、次のような決算整理仕訳を行って、仕入勘定で計算しています。

借　方　科　目	金　　額	貸　方　科　目	金　　額
仕　　　　　　入	2,000	繰　越　商　品	2,000
繰　越　商　品	2,560	仕　　　　　　入	2,560
棚　卸　減　耗　損	384	繰　越　商　品	384
商　品　評　価　損	85	繰　越　商　品	85
仕　　　　　　入	384	棚　卸　減　耗　損	384
仕　　　　　　入	85	商　品　評　価　損	85

さっくり
7日目

しっかり
9日目

じっくり
12日目

② 売上原価は、当期商品仕入高7,440円＋期首商品棚卸高2,000円－
期末商品棚卸高2,560円＋棚卸減耗損384円＋商品評価損85円より
7,349円と求めます。この計算式を損益計算書の「売上原価」の部
分に表示します。

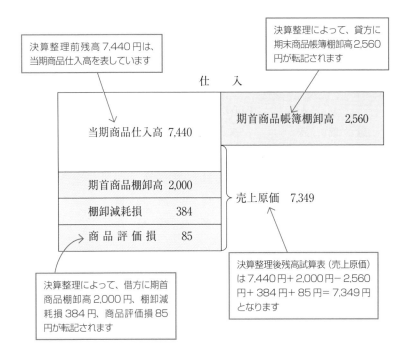

仕　　入

決算整理前残高 7,440 円は、当期商品仕入高を表しています

決算整理によって、貸方に期末商品帳簿棚卸高2,560円が転記されます

当期商品仕入高　7,440

期首商品帳簿棚卸高　2,560

期首商品棚卸高　2,000

棚卸減耗損　　　384

商品評価損　　　 85

売上原価　　7,349

決算整理によって、借方に期首商品棚卸高 2,000 円、棚卸減耗損 384 円、商品評価損 85 円が転記されます

決算整理後残高試算表（売上原価）は 7,440 円＋2,000 円－2,560円＋384 円＋85 円＝7,349 円となります

📖 棚卸減耗損を販売費及び一般管理費に表示すると…

仮に、【例13－4】で、棚卸減耗損を販売費及び一般管理費に表示すると以下のような損益計算書（営業利益まで）になります。【例13－4】の損益計算書と比較すると、売上総利益の金額は「棚卸減耗損」の金額だけずれますが、「棚卸減耗損」は「販売費及び一般管理費」に表示されるので、「営業利益」の金額はどちらも同じ金額になります。

損 益 計 算 書

自×8年4月1日 至×9年3月31日

Ⅰ	売　　　上　　　高			（ 9,900 ）
Ⅱ	売　　上　　原　　価			
	1	期 首 商 品 棚 卸 高	（ 2,000 ）	
	2	当 期 商 品 仕 入 高	（ 7,440 ）	
		合　　　　　　　計	（ 9,440 ）	
	3	期 末 商 品 棚 卸 高	（ 2,560 ）	
		差　　　　　　　引	（ 6,880 ）	
	5	商 品 評 価 損	（ 85 ）	（ 6,965 ）
		売　上　総　利　益		（ 2,935 ）
Ⅲ	販売費及び一般管理費			
	1	給　　　　　　　料	（ 440 ）	
	2	減 価 償 却 費	（ 680 ）	
	3	棚 卸 減 耗 損	（ 384 ）	
	4	貸 倒 引 当 金 繰 入	（ 100 ）	（ 1,604 ）
		営　　業　　利　　益		（ 1,331 ）

第13章

決算手続

さっくり
7日目

しっかり
9日目

じっくり
12日目

例13-5

問題 次の繰越試算表にもとづき当期（×6年4月1日～×7年3月31日）の貸借対照表を作成しなさい。なお、満期保有目的債券は×3年4月1日に償還期限5年の社債を発行と同時に取得したものである。また、その他有価証券は当期首に償還期限4年の社債を発行と同時に取得したものである。

繰越試算表
×7年3月31日 （単位：円）

借　方	勘定科目	貸　方
1,770	現　　　　金	
2,200	売　掛　金	
2,680	繰　越　商　品	
7,450	建　　　物	
1,000	満期保有目的債券	
550	の　れ　ん	
1,500	その他有価証券	
	支　払　手　形	2,350
	買　掛　金	1,850
	貸　倒　引　当　金	140
	減　価　償　却　累　計　額	1,930
	長　期　借　入　金	3,600
	資　本　金	4,000
	資　本　準　備　金	500
	繰　越　利　益　剰　余　金	2,500
	その他有価証券評価差額金	280
17,150		17,150

【解答】

貸 借 対 照 表

×7年3月31日　　　　　（単位：円）

資産の部			負債の部		
I 流　動　資　産			I 流　動　負　債		
1 現 金 預 金		(1,770)	1 支 払 手 形		(2,350)
2 売 掛 金	(2,200)		2 買 掛 金		(1,850)
貸倒引当金	(140)	(2,060)	流 動 負 債 合 計		(4,200)
3 有 価 証 券		(1,000)	II 固　定　負　債		
4 商　　　品		(2,680)	1 長 期 借 入 金		(3,600)
流 動 資 産 合 計		(7,510)	固 定 負 債 合 計		(3,600)
II 固　定　資　産			負 債 合 計		(7,800)
有 形 固 定 資 産			純資産の部		
1 建　　　物	(7,450)		I 株　主　資　本		
減価償却累計額	(1,930)	(5,520)	1 資 本 金		(4,000)
有 形 固 定 資 産 合 計		(5,520)	2 資 本 剰 余 金		
無 形 固 定 資 産			(1)資本準備金		(500)
1 の れ ん		(550)	3 利 益 剰 余 金		
無 形 固 定 資 産 合 計		(550)	(1)その他利益剰余金		
投資その他の資産			繰越利益剰余金		(2,500)
1 投 資 有 価 証 券		(1,500)	株 主 資 本 合 計		(7,000)
投資その他の資産合計		(1,500)	II 評 価・換 算 差 額 等		
固 定 資 産 合 計		(7,570)	1 その他有価証券評価差額金		(280)
			評価・換算差額等合計		(280)
			純 資 産 合 計		(7,280)
資 産 合 計		(15,080)	負 債・純 資 産 合 計		(15,080)

さっくり 7日目　しっかり 9日目　じっくり 12日目

【考え方】

① 繰越試算表をもとに、「勘定科目」と「表示科目」の違いに注意して貸借対照表を作成します。

② 満期保有目的債券は、×3年4月1日に償還期限5年の社債を発行と同時に取得したものであり、当期の決算日（×7年3月31日）の翌日から数えて1年以内に満期が訪れるので、「一年基準」により「流動資産」の区分に「有価証券」と表示します。

③ その他有価証券は当期首に償還期限4年の社債を発行と同時に取得したものであり、当期の決算日（×7年3月31日）の翌日から数えて1年を超えて満期が訪れるので、「一年基準」により「投資その他の資産」の区分に「投資有価証券」と表示します。

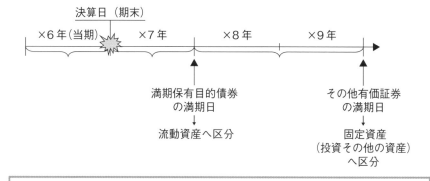

📖 投資有価証券と関係会社株式

　満期保有目的の債券やその他有価証券の勘定科目は「**満期保有目的債券**」や「**その他有価証券**」でした。しかし、貸借対照表に表示される満期保有目的の債券やその他有価証券は「**投資有価証券**」という表示科目でまとめて表示する場合もあります。

　子会社株式や関連会社株式は、表示科目として使うこともありますが、子会社株式と関連会社株式をまとめて「**関係会社株式**」という表示科目を使うこともあります。

☆ 株主資本等変動計算書をつくろう！

例13-6

問題 以下の資料にもとづいて八百源の×1年度（×1年4月1日～×2年3月31日）の株主資本等変動計算書を作成しなさい。

① 前期の決算時に作成した貸借対照表によると、純資産の部に記載された項目の金額は以下の通りであった。

資　本　金　10,000円　　資本準備金　　　　1,200円
利益準備金　　500円　　繰越利益剰余金　　1,500円
別途積立金　　 75円　　その他有価証券評価差額金　20円

② ×1年6月25日に開催された株主総会で以下の事項が決議された。

・株主への利益剰余金の配当が300円と決議された。

・会社法で規定された額の利益準備金を計上する。

③ ×2年1月31日に京都商店を吸収合併した。京都商店の諸資産の時価は8,200円、諸負債の時価は4,500円であった。合併の対価として京都商店の株主に八百源の株式3,700円分を交付し、資本金増加額は2,000円、それ以外は資本準備金とした。

④ ×2年3月31日、決算の結果、当期純利益は580円であることが判明した。

⑤ 八百源は前期に長野株式会社の株式500円分を取得しており、その他有価証券として保有している。なお当期末の長野株式会社の株式の時価は530円であった。

第13章

決算手続

さっくり
7日目

しっかり
9日目

じっくり
12日目

株主資本等変動計算書を作ろう

【解答】

	株主資本									評価・換算差額等		純資産合計
	資本金	資本剰余金			利益剰余金				株主資本合計	その他有価証券評価差額金	評価・換算差額等合計	
		資本準備金	その他資本剰余金	資本剰余金合計	利益準備金	その他利益剰余金		利益剰余金合計				
						別途積立金	繰越利益剰余金					
当期首残高	10,000	1,200	0	1,200	500	75	1,500	2,075	13,275	20	20	13,295
当期変動額												
剰余金の配当					30		△330	△300	△300			△300
吸収合併	2,000	1,700		1,700					3,700			3,700
当期純利益							580	580	580			580
株主資本以外の項目の当期変動額（純額）										10	10	10
当期変動額合計	2,000	1,700	-	1,700	30	-	250	280	3,980	10	10	3,990
当期末残高	12,000	2,900	0	2,900	530	75	1,750	2,355	17,255	30	30	17,285

【考え方】

　株主資本の項目は当期の変動額を「剰余金の配当」などの具体的な事由のところに記入し、株主資本以外の項目は当期の変動額を「株主資本以外の項目の当期変動額」に純額で記入します。

① 当期首残高

　　前期末貸借対照表に記載されている資本金などの金額を、当期首残高の欄に記入します。

② 剰余金の配当

借　方　科　目	金　　額	貸　方　科　目	金　　額
繰 越 利 益 剰 余 金	330	未 払 配 当 金	300
		利 益 準 備 金	30

$$資本金10,000円 \times \frac{1}{4} -（資本準備金1,200円 + 利益準備金500円）$$

$$= 800円 > 配当金300円 \times \frac{1}{10} = 30円$$

⇒ 利益準備金の積立額30円

③ 吸収合併

借　方　科　目	金　　額	貸　方　科　目	金　　額
諸　　資　　産	8,200	諸　　負　　債	4,500
		資　　本　　金	2,000
		資 本 準 備 金	1,700

ⅰ 吸収合併し、諸資産、諸負債を引継いだ

　⇒「諸資産」（資産）の増加、「諸負債」（負債）の増加

ⅱ 株式を交付した ⇒「資本金」や「資本準備金」の増加

ⅲ 交付した株式の時価は3,700円であり、このうち2,000円を資本金

　とし、残額を資本準備金とする

　⇒ 資本金2,000円、資本準備金1,700円

ⅳ 手に入れる純資産の価値3,700円（8,200円 − 4,500円）

　= 交付した株式の時価3,700円

　⇒ のれん無し

④ 資本振替

借　方　科　目	金　　額	貸　方　科　目	金　　額
損　　　　　　益	580	繰 越 利 益 剰 余 金	580

　　当期純利益が計上された

　　⇒ 損益勘定をゼロにし、繰越利益剰余金勘定に振替える

⑤ その他有価証券の時価評価

借　方　科　目	金　　額	貸　方　科　目	金　　額
そ の 他 有 価 証 券	30	その他有価証券評価差額金	30

ⅰ 期末時価530円 − 帳簿価額500円

　　＝ その他有価証券評価差額金30円

ⅱ その他有価証券評価差額金は株主資本以外の区分の評価・換算差
　 額等に記載

　　⇒ 変動額は「株主資本以外の項目の当期変動額」に純額で表示

📖 その他有価証券評価差額の当期首残高

　　前期の貸借対照表に計上されていた「その他
有価証券評価差額金」20円は期首の洗替仕訳で
取崩されていることに注意しましょう。

エリート小林

【期首洗替仕訳】

借　方　科　目	金　　額	貸　方　科　目	金　　額
その他有価証券評価差額金	20	そ の 他 有 価 証 券	20

6 製造業の決算

第13章

イントロダクション

工場を設けて製造活動を行う場合の会計を見ていきますが、ここは主に工業簿記の範囲なので、工業簿記の勘定連絡図を隣に置いて流れのイメージを持てるようにしてください。また、工業と商業の違いも意識しなければいけません。

第13章

決算手続

---

1 製造業って何?

さっくり
7日目

しっかり
10日目

じっくり
13日目

　八百源は、野菜や果物を農家などから買ってきてお客さんに販売するという商売をメインで行っていますが、このような商売を商業(商

品販売業）といいます。つまり、商品を仕入れて、その商品を加工することなくそのまま販売する業種のことです。これに対し、材料などを外部から仕入れ、その材料に加工作業を加えて、製品を製造する業種のことを製造業といいます。例えば、八百源が野菜や果物を仕入れてきて、それをジュースに加工して販売するような場合です。

【製造業のイメージ】

青森商店　　　　　　　製造　　　　　　　お客さん

材料仕入・製造・販売の3つ

【商業のイメージ】

青森商店　　　　　　　　　　　　　お客さん

仕入と販売の2つ

　また、製造業においては商業にはない加工作業という工程が加わるので、作り途中の未完成品を意味する「仕掛品」（流動資産）という勘定科目が登場します。

コトバ

製造業：材料を仕入れ、材料を加工することにより製品を製造し、販売する業種
製品：工場で加工し、完成したもの
仕掛品：工場で加工している途中のもの

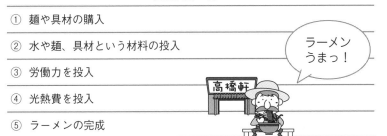

製造活動の流れ

① 麺や具材の購入
② 水や麺、具材という材料の投入
③ 労働力を投入
④ 光熱費を投入
⑤ ラーメンの完成

2 材料費・労務費・経費の計算

製造業では、製品を完成させるという製造活動が行われますが、製品をいくらで完成させることができたのかという原価計算を行う必要があります。その原価計算の第一段階が(1)材料費、(2)労務費、(3)経費の計算になります。

(1) 材料費の計算

材料費とは、製品製造のために消費された材料の金額で、どの製品を作るためにいくらかかったのかが明確に分かる材料費を「直接材料費」、どの製品を作るためにいくらかかったのかが明確には分からない材料費を「間接材料費」として区別します。

①材料を購入したときは「材料」（流動資産）と仕訳し、②消費（製品製造のために使用）した材料が直接材料だった場合は「材料」を「仕掛品」に振替え、③消費した材料が間接材料だった場合は「材料」を「製造間接費」という勘定に振替えます。製造間接費とは、どの製品を作るためにいくらかかったのかが明確には分からない製造原価を集計する科目です。

【①材料購入時（掛購入）】

借　方　科　目	金　　額	貸　方　科　目	金　　額
材　　　　　料	×××	買　　掛　　金	×××

購入代価＋付随費用

【②材料消費時（直接材料費）】

借　方　科　目	金　　額	貸　方　科　目	金　　額
仕　　掛　　品	×××	材　　　　　料	×××

【③材料消費時（間接材料費）】

借　方　科　目	金　　額	貸　方　科　目	金　　額
製　造　間　接　費	×××	材　　　　　料	×××

> ### 📖 材料の棚卸減耗
>
> 　期末において帳簿上の材料の有高と、実際の材料の有高にズレが生じた場合は、商品と同じように棚卸減耗損が生じます。材料の棚卸減耗損は「間接経費」として製造間接費に振替えます。また、災害などを原因とする異常な棚卸減耗は特別損失（または営業外費用）に表示されます。

(2)　労務費の計算

　労務費とは、製品製造のためにかかった人件費の金額で、どの製品を作るためにいくらかかったのかが明確に分かる労務費を「直接労務費」、どの製品を作るためにいくらかかったのかが明確には分からない労務費を「間接労務費」として区別します。

　①工員さんに賃金を支払ったときは「賃金」（製造原価）を計上し、②どの製品を作るために消費した労働力かが明確な場合は、「直接労務費」となるので「仕掛品」に振替え、③どの製品を作るために消費した労働力かが明確でない場合は、「間接労務費」となるので「製造間接費」に振替えます。

さっくり
7日目

しっかり
10日目

じっくり
13日目

【①賃金支払時（現金支払い）】

借　方　科　目	金　　額	貸　方　科　目	金　　額
賃　　　　　金	×××	現　　　　　金	×××

【②賃金消費時（直接労務費）】

借　方　科　目	金　　額	貸　方　科　目	金　　額
仕　　掛　　品	×××	賃　　　　　金	×××

【③賃金消費時（間接労務費）】

借　方　科　目	金　　額	貸　方　科　目	金　　額
製　造　間　接　費	×××	賃　　　　　金	×××

製造原価に算入すべき賃金・給与

　工場で働いている工員さんの賃金は、労務費として製造原価に算入しますが、本社で働いている社員さんなどの給与は、労務費として製造原価に算入せず、損益計算書における販売費及び一般管理費に表示します。このように、工場で発生したものか、本社ビルのように工場以外で発生したものかにより、製造原価に算入すべきか否かを判断するのが一般的です。

(3)　**経費の計算**

　経費とは、製品製造のためにかかった材料費、労務費以外のその他の製造経費の金額で、どの製品を作るためにいくらかかったのかが明確に分かる経費を「直接経費」、どの製品を作るためにいくらかかったのかが明確には分からない経費を「間接経費」として区別します。

　①どの製品を作るために消費した経費かが明確な場合は、「直接経費」となるので「仕掛品」に振替え、②どの製品を作るために消費した経費かが明確でない場合は、「間接経費」となるので「製造間接費」に振替えます。

【①経費消費時（直接経費）】

借　方　科　目	金　　額	貸　方　科　目	金　　額
仕　　掛　　品	×××	×　　×　　×	×××

経費を示す具体的な科目
（ex.外注加工賃など）

【②経費消費時（間接経費）】

借　方　科　目	金　　額	貸　方　科　目	金　　額
製　造　間　接　費	×××	×　　×　　×	×××

経費を示す具体的な科目
（ex.減価償却費、棚卸減耗損など）

　また、ほとんどの経費は間接経費で、直接経費として区別されるのは、外注加工賃と特許権使用料の2つだけです。

工場の減価償却費や工場内の
水道光熱費などが間接経費に
なります

📖 減価償却費

　通常、工場や機械装置のように製造活動に関する固定資産の減価償却費は、間接経費として製造原価に算入しますが、本社ビルのように製造活動に直接関わらない固定資産の減価償却費は、販売費及び一般管理費として損益計算書に表示します。

3 製造間接費の計算

　材料費・労務費・経費の計算で、間接材料費、間接労務費、間接経費は製造間接費に振替えられました。振替えられた製造間接費は何らかの基準により各製品に割り当てられることになりますが、この計算手続のことを「配賦」といいます。各製品に配賦された金額は「仕掛品」に振替えます。

わりきれない〜

借 方 科 目	金 額	貸 方 科 目	金 額
仕　　掛　　品	×××	製 造 間 接 費	×××

さっくり
7日目

しっかり
10日目

じっくり
13日目

また、製造間接費の配賦計算は、予定配賦で行われる場合もあります。予定配賦をすると製造間接費の予定配賦額と実際発生額との間でズレが生じます。そのズレは製造間接費配賦差異という原価差異になり、「製造間接費配賦差異」で処理します。

　製造間接費の予定配賦額を実際発生額が上回った場合は、不利差異が発生し、以下の仕訳をします。

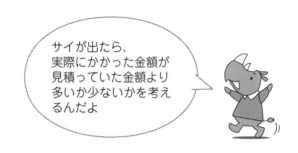

サイが出たら、
実際にかかった金額が
見積っていた金額より
多いか少ないかを考え
るんだよ

【不利差異の場合】

借　方　科　目	金　　額	貸　方　科　目	金　　額
製造間接費配賦差異	×　×　×	製　造　間　接　費	×　×　×

差額（不利差異）　　　　　実際発生額−予定配賦額

　一方、製造間接費の予定配賦額を実際発生額が下回った場合は、有利差異が発生し、以下の仕訳をします。

【有利差異の場合】

借　方　科　目	金　　額	貸　方　科　目	金　　額
製　造　間　接　費	×　×　×	製造間接費配賦差異	×　×　×

予定配賦額−実際発生額　　　　　差額（有利差異）

4 製品が完成すると…

①製品が完成したときに、完成品の原価を「仕掛品」から「製品」へ振替えます。さらに、②その後製品が販売されたときに、製品の売価で売上の仕訳をし、売れた製品の原価は「製品」から「売上原価」へ振替えます。

【①製品完成時】

借　方　科　目	金　額	貸　方　科　目	金　額
製　　　　　品	×××	仕　　掛　　品	×××

完成品原価

【②製品販売時】

売価

借　方　科　目	金　額	貸　方　科　目	金　額
売　　掛　　金	×××	売　　　　　上	×××
売　上　原　価	×××	製　　　　　品	×××

完成品原価

第13章 決算手続

📖 製品の棚卸減耗

　製品についても材料と同じように棚卸減耗が生じる場合があります。製品の棚卸減耗損は、商品の棚卸減耗損と同じように、損益計算書の「販売費及び一般管理費」や「売上原価」の内訳項目として表示します。そのため、材料の棚卸減耗損のように製造原価として処理しません。

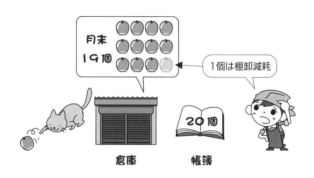

月末
19個

1個は棚卸減耗

20個

倉庫　　　帳簿

材料の棚卸減耗損は間接経費になるけど、製品の棚卸減耗損は当期の費用になるよ！

5 原価差異の会計処理

　製造間接費を予定配賦することで、製造間接費配賦差異が生じます
が、「製造間接費配賦差異」は最終的に「売上原価」に振替えられます。
不利差異の場合は、より多くの費用を負担したと考え、売上原価を増
加させます。一方、有利差異の場合は、費用の負担が軽減されたと考
え、売上原価を減少させます。また、売上原価に振替えた「製造間接
費配賦差異」は、損益計算書の売上原価の内訳である「原価差異」に
表示します。

【不利差異の場合】

借　方　科　目	金　　額	貸　方　科　目	金　　額
売　　上　　原　　価	×××	製造間接費配賦差異	×××

【有利差異の場合】

借　方　科　目	金　　額	貸　方　科　目	金　　額
製造間接費配賦差異	×××	売　　上　　原　　価	×××

しっかり原価管理
をしよう！

さっくり
7日目

しっかり
10日目

じっくり
13日目

　製造業の財務諸表は、商業と異なり、製造原価報告書を作成しなければなりません。また、商業と同様に損益計算書および貸借対照表を作成しますが、製造業の場合の損益計算書と貸借対照表は、商業の場合と少し異なります。そこで、この点について見てきましょう。

　製造業の損益計算書は、①製造間接費配賦差異などの原価差異を表示するための「原価差異」の表示箇所が設けられている点、②「商品」ではなく「製品」という科目が用いられる点で商業の損益計算書と異なります。

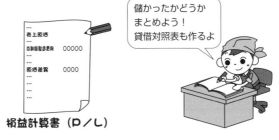

損益計算書（P／L）

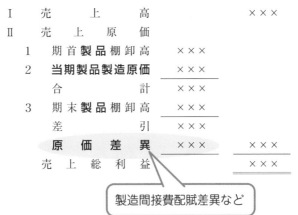

損 益 計 算 書

自×年×月×日　至×年×月×日

Ⅰ	売　　　上　　　高		×××
Ⅱ	売　　上　　原　　価		
1	期 首 **製品** 棚 卸 高	×××	
2	**当期製品製造原価**	×××	
	合　　　　　　　計	×××	
3	期 末 **製品** 棚 卸 高	×××	
	差　　　　　　　引	×××	
	原　価　差　異	×××	×××
	売　上　総　利　益		×××

製造間接費配賦差異など

また、製造業の貸借対照表は、基本的には商業の貸借対照表と同じですが、製造業特有の科目（「製品」、「材料」、「仕掛品」）がある点が、商業の貸借対照表と異なります。

貸 借 対 照 表

×年×月×日

製		品	×××
材		料	×××
仕	掛	品	×××

製造原価報告書は工業簿記のテキストを見てね

📖 商業と製造業の表示科目の比較

商業	製造業
期首商品棚卸高 ➡	期首製品棚卸高
当期商品仕入高 ➡	当期製品製造原価
期末商品棚卸高 ➡	期末製品棚卸高

さっくり
7日目

しっかり
10日目

じっくり
13日目

☆　製造業の損益計算書を作成しよう

例13−7

問題　① 期首製品有高2,000円、期末製品有高3,000円、当期における完成品原価は10,000円であった。

　　　② 当期における製造間接費予定配賦額は1,800円、製造間接費実際発生額は2,000円であった。

　　　③ 当期の売上高は13,500円であった。

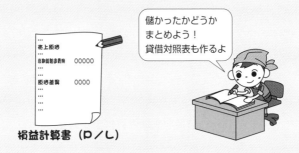

儲かったかどうかまとめよう！
貸借対照表も作るよ

損益計算書（P／L）

【解答】

損 益 計 算 書		（単位：円）
自×年×月×日　至×年×月×日		
Ⅰ　売　　　上　　　高		13,500
Ⅱ　売　　上　　原　　価		
1　期 首 **製品** 棚 卸 高	2,000	
2　**当期製品製造原価**	10,000	
合　　　　　計	12,000	
3　期 末 **製品** 棚 卸 高	3,000	
差　　　引	9,000	
原　価　差　異	200	9,200
売　上　総　利　益		4,300

【考え方】
① 売上原価（原価差異考慮前）

　　= 期首製品棚卸高 + 当期製品製造原価 − 期末製品棚卸高

　　= 2,000円 + 10,000円 − 3,000円

　　= 9,000円

| 期　首
2,000円 | 売上原価
9,000円 |
| 当期製品製造原価
10,000円 | 期　末
3,000円 |

② 原価差異

　　= 製造間接費予定配賦額 − 製造間接費実際発生額

　　= 1,800円 − 2,000円

　　= △200円（不利差異）

③ 製造間接費配賦差異は不利差異なので、売上原価に加算する

　　⇒ 売上原価（原価差異考慮前）9,000円 + 原価差異200円

　　= 売上原価（原価差異考慮後）9,200円

製造間接費が余計にかかったの
で、売上原価を増やすことで、
費用を増やします。分かる？

エリート小林

📖 有利差異の場合は…

　もし、【例13－7】の製造間接費予定配賦額が2,000円で、製造間接費の実際発生額は1,800円であった場合、製造間接費配賦差異は2,000円－1,800円＝200円（有利差異）となります。この場合、売上原価は9,000円－製造間接費配賦差異200円＝8,800円となり、売上総利益は売上高13,500円－売上原価8,800円＝4,700円と計算されます。

もし、有利差異なら、
売上原価を減らすので
アル！　たぶん…

☆ 損益計算書の販売費及び一般管理費を計算しよう

例13-8

問題 ① 材料に関する棚卸減耗損は1,600円、製品に関する棚卸
減耗損は2,900円であった。
② 工場で働く工員さんの賃金は5,000円、本社ビルで働く
社員さんの給与は7,000円であった。
③ 工場の減価償却費は12,000円、本社ビルの減価償却費
は15,000円、機械装置の減価償却費は9,500円であっ
た。
④ 製品に関する棚卸減耗損は販売費及び一般管理費に計
上すること。

製造原価の内訳
報告しなきゃいけな
いらしいわよ

製造原価の内訳って
言われても…

【解答】

販売費及び一般管理費　24,900円

内訳：棚卸減耗損　　　2,900円

　　　給　　　与　　　7,000円

　　　減価償却費　　　15,000円

さっくり
7日目

しっかり
10日目

じっくり
13日目

【考え方】

① 製品に関する棚卸減耗損は、(1)売上原価に計上する場合と(2)販売費及び一般管理費に計上する場合があります。本問では、問題文の指示により、販売費及び一般管理費に計上します。なお、材料に関する棚卸減耗損は、間接経費として処理するため、損益計算書に直接計上することはしません。

② 本社ビルで働く社員さんの給与7,000円は、販売費及び一般管理費に計上します。なお、工場で働く工員さんの賃金5,000円は、直接労務費または間接労務費として処理するため、損益計算書に直接計上することはしません。

③ 本社ビルの減価償却費15,000円は、販売費及び一般管理費に計上します。なお、工場と機械装置の減価償却費は、間接経費として処理するため、損益計算書に直接計上することはしません。

退職給付引当金に関する費用も、工場で働く工員さんの分は製造費用として処理します

本社ビルで働く社員さんの分は、販売費及び一般管理費に計上するのか…

確認テスト

💬 問題

次の資料にもとづいて、損益計算書（売上総利益まで）を作成しなさい。

① 当期の売上高は¥7,500である。

② 当期商品仕入高は¥5,600、期首商品棚卸高は¥1,350である。

③ 期末商品帳簿棚卸高は15個（原価@¥106）、期末商品実地棚卸高は13個（正味売却価額@¥94）であった。なお、棚卸減耗損と商品評価損はともに売上原価に算入することとする。

損 益 計 算 書

自×年×月×日 至×年×月×日　　　（単位：円）

Ⅰ	売　　上　　高		（　　　　）	
Ⅱ	売　上　原　価			
1	期首商品棚卸高	（　　　　）		
2	当期商品仕入高	（　　　　）		
	合　　　　計	（　　　　）		
3	期末商品棚卸高	（　　　　）		
	差　　　　引	（　　　　）		
4	棚　卸　減　耗　損	（　　　　）		
5	商　品　評　価　損	（　　　　）	（　　　　）	
	売　上　総　利　益		（　　　　）	

さっくり
7日目

しっかり
10日目

じっくり
13日目

LEC東京リーガルマインド　日商簿記2級 光速マスターNEO 商業簿記テキスト〈第6版〉　475

解 答

損 益 計 算 書

自×年×月×日　至×年×月×日　　（単位：円）

Ⅰ	売　　　　上　　　　高			（　　7,500　）
Ⅱ	売　　上　　原　　価			
1	期 首 商 品 棚 卸 高	（　　1,350　）		
2	当 期 商 品 仕 入 高	（　　5,600　）		
	合　　　　　　　　計	（　　6,950　）		
3	期 末 商 品 棚 卸 高	（　　1,590　）		
	差　　　　　　　　引	（　　5,360　）		
4	棚 卸 減 耗 損	（　　　212　）		
5	商 品 評 価 損	（　　　156　）	（　　5,728　）	
	売　上　総　利　益		（　　1,772　）	

解 説

損益計算書上の金額は、次のように計算します。
期末商品帳簿棚卸高：@￥106×15個＝￥1,590
棚卸減耗損：@￥106×(15個－13個)＝￥212
商品評価損：(@￥106－@￥94)×13個＝￥156

さっくり
7日目

しっかり
10日目

じっくり
13日目

第14章 本支店会計

学習進度目安

●第14章で学習すること

さっくり 10日間	しっかり 15日間	じっくり 20日間
7日目	10日目	13日目
8日目		14日目

① 本店と支店

② 決算手続と本支店合併財務諸表の作成

1 本店と支店

イントロダクション

会社が大きくなると、本店のほかに支店を設けて活動を展開していくことがあります。ここでは、支店が独立して帳簿を記入する場合の処理を学習します。本店と支店との間で行われる取引がよく出題されるので、仕訳を確実にできるようにしましょう。

うちも大きくなってきたね！

これで、もっと儲かるわね

1 本店とは別に支店を開く

会社が支店を開くと、本店は本店で、支店は支店で、それぞれ別々に取引を行うことになります。このとき支店の規模が小さければ、本店の取引も支店の取引もすべて本店で帳簿に記録します。この方法を「**本店集中会計制度**」といいます。しかし、支店の規模が大きいときは、本店だけではなく支店にも仕訳帳と総勘定元帳を用意し、本店の取引は本店で、支店の取引は支店で帳簿に記録します。この方法を「**支店独立会計制度**」といいます。ここから先は「支店独立会計制度」を前提とします。

コトバ

本店集中会計制度	本店の取引も支店の取引もすべて本店で帳簿に記録する方法
支店独立会計制度	本店だけではなく支店にも仕訳帳と総勘定元帳を用意し、本店の取引は本店で、支店の取引は支店で帳簿に記録する方法

2 本店と支店との間の取引

　本店から支店へ現金や商品を送るなど、本店と支店との間で取引があったときも、本店は本店で、支店は支店で、それぞれ帳簿に記録をとります。このとき、本店は「**支店**」「**支店へ売上**」「**支店より仕入**」という勘定を、支店は「**本店**」「**本店より仕入**」「**本店へ売上**」という勘定を使います。本店の「支店」勘定は、支店に対する債権や債務を表します。同じように、支店の「本店」勘定は、本店に対する債権や債務を表します。例えば、『本店から支店にお金が送られた』場合を考えると、本店と支店でそれぞれ以下の仕訳をします。

【お金を送る本店の仕訳】

借　方　科　目	金　　額	貸　方　科　目	金　　額
支　　　　　店	×××	現　　　　　金	×××

支店に対する債権の増加

他のお店への「売上」や他のお店からの「仕入」と区別して仕訳すれば、会社の業績がよくわかるぜ！

ま～ちゃん

さっくり 7日目

しっかり 10日目

じっくり 13日目

支店にお金を送った本店は、送ったお金を後で返してもらう権利（債権）が発生したと考えます。

【お金を受取る支店の仕訳】

借　方　科　目	金　　額	貸　方　科　目	金　　額
現　　　　　金	×××	本　　　　　店	×××

本店に対する債務の増加

本店からお金を受取った支店は、受取ったお金を後で返さなければいけない義務（債務）が発生したと考えます。

また、「支店へ売上」勘定や「本店より仕入」勘定は、外部のお客さんへの売上げや、外部からの仕入れと区別するために使います。例えば、『本店が支店に商品を販売した』場合は、本店と支店でそれぞれ以下の仕訳をします。

【支店に商品を販売する本店の仕訳】

借　方　科　目	金　　額	貸　方　科　目	金　　額
支　　　　　店	×××	支　店　へ　売　上	×××

支店に対する債権の増加　　　　支店に対する売上の増加

支店に商品を販売した本店は、支店への売上げが増え、同時に支店に対する債権が発生したと考えます。

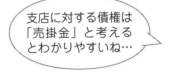

支店に対する債権は「売掛金」と考えるとわかりやすいね…

【本店から商品を仕入れる支店の仕訳】

借 方 科 目	金 額	貸 方 科 目	金 額
本 店 よ り 仕 入	×××	本 　 店	×××

本店からの仕入の増加 　　　　　　本店に対する債務の増加

　本店から商品を仕入れた支店は、本店からの仕入れが増え、同時に本店に対する債務が発生したと考えます。「支店より仕入」「本店へ売上」も同じように考えます。

本店に対する債務は「買掛金」と考えるとわかりやすいね…

本支店会計

　ここまで見てきた、本店で使われる「支店」「支店へ売上」「支店より仕入」の各勘定と支店で使われる「本店」「本店より仕入」「本店へ売上」の各勘定は「**照合勘定**」といい、本支店間の対応する照合勘定の残高は一方は借方残高、もう一方は貸方残高ですが、金額は必ず一致します。

📖 対応する照合勘定

本店で使う勘定	支店で使う勘定
支店 ←→	本店
支店へ売上 ←→	本店より仕入
支店より仕入 ←→	本店へ売上

さっくり
7日目

しっかり
10日目

じっくり
13日目

LEC東京リーガルマインド　日商簿記2級 光速マスターNEO 商業簿記テキスト〈第6版〉　483

☆ 本店と支店の仕訳をしてみよう！

例14－1

問題　八百源は名古屋に支店を開設し、現金1,000円、繰越商品
　　　2,000円、建物3,000円、減価償却累計額270円を本店から
　　　分離した。

【解答（本店）】

借　方　科　目	金　　額	貸　方　科　目	金　　額
減 価 償 却 累 計 額	270	現　　　　　金	1,000
支　　　　　店	5,730	繰　越　商　品	2,000
		建　　　　物	3,000

【解答（支店）】

借　方　科　目	金　　額	貸　方　科　目	金　　額
現　　　　　金	1,000	減 価 償 却 累 計 額	270
繰　越　商　品	2,000	本　　　　　店	5,730
建　　　　物	3,000		

【考え方（本店）】

① 支店を開き、現金等を移したため、これらの減少を仕訳します。なお、貸借差額の5,730円は「支店」とします。

② 5,730円は本店が支店の商売のために支店に渡した財産であり、本店にとっては支店への投資額を意味します。

【考え方（支店）】

① 支店では現金などの増加を仕訳します。なお、貸借差額の5,730円は「本店」とします。

② 5,730円は支店にとっては商売をしていくための元手を意味します。

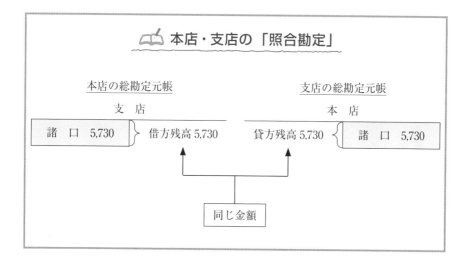

📖 本店・支店の「照合勘定」

本店の総勘定元帳	支店の総勘定元帳
支　店	本　店
諸　口　5,730　｜　借方残高 5,730	貸方残高 5,730　｜　諸　口　5,730

同じ金額

☆　本店と支店の仕訳をしてみよう！

例14－2

問題　以下の取引の本店と支店の仕訳を示しなさい。

　　① 本店は支店へ現金200円を送り、支店は本店から現金
　　　 200円を受取った。

　　② 支店は本店の従業員の旅費150円を現金で立替払いし
　　　 た。本店はその通知を受けた。

　　③ 支店は本店の売掛金400円を現金で回収した。本店はそ
　　　 の通知を受けた。

お金送るよ

はーい

【解答：本店の仕訳】

①

借　方　科　目	金　　額	貸　方　科　目	金　　額
支　　　　　店	200	現　　　　　金	200

②

借　方　科　目	金　　額	貸　方　科　目	金　　額
旅　　　　　費	150	支　　　　　店	150

③

借　方　科　目	金　　額	貸　方　科　目	金　　額
支　　　　　店	400	売　　掛　　金	400

【考え方（本店）】

①-1　現金を送った⇒「現金」（資産）の減少

①-2　現金は貸方⇒反対の借方に「支店」

①-3　支店に対する貸付金と考える

②-1　支店による旅費の立替払いの通知を受けた
　　　⇒「旅費」（費用）の増加

②-2　旅費は借方⇒反対の貸方に「支店」

②-3　支店への預り金と考える

③-1　支店による売掛金回収の通知を受けた
　　　⇒「売掛金」（資産）の減少

③-2　売掛金は貸方⇒反対の借方に「支店」

「現金」や「旅費」が借方・貸方の
どちらに記入されるかを先に決め
て、その反対が「本店」・「支店」
と考えると仕訳しやすいね

さっくり
7日目

しっかり
10日目

じっくり
13日目

【解答：支店の仕訳】

①

借　方　科　目	金　　額	貸　方　科　目	金　　額
現　　　　　　金	200	本　　　　　　店	200

②

借　方　科　目	金　　額	貸　方　科　目	金　　額
本　　　　　　店	150	現　　　　　　金	150

③

借　方　科　目	金　　額	貸　方　科　目	金　　額
現　　　　　　金	400	本　　　　　　店	400

【考え方（支店）】

①-1　現金を受け取った ⇒ 「現金」（資産）の増加

①-2　現金は借方 ⇒ 反対の貸方に「本店」

①-3　本店からの借入金と考える

②-1　本店の旅費を現金で立替払いした
　　　⇒「現金」（資産）の減少

②-2　現金は貸方 ⇒ 反対の借方に「本店」

②-3　本店への立替金と考える

③-1　本店の売掛金を現金で回収した
　　　⇒「現金」（資産）の増加

③-2　現金は借方 ⇒ 反対の貸方に「本店」

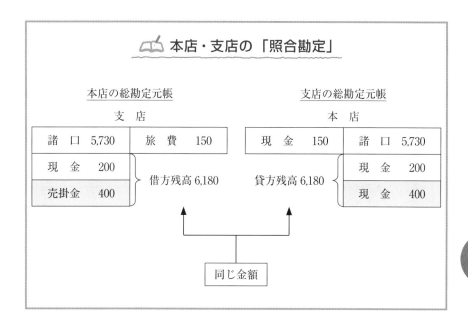

📖 本店・支店の「照合勘定」

本店の総勘定元帳

支店

諸　口	5,730	旅　費	150
現　金	200		
売掛金	400		

借方残高 6,180

支店の総勘定元帳

本店

現　金	150	諸　口	5,730
		現　金	200
		現　金	400

貸方残高 6,180

同じ金額

「現金」や「売掛金」が借方・貸方
のどちらに記入されるかを先に決
めて、その反対が「本店」・「支店」
と考えると仕訳しやすいね

Kazu

さっくり
7日目

しっかり
10日目

じっくり
13日目

☆　本店と支店の仕訳をしてみよう！

例14−3

問題　本店は青森商店から500円で仕入れた商品を、支店へ500
円で発送した。

【解答（本店）】

借　方　科　目	金　　額	貸　方　科　目	金　　額
支　　　　　　店	500	支　店　へ　売　上	500

【解答（支店）】

借　方　科　目	金　　額	貸　方　科　目	金　　額
本　店　よ　り　仕　入	500	本　　　　　店	500

【考え方（本店）】

① 商品を支店へ売上げた

　　⇒ 会社外部の得意先への売上げと区別する必要がある

　　⇒「支店へ売上」の増加

②「支店へ売上」は貸方

　　⇒ 反対の借方に「支店」

③ 支店に対する「売掛金」と考える

【考え方（支店）】

① 本店から商品を仕入れた
　　⇒ 会社外部の仕入先からの仕入れと区別する必要がある
　　⇒「本店より仕入」の増加
② 「本店より仕入」は借方
　　⇒ 反対の貸方に「本店」
③ 本店に対する「買掛金」と考える

📖 仕入の増減として処理する場合

　　本店から支店へ商品を発送した場合に、支店へ売上や本店より仕入を使わずに、仕入の増減として処理する方法もあります。【例14－3】の場合で考えると次のようになります。

【本店の仕訳】

借　方　科　目	金　　額	貸　方　科　目	金　　額
支　　　　　店	500	仕　　　　　入	500

【支店の仕訳】

借　方　科　目	金　　額	貸　方　科　目	金　　額
仕　　　　　入	500	本　　　　　店	500

在庫がある方で仕入を計上するために本店では仕入を減らします

さっくり
7日目

しっかり
10日目

じっくり
13日目

📖 本店・支店の「照合勘定」

【例14-1】～【例14-3】の取引後の本店及び支店の照合勘定は以下のとおりになります。

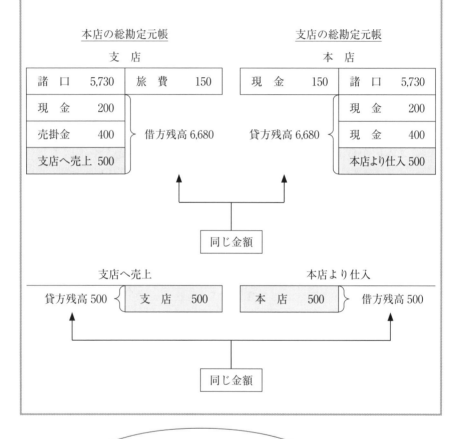

本店の総勘定元帳

支　店

諸　口	5,730	旅　費	150
現　金	200		
売掛金	400		
支店へ売上	500		

借方残高 6,680

支店の総勘定元帳

本　店

現　金	150	諸　口	5,730
		現　金	200
		現　金	400
		本店より仕入	500

貸方残高 6,680

同じ金額

支店へ売上

貸方残高 500 ｛ 支　店　500

本店より仕入

本　店　500 ｝ 借方残高 500

同じ金額

「支店へ売上」や「本店より仕入」が借方・貸方のどちらに記入されるかを先に決めて、その反対が「本店」・「支店」と考えると仕訳しやすいね

エリート小林

3 支店と支店との間の取引

　支店が複数ある場合には、支店同士で取引を行うことがあります。支店同士で取引があった場合の記帳方法は「**支店分散計算制度**」と「**本店集中計算制度**」の2つがあります。

　「支店分散計算制度」は、支店間の取引を実際の取引の通りに支店同士が取引を行ったとして仕訳する方法です。具体的には各支店が取引を行った相手支店名のついた支店勘定を使います。

　例えば、『横浜支店から名古屋支店にお金が送られた』場合は横浜支店と名古屋支店でそれぞれ以下の仕訳をします。

【お金を送る横浜支店の仕訳】

借　方　科　目	金　額	貸　方　科　目	金　額
名　古　屋　支　店	×××	現　　　　　金	×××

名古屋支店に対する債権の増加

取引の相手である「名古屋支店」勘定を使う

【お金を受取る名古屋支店の仕訳】

借　方　科　目	金　額	貸　方　科　目	金　額
現　　　　　金	×××	横　浜　支　店	×××

横浜支店に対する債務の増加

取引の相手である「横浜支店」勘定を使う

さっくり 7日目

しっかり 10日目

じっくり 13日目

一方「本店集中計算制度」は、支店間の取引を各支店が本店を通じて取引を行ったものとみなして仕訳する方法です。具体的には、各支店が本店勘定を使い、本店が各支店の勘定を使います。

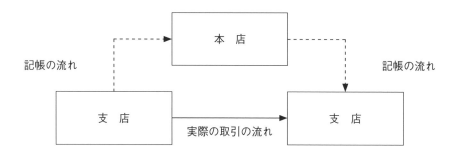

　例えば、『横浜支店から名古屋支店にお金が送られた』場合を考えると、横浜支店と名古屋支店でそれぞれ以下の仕訳をします。

【お金を送る横浜支店の仕訳】

【お金を受取る名古屋支店の仕訳】

本店は、①横浜支店からお金を受取り、そのお金を②名古屋支店に送ると考えて仕訳をします。

【本店の仕訳】

借　方　科　目	金　額	貸　方　科　目	金　額
名　古　屋　支　店	×××	横　浜　支　店	×××

名古屋支店にお金を送ったので、名古屋支店に対する債権が増加したと考える

横浜支店からお金を受取るので、横浜支店に対する債務が増加したと考える

なお、支店分散計算制度でも、本店集中計算制度でも対応する照合勘定の残高は必ず一致します。

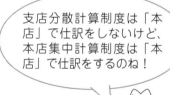

支店分散計算制度は「本店」で仕訳をしないけど、本店集中計算制度は「本店」で仕訳をするのね！

「本店」で仕訳をすると、支店同士の取引を本店でも確認できるようになるよ！！

コトバ

支店分散計算制度：支店間の取引を実際の取引の通りに支店同士が取引を行ったと考えて仕訳する方法
本店集中計算制度：支店間の取引を各支店が本店を通じて取引を行ったものと考えて仕訳する方法

さっくり
7日目

しっかり
10日目

じっくり
13日目

☆ 支店分散計算制度で支店間取引の仕訳をしてみよう！

例14－4

問題　福岡支店は仙台支店へ現金200円を送り、仙台支店は福岡
　　　支店から現金200円を受取った（支店分散計算制度）。

【解答（福岡支店）】

借　方　科　目	金　　額	貸　方　科　目	金　　額
仙　台　支　店	200	現　　　　　金	200

【解答（仙台支店）】

借　方　科　目	金　　額	貸　方　科　目	金　　額
現　　　　　金	200	福　岡　支　店	200

【考え方（福岡支店）】

　支店分散計算制度は、支店間の取引を実際の取引の通りに支店同
士が取引を行ったと考えて仕訳するので、取引の相手である「仙台
支店」勘定を使います。

① 仙台支店へお金を送った
　　⇒「現金」（資産）の減少
② 「現金」は貸方
　　⇒ 反対の借方に「仙台支店」
③ 仙台支店に対する貸付金と考える

【考え方（仙台支店）】

　支店分散計算制度は、支店間の取引を実際の取引の通りに支店同士が取引を行ったと考えて仕訳するので、取引の相手である「福岡支店」勘定を使います。

① 福岡支店から現金を受取った

　　⇒「現金」（資産）の増加

②「現金」は借方

　　⇒ 反対の貸方に「福岡支店」

③ 福岡支店からの借入金と考える

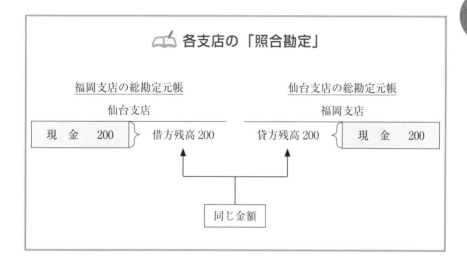

📖 各支店の「照合勘定」

福岡支店の総勘定元帳　　　　　　　　仙台支店の総勘定元帳

仙台支店　　　　　　　　　　　　　　福岡支店

| 現　金　200 | 借方残高 200 | 貸方残高 200 | 現　金　200 |

同じ金額

さっくり
7日目

しっかり
10日目

じっくり
13日目

LEC東京リーガルマインド　日商簿記2級 光速マスターNEO 商業簿記テキスト〈第6版〉　497

☆ 本店集中計算制度で支店間取引の仕訳をしてみよう！

例14-5

問題 福岡支店は仙台支店へ現金200円を送り、仙台支店は福岡
支店から現金200円を受取った（本店集中計算制度）。

【解答（福岡支店）】

借　方　科　目	金　　額	貸　方　科　目	金　　額
本　　　　　店	200	現　　　　　金	200

【解答（仙台支店）】

借　方　科　目	金　　額	貸　方　科　目	金　　額
現　　　　　金	200	本　　　　　店	200

【解答（本店）】

借　方　科　目	金　　額	貸　方　科　目	金　　額
仙　台　支　店	200	福　岡　支　店	200

【考え方（福岡支店）】

　本店集中計算制度は、支店間の取引を各支店が本店を通じて取引
を行ったものとみなして仕訳するので、福岡支店は本店にお金を
送ったものと考え「本店」勘定を使います。

① 本店へお金を送ったと考える

　⇒「現金」（資産）の減少

② 「現金」は貸方

　⇒ 反対の借方に「本店」

③ 本店に対する貸付金と考える

【考え方（仙台支店）】

　本店集中計算制度は、支店間の取引を各支店が本店を通じて取引を行ったものとみなして仕訳するので、仙台支店は本店からお金を受取ったものと考え「本店」勘定を使います。

① 本店から現金を受取ったと考える

　⇒「現金」（資産）の増加

② 「現金」は借方

　⇒ 反対の貸方に「本店」

③ 本店からの借入金と考える

【考え方（本店）】

　本店集中計算制度は、支店間の取引を各支店が本店を通じて取引を行ったものとみなして仕訳するので、本店は福岡支店からお金を受取り、仙台支店へお金を送ったと考えます。このとき、「福岡支店」勘定と「仙台支店」勘定を使います。

① 福岡支店から現金を受取ったと考える

借　方　科　目	金　　額	貸　方　科　目	金　　額
現　　　　　金	200	福　岡　支　店	200

福岡支店に対する
債務の増加と考える

さっくり
7日目

しっかり
10日目

じっくり
13日目

② 仙台支店へ現金を送ったと考える

借　方　科　目	金　　額	貸　方　科　目	金　　額
仙　台　支　店	200	現　　　　金	200

> 仙台支店に対する
> 債権の増加と考える

③ ①、②の仕訳の「現金200」を相殺すると解答の仕訳になります。

借　方　科　目	金　　額	貸　方　科　目	金　　額
仙　台　支　店	200	福　岡　支　店	200

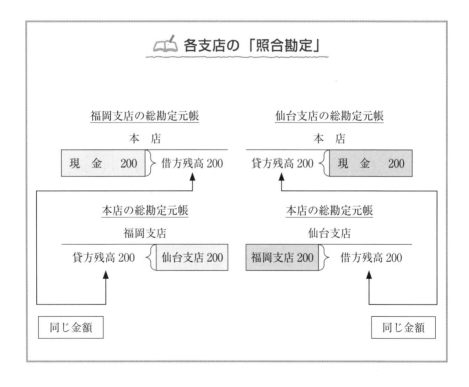

各支店の「照合勘定」

福岡支店の総勘定元帳

本　店

| 現　金　200 | 借方残高 200 |

仙台支店の総勘定元帳

本　店

| 貸方残高 200 | 現　金　200 |

本店の総勘定元帳

福岡支店

| 貸方残高 200 | 仙台支店 200 |

本店の総勘定元帳

仙台支店

| 福岡支店 200 | 借方残高 200 |

同じ金額   同じ金額

2 決算手続と本支店合併財務諸表の作成

イントロダクション

期中において本店は本店独自に、支店は支店独自に記帳し、決算においても本店は本店独自に、支店は支店独自に成績を把握します。そして最後にこれらを合わせて会社全体の成績を把握します。

なんとなくでやってちゃダメよ

「流れ」を意識しようね

Kazu

1 帳簿上の決算手続

期末になると本店は本店で、支店は支店で、それぞれ別々に決算整理を行います。ここでは、まず、支店での帳簿上の決算手続を見ていきます。

支店：ステップ1

まず、支店での決算整理が終わると第1章や第13章で学習したように、支店において「損益振替」をします。支店のすべての収益・費用の勘定の残高を損益勘定に振替え、すべての収益・費用の勘定を締切ります。

さっくり
8日目

しっかり
10日目

じっくり
14日目

【支店の損益振替】

借 方 科 目	金 額	貸 方 科 目	金 額
諸 収 益	×××	損 益	×××
損 益	×××	諸 費 用	×××

ここでは複数の収益の勘定と複数の費用の勘定
をまとめて「諸収益」「諸費用」で表しています

支店：ステップ2

つづいて、損益勘定で算定された支店の当期純利益または当期純損失を「**本店**」勘定に振替え、損益勘定を締切ります。本支店会計ではない場合は、当期純利益または当期純損失を「繰越利益剰余金」に振替えます。しかし、本支店会計の場合は、支店の成績を本店がまとめるので「**本店**」勘定に振替えます。同時に、支店の資産・負債を集計した「**繰越試算表**」を作成します。

【支店の純損益の振替】

借 方 科 目	金 額	貸 方 科 目	金 額
損 益	×××	本 店	×××

支店の損益

次に、本店での帳簿上の決算手続です。

本店：ステップ1

本店も本店で決算整理を行い、それが終わると「損益振替」をします。本店のすべての収益・費用の勘定の残高を損益勘定に振替え、すべての収益・費用の勘定を締切ります。

【本店の損益振替】

借　方　科　目	金　額	貸　方　科　目	金　額
諸　　収　　益	×××	損　　　　　　益	×××
損　　　　　益	×××	諸　　費　　用	×××

> ここでは複数の収益の勘定と複数の費用の勘定をまとめて「諸収益」「諸費用」で表しています

本店：ステップ2

つづいて、損益勘定で算定された本店の当期純利益または当期純損失を「**総合損益**」勘定に振替え、損益勘定を締切ります。「総合損益」勘定は本店と支店を合わせた純利益や純損失を算定するための勘定です。

【本店の純損益の振替】

借　方　科　目	金　額	貸　方　科　目	金　額
損　　　　　　益	×××	総　合　損　益	×××

> 本店の損益

本店：ステップ3

そして、支店の決算の結果算定された支店の当期純利益または当期純損失を「**総合損益**」で受入れます。この際、支店では当期純利益または当期純損失を「本店」勘定へ振替えているので（支店：ステップ2参照）、本店では「支店」勘定を相手勘定とします。

【支店の純損益の受入】

借　方　科　目	金　額	貸　方　科　目	金　額
支　　　　　　店	×××	総　合　損　益	×××

> 支店の損益

さっくり
8日目

しっかり
10日目

じっくり
14日目

本店と支店を合わせた「会社」としての成績は総合損益勘定で把握されます！

本店：ステップ4

　ここまでの段階で、総合損益勘定には、本店と支店の純損益の合計が集計されています。次は、この本店と支店の純損益の合計を基準に算定された法人税等を計上します。なお、計上額は「総合損益勘定」へ振替えます。

【法人税等の計上】

法人税等の額

借　方　科　目	金　　額	貸　方　科　目	金　　額
法　人　税　等	×××	未　払　法　人　税　等	×××
総　合　損　益	×××	法　人　税　等	×××

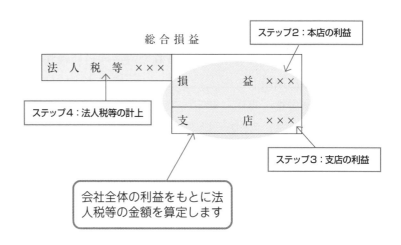

総 合 損 益

法 人 税 等 ×××	損　　　　　益 ×××
	支　　　　　店 ×××

ステップ2：本店の利益

ステップ4：法人税等の計上

ステップ3：支店の利益

会社全体の利益をもとに法人税等の金額を算定します

税金を納めるのは本店です！

本店：ステップ5

　最後に、総合損益勘定で算定された本店と支店の純損益（合併純損益）を「**繰越利益剰余金**」勘定に振替えます（資本振替）。

【資本振替】

借　方　科　目	金　額	貸　方　科　目	金　額
総　合　損　益	×××	繰 越 利 益 剰 余 金	×××

本店と支店の利益の合計

総 合 損 益

法 人 税 等　×××	損　　　　益　×××
繰越利益剰余金　×××	支　　　店　×××

ステップ5：税引後の利益（本店＋支店）

　同時に、本店の資産・負債・純資産を集計した「**繰越試算表**」を作成します。

さっくり
8日目

しっかり
10日目

じっくり
14日目

📖 本店・支店の「照合勘定」

　「本店：ステップ3」と「支店：ステップ2」で、支店の損益が本店に振替えられます。そのとき、本店の「支店」勘定、支店の「本店」勘定に支店の純損益が集計されますが、同額が集計されるので残高は必ず一致します。そして、その金額が次期に繰越されます。

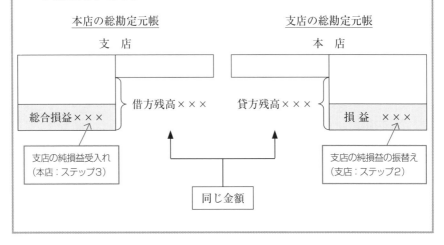

帳簿上の決算手続の流れ

<支　店>	<本　店>
決算整理前残高試算表	決算整理前残高試算表
↓	↓
決算整理	決算整理
↓	↓
決算振替	決算振替
↓	↓
損益勘定・繰越試算表	損益勘定・繰越試算表 総合損益勘定

第14章

本支店会計

☆ 帳簿上の決算手続をしてみよう！

例14－6

問題 次の決算整理事項、決算整理前残高試算表にもとづいて、総合損益勘定を作成しなさい。なお、当期は×2年4月1日～×3年3月31日である。

支店は支店で
決算整理してね

はーい
がんばりまーす

① 決算整理事項

ⅰ 本店の期末商品棚卸高は1,600円、支店の期末商品棚卸高は730円であった。

ⅱ 本支店ともに、売掛金に対し2％の貸倒引当金を設定する。

ⅲ 本支店ともに、建物の減価償却を定額法により行う。耐用年数30年、残存価額は取得原価の10％である。

ⅳ 当期の税引前当期純利益の40％を、未払法人税等に計上する。

② 決算整理前残高試算表

決算整理前残高試算表
×3年3月31日 （単位：円）

借 方	本 店	支 店	貸 方	本 店	支 店
現　　　　金	6,530	2,710	買　掛　金	9,500	1,200
売　掛　金	14,500	5,500	貸倒引当金	170	100
繰　越　商　品	2,300	590	減価償却累計額	720	360
建　　　　物	6,000	3,000	本　　　　店	−	9,050
支　　　　店	9,050	−	資　本　金	12,000	−
仕　　　　入	10,000	1,500	繰越利益剰余金	9,930	−
本 店 よ り 仕 入	−	1,210	売　　　　上	15,000	3,800
旅　　　　費	150	−	支 店 へ 売 上	1,210	−
	48,530	14,510		48,530	14,510

【解答】

総合損益

3/31	法 人 税 等	2,476	3/31	損	益	5,060
〃	繰越利益剰余金	3,714	〃	支	店	1,130
		6,190				6,190

【考え方（全体像）】

　総合損益勘定は本店と支店の純損益を合算する勘定なので、まず①決算整理事項にもとづいて決算整理を行い、その後②支店の損益勘定と本店の損益勘定より、本店と支店の純損益を求め、最後に③支店の純損益は本店勘定へ、本店の純損益は総合損益勘定へ振替えます。また、本店は支店からの純損益を総合損益勘定で受入れます。

　さらに、本店は④法人税等を計上し、⑤税引後の会社全体の当期純利益を繰越利益剰余金勘定に振替えます。

【考え方（支店）】

① 支店の決算整理仕訳

【売上原価の算定】

借　方　科　目	金　額	貸　方　科　目	金　額
仕　　　　　入	590	繰　越　商　品	590
繰　越　商　品	730	仕　　　　　入	730

支店期首商品

支店期末商品

【貸倒引当金の設定】

借　方　科　目	金　額	貸　方　科　目	金　額
貸倒引当金繰入	10	貸　倒　引　当　金	10

支店売掛金 5,500 円×2%＝ 110 円
110 円−支店貸倒引当金 100 円＝ 10 円

【減価償却】

借　方　科　目	金　額	貸　方　科　目	金　額
減　価　償　却　費	90	減　価　償　却　累　計　額	90

3,000 円× 0.9 ÷ 30 年＝ 90 円

② 支店の純損益の算定

借　方　科　目	金　額	貸　方　科　目	金　額
売　　　　　上	3,800	損　　　　　益	3,800
損　　　　　益	2,670	仕　　　　　入	1,360
		本　店　よ　り　仕　入	1,210
		貸　倒　引　当　金　繰　入	10
		減　価　償　却　費	90

損　益　（支店）

3/31	仕　　　　入	1,360	3/31	売　　上	3,800
〃	本店より仕入	1,210			
〃	貸倒引当金繰入	10			
〃	減価償却費	90			

純損益 1,130

③ 本店勘定への振替

借　方　科　目	金　　額	貸　方　科　目	金　　額
損　　　　　益	1,130	本　　　　　店	1,130

支店の利益

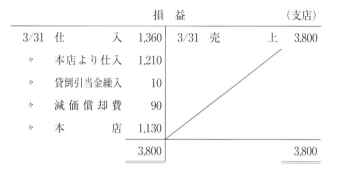

損　益　（支店）

3/31	仕　　　　入	1,360	3/31	売　　上	3,800
〃	本店より仕入	1,210			
〃	貸倒引当金繰入	10			
〃	減価償却費	90			
〃	本　　　　店	1,130			
		3,800			3,800

【考え方（本店）】

① 本店の決算整理仕訳

【売上原価の算定】

本店期首商品

借　方　科　目	金　　額	貸　方　科　目	金　　額
仕　　　　　入	2,300	繰　越　商　品	2,300
繰　越　商　品	1,600	仕　　　　　入	1,600

本店期末商品

さっくり
8日目

しっかり
10日目

じっくり
14日目

【貸倒引当金の設定】

借 方 科 目	金　額	貸 方 科 目	金　額
貸 倒 引 当 金 繰 入	120	貸 倒 引 当 金	120

本店売掛金 14,500 円× 2%＝ 290 円
290 円−本店貸倒引当金 170 円＝ 120 円

【減価償却】

借 方 科 目	金　額	貸 方 科 目	金　額
減 価 償 却 費	180	減 価 償 却 累 計 額	180

6,000 円× 0.9 ÷ 30 年＝ 180 円

② 本店の純損益の算定

借 方 科 目	金　額	貸 方 科 目	金　額
売　　　　　　上	15,000	損　　　　　　益	16,210
支 店 へ 売 上	1,210		
損　　　　　　益	11,150	仕　　　　　　入	10,700
		貸 倒 引 当 金 繰 入	120
		減 価 償 却 費	180
		旅　　　　　　費	150

損　　益　　　　　　　　　　（本店）

3/31 仕　　　　入	10,700	3/31 売　　　　上	15,000
〃　貸倒引当金繰入	120	〃　支 店 へ 売 上	1,210
〃　減 価 償 却 費	180		
〃　旅　　　費	150		

純損益 5,060

③-1　総合損益勘定への振替

借　方　科　目	金　　額	貸　方　科　目	金　　額
損　　　　　益	5,060	総　合　損　益	5,060

本店の利益

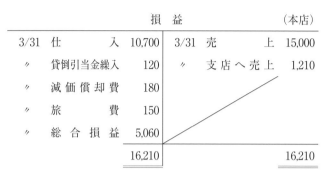

	損　　益			（本店）
3/31　仕　　　　入	10,700	3/31　売　　　　上	15,000
〃　　貸倒引当金繰入	120	〃　　支店へ売上	1,210
〃　　減価償却費	180		
〃　　旅　　　費	150		
〃　　総　合　損　益	5,060		
	16,210		16,210

③-2　支店利益の受入

借　方　科　目	金　　額	貸　方　科　目	金　　額
支　　　　　店	1,130	総　合　損　益	1,130

支店の利益

④ 法人税等の計上および総合損益勘定への振替

借　方　科　目	金　　額	貸　方　科　目	金　　額
法　人　税　等	2,476	未　払　法　人　税　等	2,476
総　合　損　益	2,476	法　人　税　等	2,476

本店利益 5,060 円＋支店利益 1,130 円＝会社全体利益 6,190 円
6,190 円×税率 40％＝ 2,476 円

第14章

本支店会計

さっくり 8日目

しっかり 10日目

じっくり 14日目

⑤ 資本振替

借 方 科 目	金 額	貸 方 科 目	金 額
総 合 損 益	3,714	繰 越 利 益 剰 余 金	3,714

会社全体利益 6,190 円−法人税等 2,476 円
＝税引後の会社全体利益 3,714 円

本店の総合損益勘
定をつくる過程を
理解しましょう

エリート小林

📖 総合損益勘定を使わない場合

　【例14-6】では、総合損益勘定の作成を学習しましたが、総合損益勘定を使わずに処理する方法もあります。この場合は、本店の損益勘定で支店利益の受入などを行います。なお、本店・支店の純損益の算定までは、総合損益勘定を使う場合と同じです。そこで、【例14-6】に基づいて、純損益の算定が終わったあとの処理と本店の損益勘定を示すと以下のようになります。

【支店の処理】
本店勘定への振替

借 方 科 目	金 額	貸 方 科 目	金 額
損 　　　　益	1,130	本 　　　　店	1,130

【本店の処理】

支店利益の受入

借 方 科 目	金 額	貸 方 科 目	金 額
支　　　　店	1,130	損　　　　益	1,130

法人税等の計上および損益勘定への振替

借 方 科 目	金 額	貸 方 科 目	金 額
法　人　税　等	2,476	未 払 法 人 税 等	2,476
損　　　　益	2,476	法　人　税　等	2,476

資本振替

借 方 科 目	金 額	貸 方 科 目	金 額
損　　　　益	3,714	繰 越 利 益 剰 余 金	3,714

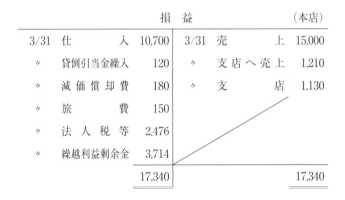

損　益　　　　　　　　　（本店）

3/31	仕　　　　入	10,700	3/31	売　　　　上	15,000
〃	貸倒引当金繰入	120	〃	支 店 へ 売 上	1,210
〃	減 価 償 却 費	180	〃	支　　　　店	1,130
〃	旅　　　　費	150			
〃	法 人 税 等	2,476			
〃	繰越利益剰余金	3,714			
		17,340			17,340

2　本店と支店を合わせた会社全体の財務諸表

　帳簿上の決算手続とは別に、会社は外部の関係者に1年間の財政状態・経営成績を報告するために財務諸表を作成します。本店と支店を合わせた会社全体の収益・費用と当期純利益を「**本支店合併損益計算書**」に、資産・負債・純資産を「**本支店合併貸借対照表**」に表示します。これらをまとめて「**本支店合併財務諸表**」といいます。

　本支店合併財務諸表は基本的に本店と支店の資産・負債・純資産・収益・費用を合算して作成しますが、以下の点に注意する必要があります。

① 合併損益計算書「売上高」

　本支店間の商品送付取引等による内部売上高を控除した外部売上高を記載します。

② 合併損益計算書「仕入」

　本支店間の商品送付取引等による内部仕入高を控除した外部仕入高を記載します。

③ 照合勘定の相殺消去

　「支店」勘定、「本店」勘定、「支店へ売上」勘定、「本店より仕入」勘定、「本店へ売上」勘定、「支店より仕入」勘定は会社内部を管理するための勘定なので、外部報告のための財務諸表には計上しません。

内部売上高を控除した外部売上高

損 益 計 算 書

自×2年4月1日　至×3年3月31日

Ⅰ	売　　　　　　上　　　　　　高		×××
Ⅱ	売　　　上　　　原　　　価		
	1　期首商品棚卸高	×××	
	2　当期商品仕入高	×××	
	合　　　　　計	×××	
	3　期末商品棚卸高	×××	×××
	売　　上　　総　　利　　益		×××

内部仕入高を控除した外部仕入高

本支店合併損益計算書の「当期純利益」は、総合損益勘定で算定された「税引後の利益」と同じ金額になるよ！

モーかった♪

さっくり
8日目

しっかり
10日目

じっくり
14日目

例14－7

問題　次の決算整理事項、決算整理前残高試算表にもとづいて、本支店合併損益計算書と本支店合併貸借対照表を作成しなさい。なお、当期は×2年4月1日〜×3年3月31日である。

支店は支店で
決算整理してね

はーい
がんばりまーす

① 決算整理事項

　ⅰ 本店の期末商品棚卸高は1,600円、支店の期末商品棚卸高は730円であった。

　ⅱ 本支店ともに、売掛金に対し2％の貸倒引当金を設定する。

　ⅲ 本支店ともに、建物の減価償却を定額法により行う。耐用年数30年、残存価額は取得原価の10％である。

　ⅳ 当期の税引前当期純利益の40％を、未払法人税等に計上する。

② 決算整理前残高試算表

決算整理前残高試算表

×3年3月31日 （単位：円）

借　　方	本　店	支　店	貸　　方	本　店	支　店
現　　　　金	6,530	2,710	買　掛　金	9,500	1,200
売　　掛　　金	14,500	5,500	貸倒引当金	170	100
繰　越　商　品	2,300	590	減価償却累計額	720	360
建　　　　物	6,000	3,000	本　　　店	−	9,050
支　　　　店	9,050	−	資　本　金	12,000	−
仕　　　　入	10,000	1,500	繰越利益剰余金	9,930	−
本店より仕入	−	1,210	売　　　上	15,000	3,800
旅　　　　費	150	−	支店へ売上	1,210	−
	48,530	14,510		48,530	14,510

【解答】

本支店合併損益計算書

自×2年4月1日 至×3年3月31日 （単位：円）

費　用	金　額	収　益	金　額
期首商品棚卸高	2,890	売　上　高	18,800
当期商品仕入高	11,500	期末商品棚卸高	2,330
貸倒引当金繰入	130		
減価償却費	270		
旅　　　費	150		
法　人　税　等	2,476		
当　期　純　利　益	3,714		
	21,130		21,130

さっくり 8日目

しっかり 10日目

じっくり 14日目

本支店合併貸借対照表

×3年3月31日　　　　　　　　（単位：円）

資　　産	金　　額		負債・純資産	金　　額
現　　　　　金		9,240	買　　掛　　金	10,700
売　　掛　　金	20,000		未払法人税等	2,476
貸倒引当金	400	19,600	資　　本　　金	12,000
商　　　　　品		2,330	繰越利益剰余金	13,644
建　　　　　物	9,000			
減価償却累計額	1,350	7,650		
		38,820		38,820

【考え方】

　決算整理後の本店と支店の資産・負債・純資産・収益・費用の各勘定の金額を合算し（【例14－7】は【例14－6】と全く同じ金額なので決算整理については【例14－6】参照）、該当する表示科目に表示します。ただし、以下の事項に注意してください。

① 売上高と当期商品仕入高は本店と支店との間での売上・仕入を控除した「外部売上高」・「外部仕入高」を表示します。

損　益　計　算　書

自×2年4月1日　至×3年3月31日　　（単位：円）

費　　用	金　　額	収　　益	金　　額
期首商品棚卸高	2,890	売　　上　　高	18,800
当期商品仕入高	11,500	期末商品棚卸高	2,330
：	：	：	：

内部仕入高を控除した外部仕入高：
本店外部仕入高 10,000 円＋支店外部仕入高 1,500 円＝ 11,500 円

内部売上高を控除した外部売上高：
本店外部売上高 15,000 円＋支店外部売上高 3,800 円＝ 18,800 円

② 本店には「支店」勘定および「支店へ売上」勘定が、支店には「本店」勘定および「本店より仕入」勘定がありますが、本支店合併財務諸表には表示しません。

③ 「資本金」勘定、「繰越利益剰余金」勘定、「未払法人税等」勘定は本店にしか存在しないので、本店の金額をそのまま表示します。

確認テスト

問題

次の各取引について本店および支店の仕訳をしなさい。

① 本店は、支店に現金￥100,000を送金し、支店はこれを受取った。
② 支店は、本店の売掛金￥50,000を現金で回収し、本店はその通知を受けた。
③ 本店は、支店の売掛金￥30,000を手形で回収し、支店はその通知を受けた。
④ 支店は、本店の営業費￥20,000を現金で支払った。
⑤ 本店は、支店の未払金￥50,000を現金で支払った。

		借 方 科 目	金 額	貸 方 科 目	金 額
①	本店の仕訳				
	支店の仕訳				
②	本店の仕訳				
	支店の仕訳				
③	本店の仕訳				
	支店の仕訳				
④	本店の仕訳				
	支店の仕訳				
⑤	本店の仕訳				
	支店の仕訳				

解答

		借 方 科 目	金　額	貸 方 科 目	金　額
①	本店の仕訳	支　　　店	100,000	現　　　金	100,000
	支店の仕訳	現　　　金	100,000	本　　　店	100,000
②	本店の仕訳	支　　　店	50,000	売　掛　金	50,000
	支店の仕訳	現　　　金	50,000	本　　　店	50,000
③	本店の仕訳	受 取 手 形	30,000	支　　　店	30,000
	支店の仕訳	本　　　店	30,000	売　掛　金	30,000
④	本店の仕訳	営　業　費	20,000	支　　　店	20,000
	支店の仕訳	本　　　店	20,000	現　　　金	20,000
⑤	本店の仕訳	支　　　店	50,000	現　　　金	50,000
	支店の仕訳	未　払　金	50,000	本　　　店	50,000

解説

　本店では、支店に対する債権・債務を支店勘定で処理します。同様に、支店では本店に対する債権・債務を本店勘定で処理します。このとき、両者には同じ金額が貸借反対に記入され、その残高は貸借逆で一致します。

　仕訳の際のポイントは、本店・支店それぞれで現金が増加したのか、売掛金が減少したのかなど、その事実を記載し、相手勘定を本店では支店勘定、支店では本店勘定として処理します。

　　この本店勘定と支店勘定は、企業内部における貸借関係を表すので、外部報告の際には記載しません。

第15章 税効果会計

学習進度目安

●第15章で学習すること

さっくり 10日間	しっかり 15日間	じっくり 20日間
8日目	11日目	14日目
		15日目

① 課税所得の算定方法

② 税効果会計とは

③ 税効果会計の会計処理

税引前当期純利益 ？ 課税所得

1 課税所得の算定方法

イントロダクション

実際に納付する税金はどのように計算するのでしょうか。今まで
は、税引前当期純利益に税率を掛けて法人税等を求めましたが、
ここでは、厳密な納付額の計算方法を学習します。

1 会計と税務のズレ

　納付する税金の金額を示す法人税等（法人税、住民税及び事業税）
は、会計の利益の金額ではなく、税務上の課税所得の金額に一定の税
率を掛けて算定します。

$$法 人 税 等 ＝ 課 税 所 得 × 税 率$$

　課税所得とは税務上の利益の金額を示し、益金（税務上の収益）と
損金（税務上の費用）の差額で計算するのに対し、会計の利益は収益
と費用の差額で計算します。税務上の益金・損金の金額と会計上の収
益・費用の金額はほぼ一致しますが、両者は完全に一致するわけでは
ありません。そのため、算定される課税所得の金額と利益の金額にズ
レが生じます。

$$課税所得 = 益金 - 損金$$

ズレ

$$税引前当期純利益 = 収益 - 費用$$

　このズレは、① 会計上の収益には含まれるが税務上の益金には含まれない「**益金不算入**」、② 会計上の収益ではないけど税務上の益金には含まれる「**益金算入**」、③ 会計上の費用には含まれるが税務上の損金には含まれない「**損金不算入**」、④ 会計上の費用ではないけど税務上の損金には含まれる「**損金算入**」が原因で生じます。

	会 計 上	税 務 上
① 益金不算入	収　益	益金でない
② 益金算入	収益でない	益　金
③ 損金不算入	費　用	損金でない
④ 損金算入	費用でない	損　金

さっくり
8日目

しっかり
11日目

じっくり
14日目

2 支払う税金の金額の計算

　実際に法人税等の金額を計算するときには、税務上の課税所得を計算するための損益計算書のようなものを作成するわけではありません。利益と課税所得はズレているとは言っても、非常に似ている金額なので、会計上の損益計算書で算定した税引前当期純利益を修正して課税所得を求めます。

税務でも損益計算書のような
書類を作るのは面倒だからね

以下のような表で税引前当期純利益を出発点とし、調整が必要な項目を加減算し課税所得を求めます。ここで、調整が必要な項目とは「益金不算入」、「益金算入」、「損金不算入」、「損金算入」になります。最後に課税所得に税率（実効税率）を掛けて法人税等を求めます。

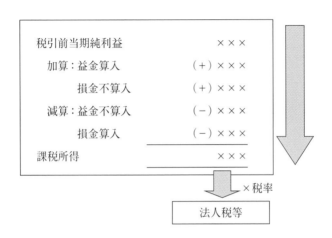

① 益 金 算 入：会計上の収益ではないので税引前当期純利益には
　　　　　　　　　含まれていないが、税務上の益金なので課税所得に
　　　　　　　　　含める
② 損金不算入：会計上の費用なので税引前当期純利益には含まれ
　　　　　　　　　ていないが、税務上の損金ではないので課税所得に
　　　　　　　　　含める
③ 益金不算入：会計上の収益なので税引前当期純利益には含まれ
　　　　　　　　　ているが、税務上の益金ではないので課税所得から
　　　　　　　　　除外
④ 損 金 算 入：会計上の費用ではないので税引前当期純利益には
　　　　　　　　　含まれているが、税務上の損金なので課税所得から
　　　　　　　　　除外

さっくり
8日目

しっかり
11日目

じっくり
14日目

☆ 課税所得と法人税を求めよう！

例15-1

問題 税引前当期純利益10,000円、益金算入額200円、益金不算
入額100円、損金不算入額300円、損金算入額800円、実
効税率30％であった。

今年は儲かってるよ。ボロ儲け！

【解答】
　課税所得：9,600円、法人税等：2,880円

【考え方】
① 課税所得：税引前当期純利益10,000円＋益金算入額200円＋損金不
　　　　　　算入額300円－益金不算入額100円－損金算入額800円
　　　　　　＝ 9,600円
② 法人税等：課税所得9,600円×実効税率30％ ＝ 2,880円

税引前の当期純利益に税率を掛けても
法人税等の金額は求められないんだね

2 税効果会計とは

イントロダクション

　税効果会計とは、会計と税務のズレを調整する会計処理になります。とっつき辛い論点ではありますが、ここでは、①会計と税務でなぜズレてしまうのか、②税効果会計で何を調整しているのか、の2点を意識して、学習を進めてください。

税金って、そんなに
高いんですか…

1 税効果会計って何?

　前の節で学習した通り、会計上の収益・費用と税務上の益金・損金はその範囲が微妙に異なります。また、納める税金の金額は益金・損金により計算される課税所得をもとに計算されます。

　ここで、損益計算書の「法人税等」は、税務上の課税所得にもとづいて計算された当期分の税額を表示することになるので、会計上の収益・費用から計算される損益計算書の「税引前当期純利益」の金額と「法人税等」の金額は対応しなくなってしまいます。

さっくり
8日目

しっかり
11日目

じっくり
15日目

例えば、税引前当期純利益が100,000円の場合に、税務上、損金不算入額が5,000円あったとすると、課税所得は105,000円になります。このとき、税率を30％とすると、法人税等は、105,000円に30％を掛けて31,500円になりますが、税引前当期純利益100,000円に30％を掛けた30,000円とは異なることになります。

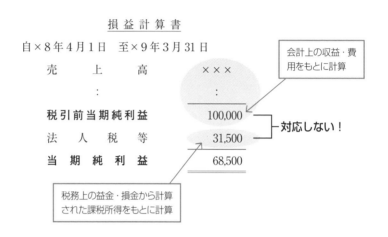

　このように、何もしないと損益計算書の「税引前当期純利益」の金額と「法人税等」の金額が対応しなくなってしまうので、税効果会計により両者の対応を図ります。つまり、税効果会計は、税引前当期純利益と法人税等の対応を目的とする会計処理になります。

2 税効果会計を理解しよう!

　例えば、当期の売上高が10,000円、売上原価が8,000円、貸倒引当金繰入が300円、実効税率は30%であるとします。ただし、税務上の貸倒引当金繰入は100円が限度です。この場合、税効果会計を適用しないと以下のように対応が図れません。

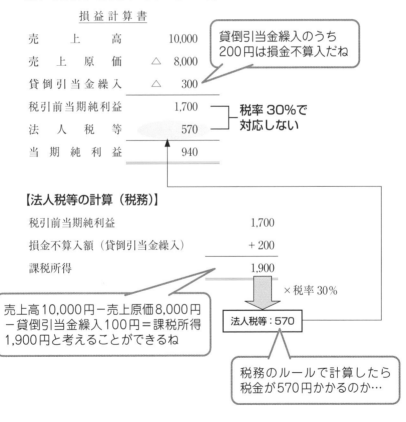

【損益計算書（税効果会計適用なし）】

損 益 計 算 書

売 上 高	10,000
売 上 原 価	△ 8,000
貸 倒 引 当 金 繰 入	△ 300
税引前当期純利益	1,700
法 人 税 等	570
当 期 純 利 益	940

貸倒引当金繰入のうち200円は損金不算入だね

税率30%で対応しない

【法人税等の計算（税務）】

税引前当期純利益	1,700
損金不算入額（貸倒引当金繰入）	＋ 200
課税所得	1,900

×税率30%

売上高10,000円－売上原価8,000円－貸倒引当金繰入100円＝課税所得1,900円と考えることができるね

法人税等：570

税務のルールで計算したら税金が570円かかるのか…

さっくり
8日目

しっかり
11日目

じっくり
15日目

会計の税引前利益は1,700円だから、1,700円×税率30%＝510円の税金費用じゃないとおかしいよね

　しかし、税効果会計を適用することにより、対応が図れるようになります。

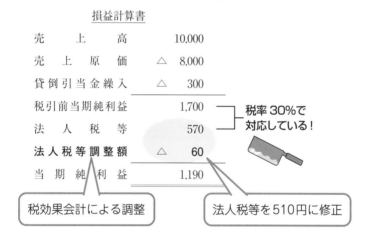

【損益計算書（税効果会計適用あり）】

損益計算書

売　上　高	10,000
売　上　原　価	△　8,000
貸倒引当金繰入	△　300
税引前当期純利益	1,700
法　人　税　等	570
法人税等調整額	△　60
当　期　純　利　益	1,190

税率30%で対応している！

税効果会計による調整

法人税等を510円に修正

　上の損益計算書で見られるように、税効果会計を適用することで、会計と税務のズレである200円（会計上の貸倒引当金300円と税務上の貸倒引当金100円の差額）に税率30％を掛けた60円部分を調整し、「税引前当期純利益」と「法人税等」の対応が図れるようになります。

　具体的には、①「**法人税等調整額**」という調整項目を計上することによって、会計で過大になっている法人税等の額をマイナス調整します。

また、②会計では税金費用を510円（1,700円×30％）計上すればいいところ、実際には法人税等を570円支払っていて、より多くの税金を払っています。これを**税金の前払**いと考え、前払費用に相当する金額を「**繰延税金資産**」（資産）として計上します。前払いした分だけ、将来の法人税等の支払額が減少するのでその影響を貸借対照表に表示することになります。

【税効果適用仕訳（決算時）】

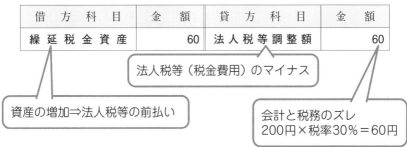

借　方　科　目	金　　額	貸　方　科　目	金　　額
繰 延 税 金 資 産	60	法 人 税 等 調 整 額	60

法人税等（税金費用）のマイナス

資産の増加⇒法人税等の前払い

会計と税務のズレ
200円×税率30％＝60円

会計では510円の税金だけど、
570円税金を支払っているよ…

あとで、税金が
60円安くなるよ！

さっくり
8日目

しっかり
11日目

じっくり
15日目

上の例とは反対に、会計上の利益の方が税務上の所得よりも大きくなる場合があります。この場合は、実際の税金の支払額が少なくなるので、**税金の未払い**が生じます。これは、未払費用を意味する「**繰延税金負債**」（負債）で表示します。

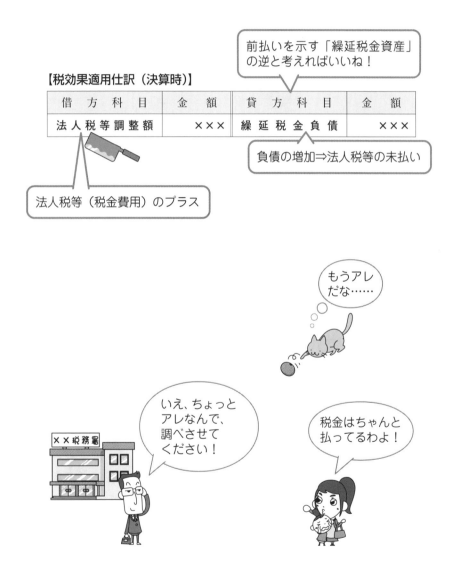

前払いを示す「繰延税金資産」の逆と考えればいいね！

【税効果適用仕訳（決算時）】

借　方　科　目	金　　額	貸　方　科　目	金　　額
法 人 税 等 調 整 額	×× ×	繰 延 税 金 負 債	×× ×

負債の増加⇒法人税等の未払い

法人税等（税金費用）のプラス

もうアレだな……

いえ、ちょっとアレなんで、調べさせてください！

税金はちゃんと払ってるわよ！

× × 税務署

3 ズレが解消する!?

　ここまでは、会計と税務でズレが発生した時の処理を見てきましたが、会計と税務のズレが解消される場合もあります。

　先ほどの例で考えると、会計では貸倒引当金繰入が300円であるのに対し、税務では限度額が100円なので会計と税務で200円ズレが発生しました。その後、翌期に売掛金が無事決済された場合、会計では貸倒引当金戻入として300円収益計上されますが、税務では貸倒引当金戻入100円が益金に算入されると考えるので、差額の200円が益金不算入になると考えます。2期間を通してみると、会計と税務のズレが解消されます。

	1年目	2年目	合計
会　計	△300円	＋300円	0
税　務	△100円	＋100円	0
ズ　レ	200円発生	200円解消	0

1年目で200円ズレているけど、2年間トータルでみるとズレはなくなっているね

　ズレが解消されたときは、発生したときの反対仕訳で「繰延税金資産」を取崩します。

【税効果適用仕訳（差異解消時）】

借　方　科　目	金　額	貸　方　科　目	金　額
法人税等調整額	60	繰延税金資産	60

さっくり
8日目

しっかり
11日目

じっくり
15日目

第15章 税効果会計

4 税効果会計の対象となるズレは…

　会計と税務のズレを「差異」といい、「一時差異」と「永久差異」の2種類の差異があります。しかし、すべての差異について税効果会計を適用するわけではありません。2種類の差異のうち、税効果会計を適用する差異は「一時差異」だけです。ここで、一時差異とは会計上の資産・負債の額と税務上の資産・負債の額とのズレをいい、将来どこかのタイミングでそのズレが解消される差異です。それに対し、永久差異とは会計と税務のズレが永久に解消されない差異をいいます。

コトバ

差異：会計と税務のズレ
一時差異：会計上の資産・負債の額と税務上の資産・負債の額との差異
永久差異：会計と税務のズレが永久に解消されない差異

📖 一時差異の具体例

・引当金の損金算入限度超過額
・減価償却費の損金算入限度超過額
・その他有価証券の評価差額

2級で学習する一時差異はこの3つだけだよ

引当金は貸倒引当金の場合が大事だよ

📖 永久差異の具体例

・交際費等の損金不算入額
　⇒得意先等を接待した場合に、会計では交際費として仕訳しますが、税務においてはそのすべてが損金に算入されるわけではなく、それを原因として生じる差異

・受取配当金の益金不算入額
　⇒子会社などから受取った配当金は、会計上は受取配当金として収益計上しますが、税務ではそのすべてが益金に算入されるわけではなく、それを原因として生じる差異

交際費をわざとたくさん支払って所得を少なくすることはできないんだね

所得を少なくすると、税金の支払額も少なくなるからね

さっくり
8日目

しっかり
11日目

じっくり
15日目

～一時差異と期間差異～

　税効果会計の対象になる差異は「一時差異」ですが、一時差異はその発生原因により「期間差異」と「評価・換算差額等」に分かれます。ここで「期間差異」とは、会計上の収益または費用の金額と税務上の益金または損金の額に相違がある場合、その相違項目のうち、収益または費用の期間帰属の相違にもとづく差異をいいます。簡単にいえば、会計上の収益または費用の金額と税務上の益金または損金の額の差異です。

　先ほどの例では、貸倒引当金繰入の金額が会計と税務でズレていましたが、これは会計上の費用と税務上の損金の額がズレているので期間差異といえます。ただし、裏を返すと貸倒引当金も会計と税務でズレていることになります。これは、会計上の資産と税務上の資産がズレているので一時差異にも該当するのです。つまり、期間差異と一時差異は表裏の関係にあるといえます。

　日本における税効果会計は資産・負債の立場から考えるルールになっていますが、2級の学習では、収益・費用と益金・損金の相違から差異を考えても問題ありません。ただし、この後学習する、その他有価証券の評価差額についての税効果会計は期間差異で考えることができません。

同じように貸倒引当金も会計と税務で、200円ズレているから、一時差異も200円だ

さっきの例の貸倒引当金繰入では、200円の期間差異が発生しているね

3 税効果会計の会計処理

イントロダクション

税効果会計の具体的な会計処理を学習します。全てを理解しよう
とすると大変なので、まずは仕訳をできるようにしましょう。

税効果会計は
一時差異に適用
するのでアル！

変な人が
いるよ！

見ちゃダメよ

1 貸倒引当金に係る税効果

　会計では期末の売掛金などに対して貸倒引当金を見積り、設定しま
すが、税務では貸倒引当金の設定に限度額が設けられています。この
ような税務における貸倒引当金の限度額のことを「**貸倒引当金繰入限
度額**」といい、この限度額までしか損金に算入されません。そして、
この限度額を超えた金額を「**貸倒引当金繰入限度超過額**」といいま
す。

さっくり
8日目

しっかり
11日目

じっくり
15日目

税務において、貸倒引当金繰入限度超過額は損金に算入されない（損金不算入）ので、一時差異（期間差異）が発生し、税効果会計における調整が必要となります。

　このとき、「①税務上の損金よりも会計上の費用の方が大きい⇒②利益よりも所得の方が大きい⇒③会計上支払うべき額よりも多くの税金を納付⇒④法人税等をマイナス調整したい⇒⑤法人税等調整額は貸方に仕訳」と考えていきます。そして、法人税等調整額とは反対側に「繰延税金資産」を仕訳します。

【税効果適用仕訳（差異発生時）】

貸倒引当金繰入限度超過額×税率

借　方　科　目	金　　額	貸　方　科　目	金　　額
繰 延 税 金 資 産	×××	法 人 税 等 調 整 額	×××

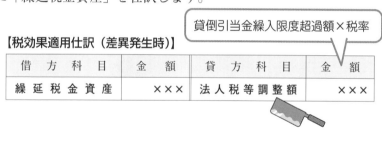

また、貸倒引当金の設定対象となっている売掛金などが決済されたりしてなくなったことにより差異が解消したときは、差異が発生したときの反対仕訳を考えて、法人税等調整額を借方に仕訳し、借方に計上していた繰延税金資産を取崩します。

【税効果適用仕訳（差異解消時）】

発生時の反対仕訳

借　方　科　目	金　額	貸　方　科　目	金　額
法 人 税 等 調 整 額	×××	繰 延 税 金 資 産	×××

ただし、期末には再び新たな債権について貸倒引当金が設定され、新たな差異が発生するので、差異の解消仕訳と差異の発生仕訳を同時に行うことになります。

サイが消えちゃうぜ！

毎回このプロセスで考えていくと時間がかかるので、プロセスを理解したら、貸倒引当金繰入限度超過額が「発生」したときは、①法人税等調整額は貸方に、②繰延税金資産は借方に仕訳すると覚えてしまいましょう！

くり延税金資産です！
税金の前払いです

くり延税金資産

なぞだ…
なぜ前払い？

××税務署

☆ 仕訳をしてみよう！

例15−2

問題 ① ×３年度の決算において、売掛金に対する貸倒引当金
1,000円を計上したが、税務上においては貸倒引当金の
繰入限度額は600円であった。
② ×４年度の決算において、売掛金に対する貸倒引当金
1,300円を計上したが、税務上においては貸倒引当金の
繰入限度額は800円であった。なお、①の売掛金が全額
決済されたことにより、×３年度の決算において計上し
た貸倒引当金を全額取り崩している。
③ 法人税等の実効税率は30％とする。

あら！変な
くりがいる
わね…

くり延税金資産

【解答】

①

借　方　科　目	金　　額	貸　方　科　目	金　　額
繰 延 税 金 資 産	120	法 人 税 等 調 整 額	120

②

借　方　科　目	金　　額	貸　方　科　目	金　　額
繰 延 税 金 資 産	30	法 人 税 等 調 整 額	30

【考え方】

①-1　貸倒引当金繰入限度超過額

　　　= 会計上の貸倒引当金 − 貸倒引当金繰入限度額

　　　= 1,000円 − 600円

　　　= 400円

発生！

①-2　繰延税金資産（差異発生分）

　　　= 貸倒引当金繰入限度超過額 × 実効税率

　　　= 400 × 30%

　　　= 120円

②-1　貸倒引当金繰入限度超過額

　　　= 会計上の貸倒引当金 − 貸倒引当金繰入限度額

　　　= 1,300円 − 800円

　　　= 500円

②-2　繰延税金資産（差異解消分）

　　　⇒ ×3年度（前期末）の繰延税金資産

　　　= 120円

②-3　繰延税金資産（差異発生分）

　　　= 500円 × 30%

　　　= 150円

消えちゃったよ…

②-4　②-2と②-3をまとめて処理

　　　⇒ ×4年度超過額150円 − ×3年度超過額120円

　　　= 30円

なんで、出てきたり、消えたりするんだ？

さっくり
8日目

しっかり
11日目

じっくり
15日目

②の解答（×4年度の仕訳）は以下のように考えることができます。

(1) ×4年度（×3年度の差異解消）

借　方　科　目	金　　額	貸　方　科　目	金　　額
法 人 税 等 調 整 額	120	繰 延 税 金 資 産	120

(2) ×4年度（差異発生）

借　方　科　目	金　　額	貸　方　科　目	金　　額
繰 延 税 金 資 産	150	法 人 税 等 調 整 額	150

(1)＋(2)

(3) ②の解答（(1)＋(2)）

借　方　科　目	金　　額	貸　方　科　目	金　　額
繰 延 税 金 資 産	30	法 人 税 等 調 整 額	30

　減価償却計算を行うにあたって、会計上の耐用年数と税務上の耐用年数が異なる場合があります。この場合、税務上の耐用年数で計算された減価償却費の金額を「減価償却限度額」といい、減価償却限度額を超えた金額を「減価償却限度超過額」といいます。ここで、減価償却限度超過額は税務において損金に算入されない（損金不算入）ので、一時差異（期間差異）が発生し、税効果会計における調整が必要となります。

　このとき、「①　税務上の損金よりも会計上の費用の方が大きい ⇒ ②　利益よりも所得の方が大きい ⇒ ③　会計上支払うべき額よりも多くの税金を納付 ⇒ ④　法人税をマイナス調整したい ⇒ ⑤　法人税等調整額は貸方に仕訳」と考えていきます。そして、法人税等調整額とは反対側に「繰延税金資産」を仕訳します。

　また、減価償却の対象となっている資産の耐用年数が経過したり、その資産を売却することにより、差異が解消したときは、差異が発生したときの反対仕訳で、法人税等調整額を借方に仕訳し、借方に計上していた繰延税金資産を取崩します。

第15章

税効果会計

> 仕訳の形は、貸倒引当金のときと同じだよ！

さっくり
8日目

しっかり
11日目

じっくり
15日目

☆　仕訳をしてみよう！

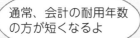

問題　① ×1年度の決算において、×1年度期首に10,000円で取
　　　　得した備品の減価償却計算を行う。当該備品の耐用年数
　　　　は4年、残存価額ゼロ、定額法で計算する。なお、当該
　　　　備品の税務上の耐用年数は5年である。
　　　② 法人税等の実効税率は30%とする。

通常、会計の耐用年数
の方が短くなるよ

ってことは、会計の方が減価
償却費が大きくなるのか…

エグゼクティブ松沢

【解答】

借　方　科　目	金　額	貸　方　科　目	金　額
繰 延 税 金 資 産	150	法 人 税 等 調 整 額	150

【考え方】

① 会計上の減価償却費

　 = 10,000円÷耐用年数4年 = 2,500円

② 税務上の減価償却費(限度額)

　 = 10,000円÷耐用年数5年 = 2,000円

③ 減価償却限度超過額

　 = 会計上の減価償却費－税務上の減価償却費

　 = 2,500円－2,000円 = 500円

④ 繰延税金資産(差異発生分)
　= 減価償却限度超過額×実効税率
　= 500円×30%　=　150円

　この例の備品の減価償却費のスケジュールを会計と税務に分けて
みると、以下の表のような推移となります。

> 会計と税務の備品の金額（帳簿価額）に着目しても差異を求められるね

> 会計の備品が7,500円で、税務の備品が8,000円か…

	会計上		税務上		差異
	減価償却費	備品	減価償却費	備品	
×1年度末	2,500	7,500	2,000	8,000	500
×2年度末	2,500	5,000	2,000	6,000	1,000
×3年度末	2,500	2,500	2,000	4,000	1,500
×4年度末	2,500	0	2,000	2,000	2,000
×5年度末	—	—	2,000	0	0

解消

> 500円ずつ差異が大きくなり、ズレが蓄積されている

> それ、工場の差異じゃないけど…

間中

> 間中君、差異が蓄積されて増えてきているよ！

エグゼクティブ松沢

さっくり
8日目

しっかり
11日目

じっくり
15日目

×2年度から×4年度までは、毎期、会計と税務の差異が500円ずつ広がっているので、×2年度から×4年度の決算時には×1年度と同様の税効果会計の仕訳をします。

【×2年度決算】

借　方　科　目	金　　額	貸　方　科　目	金　　額
繰 延 税 金 資 産	150	法 人 税 等 調 整 額	150

【×3年度決算】

借　方　科　目	金　　額	貸　方　科　目	金　　額
繰 延 税 金 資 産	150	法 人 税 等 調 整 額	150

【×4年度決算】

借　方　科　目	金　　額	貸　方　科　目	金　　額
繰 延 税 金 資 産	150	法 人 税 等 調 整 額	150

×5年度になると、税務でも備品の耐用年数が終了するため、会計と税務の備品の金額(帳簿価額）はともにゼロになり、差異が解消します。そのため、×1年度から×4年度において計上された繰延税金資産をすべて取崩します。

【×5年度決算】

借　方　科　目	金　　額	貸　方　科　目	金　　額
法 人 税 等 調 整 額	600	繰 延 税 金 資 産	600

×1年～×4年までの繰延税金資産合計：150円×4年分＝600円

☆ 売却時の仕訳をしよう！！

例15−4

問題　① ×3年度の期首において、×1年度期首に10,000円で取
　　　得した備品を現金6,500円で売却した。なお、当該備品
　　　（間接法で記帳）の耐用年数は4年、残存価額ゼロ、定
　　　額法で計算する。また、当該備品の税務上の耐用年数は
　　　5年である。
　　　② 法人税等の実効税率は30％とする。

【解答】

① （売却の仕訳）

借　方　科　目	金　　額	貸　方　科　目	金　　額
減 価 償 却 累 計 額	5,000	備　　　　　　品	10,000
現　　　　　金	6,500	備 品 売 却 益	1,500

② （税効果の仕訳）

借　方　科　目	金　　額	貸　方　科　目	金　　額
法 人 税 等 調 整 額	300	繰 延 税 金 資 産	300

さっくり
8日目

しっかり
11日目

じっくり
15日目

【考え方】

②-1　備品を売却することにより、会計と税務の差が解消されるので、×1年〜×2年に計上された繰延税金資産を取り崩す。

②-2　×1年繰延税金資産150円＋×2年繰延税金資産150円
　　　　＝ 300円

	税務上			会計上			差異
	減価償却費	備品	売却益	減価償却費	備品	売却益	
×1年度末	2,500	7,500	—	2,000	8,000	—	500
×2年度末	2,500	5,000	—	2,000	6,000	—	1,000
売却時	—	0	1,500	—	0	500	0

会計と税務で備品の金額が異なるから、売却益の金額も異なるね〜

3 その他有価証券に係る税効果

　会計では、その他有価証券を期末に時価評価しますが、税務では、その他有価証券を取得原価で評価し、期末に時価評価をしません。そのため、その他有価証券を時価で評価する会計と、取得原価で評価する税務で資産の金額にズレが生じてしまいます。

　しかし、会計で取得原価と時価の差額をその他有価証券評価差額金として純資産の部に表示するので、会計上の収益・費用と税務上の益金・損金にはズレは生じません。そのため、その他有価証券に係る差異は期間差異には該当せず、他の差異とは処理が異なります。

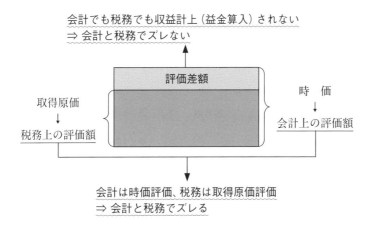

会計でも税務でも収益計上（益金算入）されない
⇒ 会計と税務でズレない

評価差額

取得原価
↓
税務上の評価額

時　価
↓
会計上の評価額

会計は時価評価、税務は取得原価評価
⇒ 会計と税務でズレる

　このように、①会計と税務で資産の金額がズレるので、繰延税金資産や繰延税金負債は計上しますが、②収益と益金の金額はズレないので、損益計算書を調整する法人税等調整額を計上する必要はありません。

くり延税金負債

さっくり
8日目

しっかり
11日目

じっくり
15日目

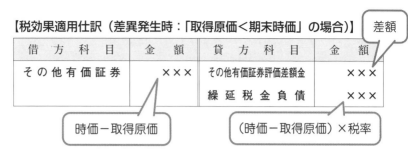

【税効果適用仕訳（差異発生時：「取得原価＜期末時価」の場合）】

借　方　科　目	金　　額	貸　方　科　目	金　　額
その他有価証券	×××　←時価－取得原価	その他有価証券評価差額金	×××
		繰　延　税　金　負　債	×××　←（時価－取得原価）×税率

差額

時価－取得原価

（時価－取得原価）×税率

【税効果適用仕訳（差異発生時：「取得原価＞期末時価」の場合）】

借　方　科　目	金　　額	貸　方　科　目	金　　額
その他有価証券評価差額金	×××	その他有価証券	×××
繰　延　税　金　資　産	×××		

（取得原価－時価）×税率

差額

取得原価－時価

　また、その他有価証券は翌期首に洗替処理が行われるので、これと同時に前期末に計上した繰延税金資産や繰延税金負債を取崩します。

【洗替仕訳（翌期首：「取得原価＜期末時価」の場合）】

借　方　科　目	金　　額	貸　方　科　目	金　　額
その他有価証券評価差額金	×××	その他有価証券	×××
繰　延　税　金　負　債	×××		

　前期末の反対仕訳により、その他有価証券評価差額金と同じように繰延税金負債ももとに戻します。

　「取得原価＞期末時価」の場合も同じように考えます。

【洗替仕訳（翌期首：「取得原価＞期末時価」の場合）】

借　方　科　目	金　　額	貸　方　科　目	金　　額
その他有価証券	×××	その他有価証券評価差額金	×××
		繰　延　税　金　資　産	×××

☆ 仕訳をしてみよう！

Q 例15－5

問題 ① ×1年度の決算において、1,000円で取得したその他有
価証の時価は1,200円であった。なお、法人税等の実効税
率は30％とする。
② ×2年度期首を迎えた。

「どちら様？」

「期間差異ではないが
一時差異である！」

【解答】

①

借 方 科 目	金 額	貸 方 科 目	金 額
その他有価証券	200	その他有価証券評価差額金	140
		繰 延 税 金 負 債	60

②

借 方 科 目	金 額	貸 方 科 目	金 額
その他有価証券評価差額金	140	その他有価証券	200
繰 延 税 金 負 債	60		

【考え方】

①-1 繰延税金負債（差異発生分）

= （期末時価1,200円 - 取得原価1,000円）×実効税率30%

= 60円

①-2 その他有価証券評価差額金

= （期末時価1,200円 - 取得原価1,000円）

- 繰延税金負債60円 = 140円

② ①の反対仕訳で繰延税金負債をその他有価証券評価差額金とともに取崩す。

4 税効果会計に関する表示

「法人税等調整額」は、以下の損益計算書のように法人税等に加減算する形式により、表示します。

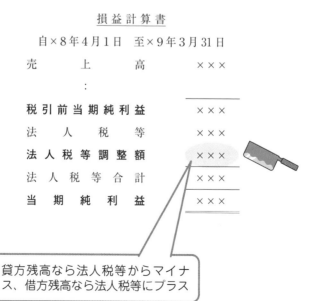

損　益　計　算　書

自×8年4月1日　至×9年3月31日

売　　　　上　　　　高	×　×　×
:	
税 引 前 当 期 純 利 益	×　×　×
法　　人　　税　　等	×　×　×
法 人 税 等 調 整 額	×　×　×
法　人　税　等　合　計	×　×　×
当　期　純　利　益	×　×　×

貸方残高なら法人税等からマイナス、借方残高なら法人税等にプラス

また、繰延税金資産は固定資産（投資その他の資産）に、繰延税金負債は固定負債に表示します。

繰延税金資産	繰延税金負債
固定資産 （投資その他の資産）	固定負債

なお、貸借対照表に計上される繰延税金資産と繰延税金負債は、相殺して表示します。

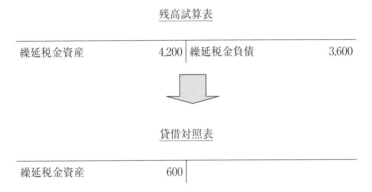

残高試算表

繰延税金資産	4,200	繰延税金負債	3,600

貸借対照表

繰延税金資産	600

相殺して表示するのでアル！

変な人がいるよ！

見ちゃダメよ

さっくり
8日目

しっかり
11日目

じっくり
15日目

確認テスト

問題

　次の税効果会計に関する各仕訳をしなさい。なお、法人税等の実効税率は30%とする。

① ×1年度の決算時にあたり、受取手形に対する貸倒引当金繰入120,000円を計上したものの、繰入額全額について、税務上の課税所得の計算上、損金に算入することが認められなかった。

② 上記①の貸倒引当金繰入は、翌×2年度において、税務上の課税所得の計算にあたり損金算入が認められた。

③ ×2年度の決算にあたり、その他有価証券として保有する宮崎商事株式会社の株式3,000株を期末時価1株当たり6,000円に評価替えする。なお、宮崎商事株式会社の株式の取得原価は1株当たり6,200円である。また、その他有価証券は税務上、取得原価で評価される。

	借　方　科　目	金　　額	貸　方　科　目	金　　額
①				
②				
③				

解 答

	借 方 科 目	金 額	貸 方 科 目	金 額
①	繰 延 税 金 資 産	36,000	法 人 税 等 調 整 額	36,000
②	法 人 税 等 調 整 額	36,000	繰 延 税 金 資 産	36,000
③	その他有価証券評価差額金	420,000	そ の 他 有 価 証 券	600,000
	繰 延 税 金 資 産	180,000		

 解 説

① 120,000円の貸倒引当金繰入が全額損金不算入となるので、貸倒引当金繰入限度超過額に実効税率を掛けた金額を税金の前払いと考え、繰延税金資産として計上します。

・繰延税金資産：120,000円×30％＝36,000円

② ×1年度において損金不算入とされた貸倒引当金繰入の損金算入が認められたため、×1年度の反対仕訳を行い、×1年度に計上した繰延税金資産を取崩します。

第15章

税効果会計

さっくり
8日目

しっかり
11日目

じっくり
15日目

解 答

③ 会計上、その他有価証券を時価評価しますが、税務上では、その他有価証券は取得原価で評価されます。そのため、一時差異（その他有価証券評価差額金部分）が発生します。

・一時差異：（期末時価@6,000円－取得原価@6,200円）
　　×3,000株＝△600,000円
⇒ その他有価証券評価差額金は借方残高
・繰延税金資産：600,000円×30% ＝ 180,000円
・その他有価証券評価差額金：600,000円－180,000円＝420,000円

第16章 連結財務諸表I

学習進度目安

さっくり 10日間	しっかり 14日間	じっくり 20日間
9日目	12日目	16日目
	13日目	17日目

●第16章で学習すること

① 連結財務諸表とは

② 資本連結

企業グループ

グループとしての業績を評価するよ!

分かりました!

1 連結財務諸表とは

イントロダクション

第3章で、子会社株式や関連会社株式を学習しました。ここで子会社株式は、取得原価で評価するのみで、決算では特に仕訳をしませんでした。しかし、子会社として支配している会社の成績は親会社の成績とも考えることができるので、親会社と子会社を合わせた成績を把握する必要があります。

1 連結財務諸表って??

　有価証券の章でも学習したように、会社の規模が大きくなったり、事業活動の範囲が広くなると、他の会社の株式を保有して支配するような場合があります。このように、他の会社を支配する会社を親会社、支配される会社を子会社といいましたが、親会社と子会社は1つのグループを作っていると考えられるので、そのグループ単位での経営成績や財政状態を報告する必要があります。そのために作成するのが「**連結財務諸表**」です。

これに対して、ここまでで学習し、作成していた財務諸表は「個別財務諸表」といいます。連結財務諸表は親会社と子会社を合わせた企業グループ（企業集団）の成績を報告する財務諸表であり、個別財務諸表は1つの企業単体の成績を報告する財務諸表です。

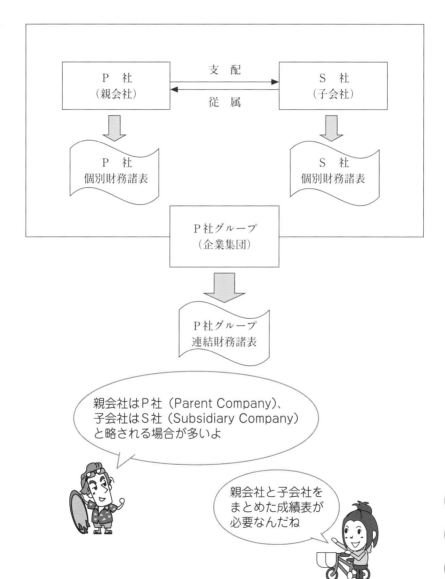

さっくり
9日目

しっかり
12日目

じっくり
16日目

コトバ

連結財務諸表：支配従属関係（親子会社関係）にある2つ以上の企業
　　　　　　　からなる集団（企業集団）を単一とみなして、親会社
　　　　　　　が企業集団の財政状態および経営成績を総合的に報告
　　　　　　　するために作成する財務諸表

個別財務諸表：企業が決算時にその企業の財政状態および経営成績を
　　　　　　　報告するために作成する財務諸表で、その企業単一の
　　　　　　　もの

支配：ある会社の経営方針などを左右する能力を有していること

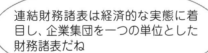

個別財務諸表は法律上の形式に着目
し、企業それ自体（法人格）を一つ
の単位とした財務諸表だね

連結財務諸表は経済的な実態に着
目し、企業集団を一つの単位とした
財務諸表だね

個別財務諸表と連結財務諸表

<個別財務諸表>

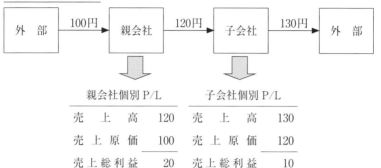

親会社個別 P/L		子会社個別 P/L	
売 上 高	120	売 上 高	130
売 上 原 価	100	売 上 原 価	120
売 上 総 利 益	20	売 上 総 利 益	10

<連結財務諸表>

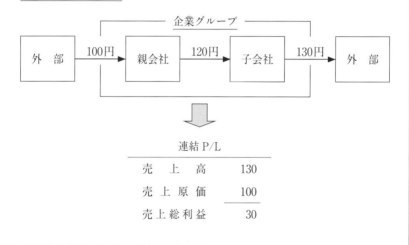

連結 P/L	
売 上 高	130
売 上 原 価	100
売 上 総 利 益	30

企業グループにとって取引は企業グループ
外部との取引に限られるんだね

親会社と子会社の
取引は企業グループ
にとっての取引には
ならないんだよ…

さっくり
9日目

しっかり
12日目

じっくり
16日目

2 連結の範囲

　親会社は、原則として全ての子会社を連結の範囲に含めなければいけません。第3章では、子会社の株式の50%を超えて保有した場合は、基本的に株主総会での決め事を単独で決定できるので、支配しているとして子会社と判断できました。しかし、実際には「**支配力基準**」といって実質的に株主総会などを支配しているか否かで子会社にあたるか否かを判断します。

　ただし、日商簿記2級では特別な指示がある場合を除いて、他の会社の発行している株式の50%超を保有しているか否かで子会社にあたるか否かを判断します。

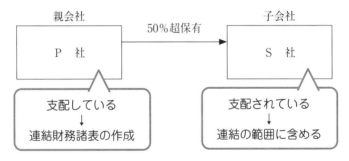

コトバ

支配力基準：実質的な支配関係の有無にもとづいて子会社の判定を行う方法

子会社の株式の50%超を保有していなくても、その会社を事実上支配している場合は子会社として扱うんだね

　連結損益計算書も連結貸借対照表も基本的には個別財務諸表と同じ形式です。ただし、①連結特有の科目がある（または個別と科目が異なる）、②一部の科目が集約されているという2点は個別財務諸表と異なります。

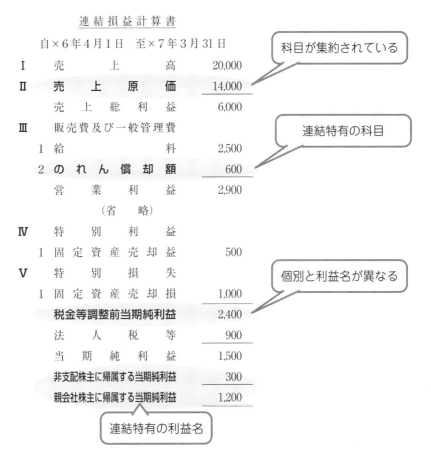

連結損益計算書

自×6年4月1日　至×7年3月31日

I	売　上　高		20,000
II	売　上　原　価		14,000
	売　上　総　利　益		6,000
III	販売費及び一般管理費		
1	給　料		2,500
2	の　れ　ん　償　却　額		600
	営　業　利　益		2,900
	（省　略）		
IV	特　別　利　益		
1	固　定　資　産　売　却　益		500
V	特　別　損　失		
1	固　定　資　産　売　却　損		1,000
	税金等調整前当期純利益		2,400
	法　人　税　等		900
	当　期　純　利　益		1,500
	非支配株主に帰属する当期純利益		300
	親会社株主に帰属する当期純利益		1,200

科目が集約されている

連結特有の科目

個別と利益名が異なる

連結特有の利益名

第16章　連結財務諸表 I

さっくり
9日目

しっかり
12日目

じっくり
16日目

📖 個別財務諸表における売上原価

　個別財務諸表の売上原価は以下のようにその内訳項目を明記する形式で表示されました。

損 益 計 算 書

自×6年4月1日　至×7年3月31日

Ⅰ　　売　　　上　　　高		20,000
Ⅱ　　売　　上　　原　　価		
1　期 首 商 品 棚 卸 高	3,000	
2　当 期 商 品 仕 入 高	15,000	
合　　　　　計	18,000	
3　期 末 商 品 棚 卸 高	4,000	14,000
売　上　総　利　益		6,000

売上原価＝期首商品棚卸高＋当期商品仕入高－期末商品棚卸高

他にも連結特有の表示方法がいくつかあるよ!!

4 | 連結貸借対照表の雛形

　連結貸借対照表は主に純資産の部の表示について個別財務諸表との違いが見られます。そのため、以下連結貸借対照表の純資産の部だけを紹介します。

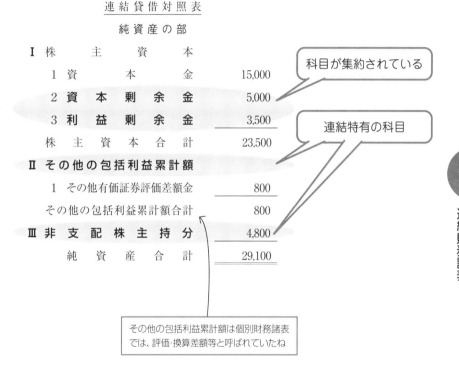

連 結 貸 借 対 照 表

純 資 産 の 部

I	株　　主　　資　　本	
	1　資　　　　本　　　　金	15,000
	2　資　　本　　剰　　余　　金	5,000
	3　利　　益　　剰　　余　　金	3,500
	株　主　資　本　合　計	23,500
II	その他の包括利益累計額	
	1　その他有価証券評価差額金	800
	その他の包括利益累計額合計	800
III	非　支　配　株　主　持　分	4,800
	純　資　産　合　計	29,100

> 科目が集約されている

> 連結特有の科目

> その他の包括利益累計額は個別財務諸表では、評価・換算差額等と呼ばれていたね

第16章

連結財務諸表 I

さっくり 9日目

しっかり 12日目

じっくり 16日目

連結株主資本等変動計算書

　連結財務諸表を作成する企業は、連結損益計算書および連結貸借対照表のほか、連結株主資本等変動計算書も作成しなければいけません。

　連結株主資本等変動計算書は、連結貸借対照表で純資産の部の科目が集約されたり、連結特有の科目があるので、それに合わせて作成します。それ以外は個別株主資本等変動計算書と基本的には同じです。

5　連結財務諸表の作成手続

　連結財務諸表は、親会社と子会社の個別財務諸表をもとに作成します。具体的には、①親会社と子会社の個別財務諸表を合算し、その後、②合算された財務諸表に必要な修正（連結修正仕訳）を加えて作成します。この連結財務諸表作成のための一連の手続きは、仕訳帳や総勘定元帳に記録されるわけではありません。帳簿外の連結精算表上で行います。

個別財務諸表が連結財務諸表の基礎になるから、仕訳帳への仕訳は要らないんだ

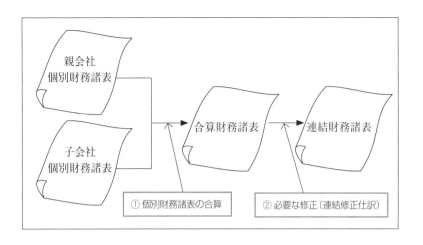

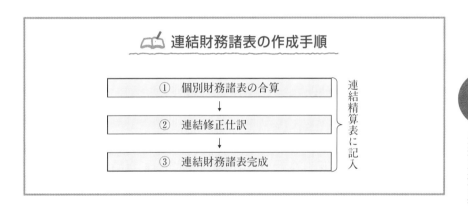

連結財務諸表の作成手順

① 個別財務諸表の合算
↓
② 連結修正仕訳
↓
③ 連結財務諸表完成

連結精算表に記入

コトバ

連結修正仕訳：連結財務諸表を作成する段階で、親会社と子会社の財務諸表
を合算したものに調整を加える仕訳

帳簿は書かないって
言ったでしょ！

つい、書いちゃった
んです…

さっくり
9日目

しっかり
12日目

じっくり
16日目

～支配力基準と持株基準～

　このSectionでは、実質的な支配従属関係があるか否かで連結の範囲を決定する「支配力基準」を学習しました。

　この基準以外にも、「持株基準」といって親会社が子会社の株式の過半数を所有しているかどうかのみにより形式的に連結の範囲を決定する方法があります。ただし、この基準は採用されていません。

　なぜなら、持株基準の場合、意図的に株式の保有割合を50%以下にして業績の悪い子会社などを連結の範囲から除外することができるからです。このようなことが自由に行われてしまうと、連結財務諸表が企業集団の実態を正しく反映しなくなります。

　支配力基準の場合は、意図的に株式の保有割合を50%以下にしても、実質的には支配していると判断され、業績の悪い子会社などを簡単に連結の範囲から除外することができません。これにより、企業集団の実態を正しく反映した連結財務諸表を作成することができます。

業績の悪い子会社などを意図的に連結の範囲から除外することを「連結はずし」と呼ぶよ！！

2 資本連結

イントロダクション

連結財務諸表を作成するには①個別財務諸表を合算し、②連結修正仕訳を行うことが必要です。連結修正仕訳にはいくつか種類がありますが、ここでは資本連結という会社の資本関係の修正手続きを学習します。連結会計の重要な基礎部分なので、機械的に覚えるのではなく理解するように心がけてください。

くっつけますよ！

第16章

連結財務諸表Ⅰ

1 投資と資本の相殺消去とは?

親会社は子会社株式を取得したときに、以下の仕訳をしています。

【子会社株式取得時】

借 方 科 目	金 額	貸 方 科 目	金 額
子 会 社 株 式	×××	現 金 預 金	×××

子会社に対する投資

さっくり
9日目

しっかり
12日目

じっくり
16日目

一方、子会社は親会社の出資を受けて、株式を発行したときに以下の仕訳をしています。

【株式発行時】

借　方　科　目	金　額	貸　方　科　目	金　額
現　金　預　金	×××	資　　本　　金	×××

親会社の投資に対する子会社の資本

　そのため、親会社の貸借対照表と子会社の貸借対照表とを単純に合算した貸借対照表では、資産の部に子会社株式が計上され、純資産の部に子会社の資本が計上されます。しかし、これらの項目は企業集団の内部の取引により生じた項目なので、連結貸借対照表を作成するうえで、消去する必要があります。これが、投資と資本の相殺消去です。

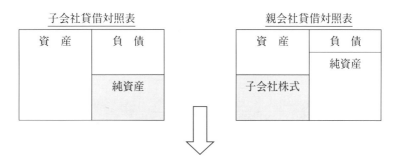

それぞれ内部取引から発生した項目なので消去

↓

投資と資本の相殺消去

【投資と資本の相殺消去（連結修正仕訳）】

借　方　科　目	金　額	貸　方　科　目	金　額
資　　本　　金	×××	子　会　社　株　式	×××

親会社の投資に対する
子会社の資本の消去

子会社に対する投資の消去

　連結財務諸表を作成するということは、親会社は必ず子会社株式を保有しており、また、子会社は必ず親会社からの出資を受けているので、連結財務諸表の作成にあたり投資と資本の相殺消去は必ず行います。なお、投資と資本の相殺消去を中心とした資本に関する連結手続のことを「**資本連結**」といいます。

> **コトバ**
>
> 投資と資本の相殺消去：親会社の子会社に対する投資とこれに対する
> 　　　　　　　　　　　子会社の資本を消去する手続
> 資本連結：投資と資本の相殺消去を中心とした資本に関する連結手続

投資と資本の相殺消去は連結
修正仕訳として行うんだよ

さっくり
9日目

しっかり
12日目

じっくり
16日目

☆ 連結修正仕訳と連結財務諸表を作ろう！

🔍 例16－1

問題　八百源は×２年度末（×３年３月31日）に子会社となる静
　　　岡商店を設立し、静岡商店の株式100％を20,000円で取得
　　　した。なお、静岡商店においては、株式の発行による払込
　　　みを全額資本金としている。また、×２年度末の個別貸借
　　　対照表は以下の通りである。

貸 借 対 照 表

	八百源	静岡商店		八百源	静岡商店
諸　資　産	45,000	20,000	諸　負　債	25,000	－
子会社株式	20,000	－	資　本　金	35,000	20,000
			利益剰余金	5,000	－
	65,000	20,000		65,000	20,000

企業グループ

出資して
あげるよ！

八百源

株式

内部取引

ありがとう♪

静岡商店

【解答】

① 連結修正仕訳

借 方 科 目	金 額	貸 方 科 目	金 額
資　本　金	20,000	子 会 社 株 式	20,000

② 連結貸借対照表

連結貸借対照表

諸　資　産	65,000	諸　負　債	25,000
		資　本　金	35,000
		利 益 剰 余 金	5,000
	65,000		65,000

【考え方】

①-1　八百源では×2年度末に以下の仕訳（子会社株式を取得した仕訳）をしている。

借　方　科　目	金　額	貸　方　科　目	金　額
子 会 社 株 式	20,000	現金預金（諸資産）	20,000

①-2　静岡商店では×2年度末に以下の仕訳（八百源から出資を受けた仕訳）をしている。

借　方　科　目	金　額	貸　方　科　目	金　額
現金預金（諸資産）	20,000	資　　本　　金	20,000

①-3　上記①-1と①-2の仕訳を合算する。

借　方　科　目	金　額	貸　方　科　目	金　額
子 会 社 株 式	20,000	資　　本　　金	20,000

② 連結財務諸表作成にあたり、八百源と静岡商店との間の取引は企業集団内部の取引なので、一つの企業集団として考えた場合、この出資取引はおこなわれていないことになる。そのため、企業集団として考えた場合、仕訳はない。

借　方　科　目	金　額	貸　方　科　目	金　額
仕　訳　な　し			

さっくり
9日目

しっかり
12日目

じっくり
16日目

③つまり、企業集団として考えた場合、①-3の仕訳はなかったことになるので、連結修正仕訳により消去する。

⇒ ①-3の仕訳を②の仕訳に修正する仕訳（解答の仕訳）

借 方 科 目	金 額	貸 方 科 目	金 額
資 本 金	20,000	子 会 社 株 式	20,000

連結修正仕訳は、それぞれ個別に行われた仕訳を、企業集団としてあるべき姿になおす仕訳なんだね

3級で学習した訂正仕訳と同じ考え方だね

エリート小林

④ 個別貸借対照表（問題と同じ）

貸 借 対 照 表

	八百源	静岡商店		八百源	静岡商店
諸 資 産	45,000	20,000	諸 負 債	25,000	－
子 会 社 株 式	20,000	－	資 本 金	35,000	20,000
			利 益 剰 余 金	5,000	－
	65,000	20,000		65,000	20,000

⑤ 個別貸借対照表を単純に合算

合 算 貸 借 対 照 表

諸 資 産	65,000	諸 負 債	25,000
子 会 社 株 式	20,000	資 本 金	55,000
		利 益 剰 余 金	5,000
	85,000		85,000

資本金のうち20,000円は子会社である静岡商店の資本 ⇒ 投資と資本の相殺消去で消去される

⑥ ⑤の合算貸借対照表に③の連結修正仕訳を反映させると連結財
務諸表が作成できる（解答の連結貸借対照表）。子会社に対する
投資は子会社の資本と相殺消去されるため、連結貸借対照表に子
会社株式は計上されない。また、諸資産は親会社である八百源と
子会社の静岡商店の金額を単純に合算した金額となる。

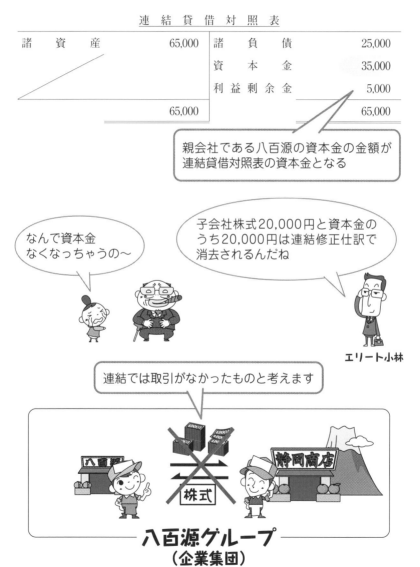

連 結 貸 借 対 照 表

諸 資 産	65,000	諸 負 債	25,000
		資 本 金	35,000
		利 益 剰 余 金	5,000
	65,000		65,000

親会社である八百源の資本金の金額が
連結貸借対照表の資本金となる

なんで資本金
なくなっちゃうの～

子会社株式20,000円と資本金の
うち20,000円は連結修正仕訳で
消去されるんだね

エリート小林

連結では取引がなかったものと考えます

八百源グループ
（企業集団）

さっくり
9日目

しっかり
12日目

じっくり
16日目

☆ 連結修正仕訳と連結財務諸表を作ろう！

例16−2

問題 ① 八百源は×2年度末（×3年3月31日）に以前から活動
をおこなっている静岡商店の株式の100％を20,000円
で取得した。

② ×2年度末の個別貸借対照表は以下の通りである。

貸 借 対 照 表

	八百源	静岡商店			八百源	静岡商店
諸 資 産	57,000	28,000	諸 負 債	25,000	8,000
子会社株式	20,000	−	資 本 金	35,000	10,000
			資本剰余金	12,000	6,000
			利益剰余金	5,000	4,000
	77,000	28,000		77,000	28,000

内部取引は
相殺でアル！

あら！外に変な人
がいるわね…

【解答】

① 連結修正仕訳

借 方 科 目	金 額	貸 方 科 目	金 額
資 本 金	10,000	子 会 社 株 式	20,000
資 本 剰 余 金	6,000		
利 益 剰 余 金	4,000		

② 連結貸借対照表

連 結 貸 借 対 照 表

諸 資 産	85,000	諸 負 債	33,000
		資 本 金	35,000
		資 本 剰 余 金	12,000
		利 益 剰 余 金	5,000
	85,000		85,000

【考え方】

次の手順で連結貸借対照表を作成します。

手順1	個別貸借対照表を単純に合算する
手順2	連結修正仕訳を行う
手順3	連結貸借対照表を作成する

手順1 **個別貸借対照表を単純に合算する**

貸 借 対 照 表

	八百源	静岡商店		八百源	静岡商店
諸 資 産	57,000	28,000	諸 負 債	25,000	8,000
子 会 社 株 式	20,000	–	資 本 金	35,000	10,000
			資 本 剰 余 金	12,000	6,000
			利 益 剰 余 金	5,000	4,000
	77,000	28,000		77,000	28,000

さっくり
9日目

しっかり
12日目

じっくり
16日目

合　算　貸　借　対　照　表

諸　　資　　産	85,000	諸　　負　　債	33,000
子 会 社 株 式	20,000	資　　本　　金	45,000
		資 本 剰 余 金	18,000
		利 益 剰 余 金	9,000
	105,000		105,000

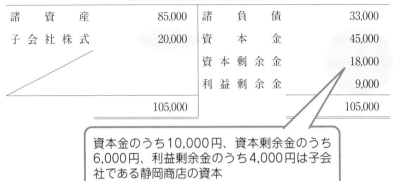

> 資本金のうち10,000円、資本剰余金のうち6,000円、利益剰余金のうち4,000円は子会社である静岡商店の資本
> ⇒ 投資と資本の相殺消去で消去される

手順2 連結修正仕訳を行う

投資と資本の相殺消去をします。

八百源が保有している子会社株式と、これに対応する静岡商店の純資産を相殺する仕訳が、解答の連結修正仕訳となります。

手順3 連結貸借対照表を作成する

合算貸借対照表に連結修正仕訳を反映させると連結貸借対照表が作成できます（解答の連結貸借対照表）。子会社に対する投資は子会社の資本（純資産）と相殺消去されるため、連結貸借対照表に子会社株式は計上されません。

連　結　貸　借　対　照　表

諸　　資　　産	85,000	諸　　負　　債	33,000
		資　　本　　金	35,000
		資 本 剰 余 金	12,000
		利 益 剰 余 金	5,000
	85,000		85,000

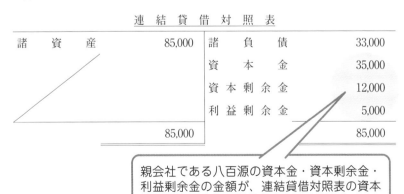

> 親会社である八百源の資本金・資本剰余金・利益剰余金の金額が、連結貸借対照表の資本金・資本剰余金・利益剰余金の金額となる

なお、諸資産と諸負債は親会社である八百源と子会社の静岡商店の金額を単純に合算した金額となる。

📖 親会社と子会社の貸借対照表を合算とは…

　連結貸借対照表は、親会社と子会社の貸借対照表を合算して作成します。例えば、親会社の貸借対照表の現金預金が10,000円で、子会社の貸借対照表の現金預金が4,000円だった場合、親会社と子会社の現金預金の金額を足し合わせます。

> 親会社10,000円 + 子会社4,000円 = 合算金額14,000円

　この14,000円が連結貸借対照表の金額の基礎になります。ここから、現金預金の金額を修正しなければいけない場合は、この14,000円に連結修正仕訳を加減算して、最終的な連結貸借対照表の現金預金の金額を求めます。他の科目もすべて同じように考えます。

とりあえず、親会社と子会社の財務諸表の各金額を単純に足せばいいんだべ

足した金額に連結修正仕訳を加味していくんだね！！

さっくり
9日目

しっかり
12日目

じっくり
16日目

投資と資本の相殺消去は、八百源が静岡商店の株式を静岡商店から購入したと思って考えるとイメージしやすいです。

①-1 八百源が静岡商店の株式を取得した仕訳

借 方 科 目	金 額	貸 方 科 目	金 額
子 会 社 株 式	20,000	現金預金（諸資産）	20,000

①-2 静岡商店が八百源から出資を受けた仕訳

借 方 科 目	金 額	貸 方 科 目	金 額
現金預金（諸資産）	20,000	資 本 金	10,000
		資 本 剰 余 金	6,000
		利 益 剰 余 金	4,000

①-3 上記①-1と①-2の仕訳を合算

借 方 科 目	金 額	貸 方 科 目	金 額
子 会 社 株 式	20,000	資 本 金	10,000
		資 本 剰 余 金	6,000
		利 益 剰 余 金	4,000

② 八百源と静岡商店との間の取引は企業集団内部の取引なので、一つの企業集団として考えた場合、この出資取引は行われていないと考え、仕訳はない。

借 方 科 目	金 額	貸 方 科 目	金 額
仕 訳 な し			

③ つまり、企業集団として考えた場合、①-3の仕訳はなかったことになるので、連結修正仕訳により消去する。

⇒ ①-3を②に修正する仕訳が解答の仕訳

　ここまでは、親会社の子会社に対する投資とそれに対する子会社の
資本を、企業集団の内部の取引ということで消去しました。また、先
ほどは、子会社の資本とそれに対する親会社の投資が等しい場合を前
提にみてきました。

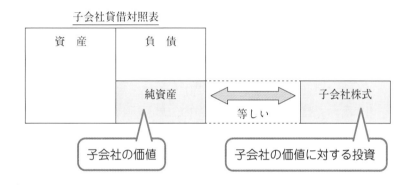

　しかし、合併の章でも学習しましたが、子会社の価値よりも高いお
金を支払って、子会社の株式を買ってくる場合があります。この高く
支払った分は目に見えない資産である「のれん」として処理します。

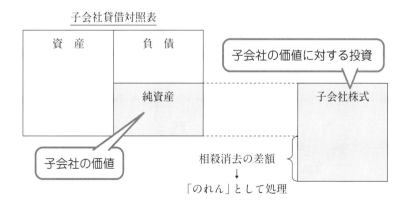

第16章

連結財務諸表I

さっくり
9日目

しっかり
12日目

じっくり
17日目

このように、子会社に対する投資の方が子会社の資本よりも大きい場合、投資と資本の相殺消去のときに差額が生じます。その差額をのれんとします。

【投資と資本の相殺消去（連結修正仕訳）】

借　方　科　目	金　　額	貸　方　科　目	金　　額
資　　本　　金	×××	子　会　社　株　式	×××
資　本　剰　余　金	×××		
利　益　剰　余　金	×××		
の　　れ　　ん	×××		

子会社の資本　　相殺消去差額　　親会社の投資

　また「のれん」は無形固定資産に計上され、決算で償却をします。そのとき「**のれん償却**」（費用：販売費及び一般管理費）を増やし、「**のれん**」（資産）を減らします。のれんは20年以内に定額法その他合理的な方法で償却し、記帳方法は直接法のみです。

【決算時】

借　方　科　目	金　　額	貸　方　科　目	金　　額
の　れ　ん　償　却	×××	の　　れ　　ん	×××

費用（販売費及び一般管理費）の増加　　資産の減少

のれんは合併のときにも出てきたね

同じように処理するんだよ！

エリート小林

☆ 連結修正仕訳と連結財務諸表を作ろう！

例16－3

問題 ① 八百源は×2年度末（×3年3月31日）に以前から活動を
行っている静岡商店の株式の100％を25,000円で取得し
た。

② ×2年度末の個別貸借対照表は以下の通りである。

貸 借 対 照 表

	八百源	静岡商店		八百源	静岡商店
諸　資　産	52,000	28,000	諸　負　債	25,000	8,000
子会社株式	25,000	－	資　本　金	35,000	10,000
			資本剰余金	12,000	6,000
			利益剰余金	5,000	4,000
	77,000	28,000		77,000	28,000

③ ×3年度の決算を迎えたので、のれんを償却する。なお、
のれんは10年間にわたって定額法により償却していく
こととする。

【解答】

① 連結修正仕訳

借　方　科　目	金　額	貸　方　科　目	金　額
資　　本　　金	10,000	子 会 社 株 式	25,000
資 本 剰 余 金	6,000		
利 益 剰 余 金	4,000		
の　　れ　　ん	5,000		

さっくり 9日目

しっかり 12日目

じっくり 17日目

② 連結貸借対照表

<table>
<tr><td colspan="4" style="text-align:center">連 結 貸 借 対 照 表</td></tr>
<tr><td>諸　　資　　産</td><td>80,000</td><td>諸　　負　　債</td><td>33,000</td></tr>
<tr><td>の　　れ　　ん</td><td>5,000</td><td>資　　本　　金</td><td>35,000</td></tr>
<tr><td></td><td></td><td>資 本 剰 余 金</td><td>12,000</td></tr>
<tr><td></td><td></td><td>利 益 剰 余 金</td><td>5,000</td></tr>
<tr><td></td><td>85,000</td><td></td><td>85,000</td></tr>
</table>

③ ×3年度決算時（のれんの償却についてのみ）

借　方　科　目	金　　額	貸　方　科　目	金　　額
の れ ん 償 却	500	の　　れ　　ん	500

【考え方】

① 子会社の資本が20,000円（資本金10,000円＋資本剰余金6,000円＋利益剰余金4,000円）であるのに対し、親会社の投資が25,000円
⇒ 20,000円のものを25,000円で買ってきたと考える
⇒ 差額5,000円は目に見えない価値にお金を払ったと考え、のれんとして仕訳する

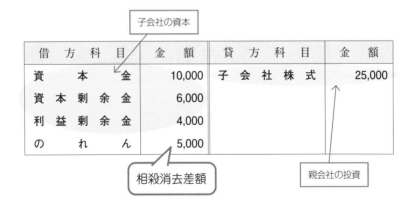

② 連結貸借対照表

連　結　貸　借　対　照　表

諸　資　産	80,000	諸　　負　　債	33,000
の　れ　ん	5,000	資　　本　　金	35,000
		資　本　剰　余　金	12,000
		利　益　剰　余　金	5,000
	85,000		85,000

無形固定資産

親会社である八百源の資本金・資本剰余金・利益剰余金の金額が連結貸借対照表の資本金・資本剰余金・利益剰余金の金額となる

　諸資産と諸負債は、親会社である八百源と子会社である静岡商店の金額を単純に合算した金額となる。

③-1　のれんは10年間にわたって定額法により償却していく
　　　⇒「のれん償却」（費用：販売費及び一般管理費）の増加、「のれん」（資産）の減少
③-2　のれんを償却期間10年、残存価額ゼロの定額法により償却していく
　　　⇒ 5,000円 ÷ 10年 ＝ 500円

さっくり
9日目

しっかり
12日目

じっくり
17日目

静岡商店貸借対照表

| 資　産 28,000円 | 負　債 8,000円 |
| | 純資産 20,000円 |

のれん 5,000円

25,000円分 子会社株式

八百源は25,000円の価値 があると考えたんだね！

> **重要**

のれんのまとめ

償却方法	（一般的に）定額法
残存価額	ゼロ
償却期間	最長20年
記帳方法	直接法のみ
P／L表示	販売費及び一般管理費
B／S表示	無形固定資産

📖 負ののれん発生益

　ここまでは、子会社の価値よりも高い金額で子会社株式を買っていることを前提としましたが、子会社の価値よりも低い金額で子会社株式を買う場合も考えられます。このような場合、相殺消去差額が貸方に出てきます。貸方に出た相殺消去差額は「**負ののれん発生益**」として特別利益に計上します。そのため、貸方に出た相殺消去差額を貸借対照表に計上したり、償却したりはしません。

　仮に、【例16 - 3】で静岡商店の株式の100％を17,000円で取得した場合の連結修正仕訳は以下のようになります。

借 方 科 目	金 額	貸 方 科 目	金 額
資 本 金	10,000	子 会 社 株 式	17,000
資 本 剰 余 金	6,000	負ののれん発生益	3,000
利 益 剰 余 金	4,000		

収益（特別利益）の増加

今までの「のれん」とは全然違う処理ね

20,000円の価値のものを17,000円で買ってきたと考えるんだよ

さっくり 9日目

しっかり 12日目

じっくり 17日目

3 親会社以外の株主がいたら…

　ある会社の株式のすべてを保有して子会社とする場合もありますが、すべての株式を保有しなくても子会社として支配することができます。株式の保有割合が50％超～100％であれば支配できるので、例えば、70％の株式を保有した場合も、子会社として支配できるといえます。この場合、残りの30％は親会社以外の株主が保有することになりますが、このような親会社以外の株主を「**非支配株主**」といいます。

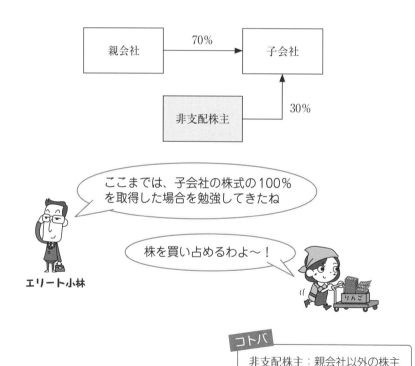

ここまでは、子会社の株式の100％を取得した場合を勉強してきたね

エリート小林

株を買い占めるわよ～！

コトバ
非支配株主：親会社以外の株主

また、非支配株主が存在する場合、子会社の資本はすべて親会社に帰属するわけではなく、非支配株主に帰属する部分が生じます。例えば、八百源が神戸商店（資本金50円、資本剰余金40円、利益剰余金10円）の80%を120円で取得した場合を考えてみましょう。

神戸商店貸借対照表

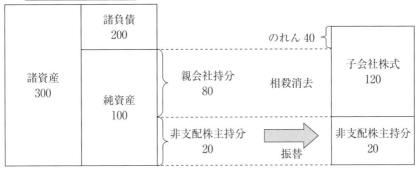

　上の図から分かるように、八百源は神戸商店の80%の株式を取得したので、神戸商店の純資産100円のうち80%の80円分は親会社である八百源の分になります。これに対して八百源は120円払っていますので、40円ののれんがでます。残りの神戸商店の20%分は親会社である八百源以外のもの、つまり非支配株主のものなので、「**非支配株主持分**」（純資産）として表します。これは投資と資本の相殺消去で次のように仕訳します。

八百源が80円のものを120円で
買ってきたって考えるんだね

非支配株主持分は純資産
の部の一番最後に書くよ

エリート小林

① 親会社分（80%）

　子会社の資本のうち親会社の分（80%分）は、親会社の投資部分と相殺し、差額がでたらのれんとする。

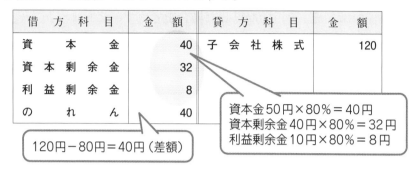

借　方　科　目	金　　額	貸　方　科　目	金　額
資　　　本　　　金	40	子　会　社　株　式	120
資　本　剰　余　金	32		
利　益　剰　余　金	8		
の　　　れ　　　ん	40		

120円－80円＝40円（差額）

資本金50円×80％＝40円
資本剰余金40円×80％＝32円
利益剰余金10円×80％＝8円

② 非支配株主分（20%）

　子会社の資本のうち非支配株主の分（20%）は、「非支配株主持分」に置き替える。

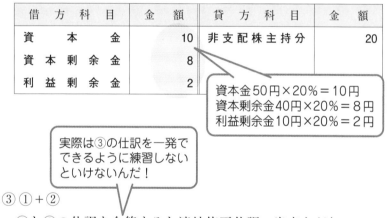

借　方　科　目	金　　額	貸　方　科　目	金　額
資　　　本　　　金	10	非支配株主持分	20
資　本　剰　余　金	8		
利　益　剰　余　金	2		

資本金50円×20％＝10円
資本剰余金40円×20％＝8円
利益剰余金10円×20％＝2円

実際は③の仕訳を一発でできるように練習しないといけないんだ！

③ ①＋②

　①と②の仕訳を合算すると連結修正仕訳の出来上がり。

借　方　科　目	金　　　額	貸　方　科　目	金　　額
資　　　本　　　金	50	子　会　社　株　式	120
資　本　剰　余　金	40	非　支　配　株　主　持　分	20
利　益　剰　余　金	10		
の　　　れ　　　ん	40		

☆ 連結修正仕訳と連結財務諸表を作ろう！

例16－4

問題 八百源は×2年度末（×3年3月31日）に以前から活動を
行っている静岡商店の株式の80％を25,000円で取得し
た。なお、×2年度末の個別貸借対照表は以下の通りであ
る。

貸 借 対 照 表

	八百源	静岡商店		八百源	静岡商店
諸 資 産	52,000	30,000	諸 負 債	25,000	8,000
子 会 社 株 式	25,000	－	資 本 金	35,000	12,000
			資 本 剰 余 金	12,000	6,000
			利 益 剰 余 金	5,000	4,000
	77,000	30,000		77,000	30,000

良さそうな会社
だから株買うか

がんばってます！

【解答】

① 連結修正仕訳

借 方 科 目	金 額	貸 方 科 目	金 額
資 本 金	12,000	子 会 社 株 式	25,000
資 本 剰 余 金	6,000	非 支 配 株 主 持 分	4,400
利 益 剰 余 金	4,000		
の れ ん	7,400		

さっくり 9日目

しっかり 12日目

じっくり 17日目

② 連結貸借対照表

<table>
<tr><th colspan="4">連 結 貸 借 対 照 表</th></tr>
<tr><td>諸　資　産</td><td>82,000</td><td>諸　負　債</td><td>33,000</td></tr>
<tr><td>の　れ　ん</td><td>7,400</td><td>資　本　金</td><td>35,000</td></tr>
<tr><td></td><td></td><td>資 本 剰 余 金</td><td>12,000</td></tr>
<tr><td></td><td></td><td>利 益 剰 余 金</td><td>5,000</td></tr>
<tr><td></td><td></td><td>非支配株主持分</td><td>4,400</td></tr>
<tr><td></td><td>89,400</td><td></td><td>89,400</td></tr>
</table>

【考え方】

①-1　親会社分（八百源分80%）

子会社の資本のうち親会社の分は、親会社の投資部分と相殺し、差額が出たらのれんとする。

借　方　科　目	金　額	貸　方　科　目	金　額
資　　本　　金	9,600	子 会 社 株 式	25,000
資 本 剰 余 金	4,800		
利 益 剰 余 金	3,200		
の　　れ　　ん	7,400		

25,000円－17,600円
＝7,400円（差額）

資本金12,000円×80%
＝9,600円
資本剰余金6,000円×80%
＝4,800円
利益剰余金4,000円×80%
＝3,200円

①-2　非支配株主分（20％）

子会社の資本のうち非支配株主の分は、「非支配株主持分」に置き替える。

借　方　科　目	金　　額	貸　方　科　目	金　　額
資　　本　　金	2,400	非 支 配 株 主 持 分	4,400
資 本 剰 余 金	1,200		
利 益 剰 余 金	800		

> 資本金12,000円×20％
> ＝2,400円
> 資本剰余金6,000円×20％
> ＝1,200円
> 利益剰余金4,000円×20％
> ＝800円

①-3　①と②の仕訳を合算したものが解答の仕訳となる。

借　方　科　目	金　　額	貸　方　科　目	金　　額
資　　　本　　　金	12,000	子 会 社 株 式	25,000
資 本 剰 余 金	6,000	非 支 配 株 主 持 分	4,400
利 益 剰 余 金	4,000	×20％	
の　　れ　　ん	7,400		

貸借差額

「非支配株主持分」は純資産に表示されるのね

さっくり
9日目

しっかり
12日目

じっくり
17日目

4 連結2年目以降の処理は…

　連結財務諸表は個別財務諸表を基礎に作成されるため、連結財務諸表作成のための連結修正仕訳は、帳簿外の連結精算表上で行われます。つまり、仕訳帳や総勘定元帳に連結修正仕訳が反映されることはありません。そこで、連結2年目以降の処理については、まず、前期に行った連結修正仕訳を再び行わなければなりません。これを「**開始仕訳**」といいます。そして、この開始仕訳を行った後に、当期の連結修正仕訳を行います。

> コトバ
>
> 開始仕訳：過去の連結修正仕訳を当期の連結財務諸表に反映させる
> 　　　　　ための仕訳

> 連結修正仕訳は帳簿に記入されないから、
> まず開始仕訳で過去の仕訳を復元するんだね

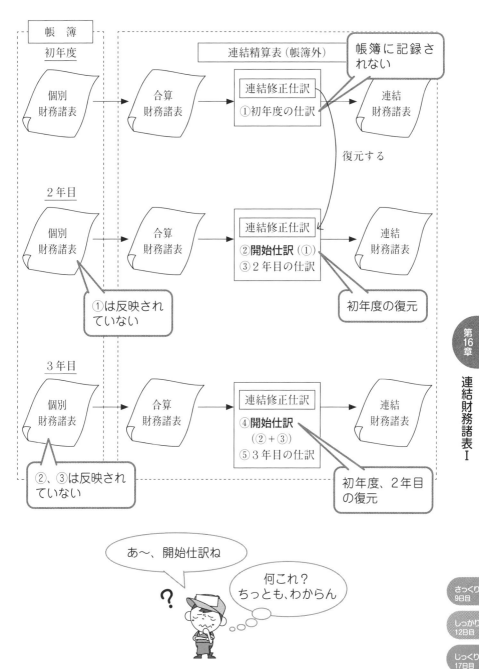

また、開始仕訳は過去の連結修正仕訳と同じ仕訳になりますが、純資産の科目は株主資本等変動計算書の科目で仕訳します。具体的には、純資産の勘定科目の後ろに「**当期首残高**」と付け加えます。

　例えば、連結初年度に次の連結修正仕訳が行われたとします。

借　方　科　目	金　　額	貸　方　科　目	金　　額
資　　本　　金	10,000	子　会　社　株　式	20,000
資　本　剰　余　金	6,000		
利　益　剰　余　金	4,000		

　この仕訳が2年目の連結手続きでは、開始仕訳として次のように、純資産の勘定科目が株主資本等変動計算書の科目で復元されます。

 復　元

借　方　科　目	金　　額	貸　方　科　目	金　　額
資本金**当期首残高**	10,000	子　会　社　株　式	20,000
資本剰余金**当期首残高**	6,000		
利益剰余金**当期首残高**	4,000		

フクゲンね…

?

重要　開始仕訳

① 連結2年目以降は過去の仕訳を開始仕訳で復元する。

② 開始仕訳での純資産の科目は科目の後ろに「当期首残高」をつける。

📖 株主資本等変動計算書とのつながり

　連結初年度の連結修正仕訳で「資本金」・「資本剰余金」・「利益剰余金」を減少させた場合には、連結2年目においては開始仕訳で株主資本等変動計算書の「資本金－当期首残高」・「資本剰余金－当期首残高」・「利益剰余金－当期首残高」を減少させることになります。

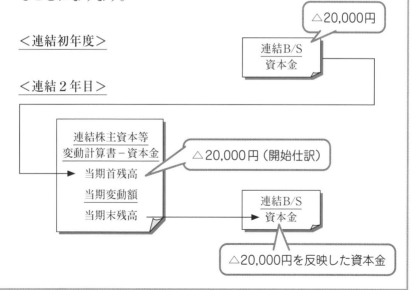

＜連結初年度＞

> △20,000円

　　　連結B/S
　　　資本金

＜連結2年目＞

　　連結株主資本等
　　変動計算書－資本金　　△20,000円（開始仕訳）
　　　　当期首残高
　　　　当期変動額
　　　　当期末残高　　　　　連結B/S
　　　　　　　　　　　　　　資本金

> △20,000円を反映した資本金

さっくり
9日目

しっかり
12日目

じっくり
17日目

☆ 開始仕訳をしてみよう！！

例16－5

問題　八百源は×2年度末（×3年3月31日）に以前から活動を
　　　行っている静岡商店の株式の80％を25,000円で取得し
　　　た。本日、×3年度末の決算を迎えたので、開始仕訳を行
　　　う。なお、×2年度末の個別貸借対照表は以下のとおりで
　　　ある。

貸 借 対 照 表

	八百源	静岡商店		八百源	静岡商店
諸 資 産	52,000	30,000	諸 負 債	25,000	8,000
子 会 社 株 式	25,000	－	資 本 金	35,000	12,000
			資 本 剰 余 金	12,000	6,000
			利 益 剰 余 金	5,000	4,000
	77,000	30,000		77,000	30,000

慎重にやら
ないと…

静岡に子会社
あったのか…

【解答】
　×3年度連結修正仕訳（開始仕訳）

借 方 科 目	金 額	貸 方 科 目	金 額
資 本 金 当 期 首 残 高	12,000	子 会 社 株 式	25,000
資本剰余金当期首残高	6,000	非支配株主持分当期首残高	4,400
利益剰余金当期首残高	4,000		
の　　れ　　ん	7,400		

【考え方】

八百源は支配を獲得した×2年度末に以下の仕訳を行っている。網掛け部分は純資産の科目なので、×3年度連結修正仕訳で開始仕訳として復元するときには「当期首残高」をつける。

借 方 科 目	金 額	貸 方 科 目	金 額
資 本 金	12,000	子 会 社 株 式	25,000
資 本 剰 余 金	6,000	非 支 配 株 主 持 分	4,400
利 益 剰 余 金	4,000		
の れ ん	7,400		

「非支配株主持分」も純資産の項目だから「当期首残高」がつくよ

×3年　3/31　　4/1　　×3年度　　×4年　3/31

支配

投資と資本の相殺消去　　　　　　　→　開始仕訳

5 子会社が計上した利益は…

　子会社の支配を獲得した後、子会社が利益を計上した場合、その利益のうち親会社の分については親会社のものとします。それに対して、非支配株主の分については非支配株主持分とします。

　例えば、神戸商店の株式の80％を取得し支配を獲得した後に、親会社が600円、神戸商店が50円の当期純利益を計上したとすると、50円の当期純利益のうち40円は親会社の分と考えます。

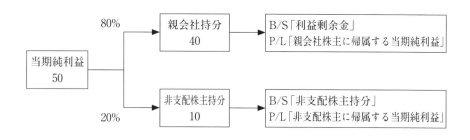

　親会社に分けられた利益については仕訳は必要ありません。なぜなら、連結財務諸表を作成する段階で、子会社である神戸商店の損益計算書も合算するので、その中に神戸商店の当期純利益50円が含まれているからです。

【子会社の利益（親会社分）】

借　方　科　目	金　　額	貸　方　科　目	金　　額
仕　訳　な　し		

しかし、神戸商店の当期純利益50円の中には、非支配株主の分10円が含まれているので、非支配株主に分けてあげる連結修正仕訳が必要になります。まず「親会社株主に帰属する当期純利益」のマイナスを示す「非支配株主に帰属する当期純利益」を借方に仕訳します。次に、純資産の増加を示す「非支配株主持分」を貸方に仕訳しますが、科目は株主資本等変動計算書の科目で仕訳をします。この仕訳は、過去の復元を意味する仕訳（開始仕訳）ではなく、当期の修正仕訳なので「当期首残高」ではなく「**当期変動額**」を科目の後に付け加えます。

【子会社の利益（非支配株主分）】

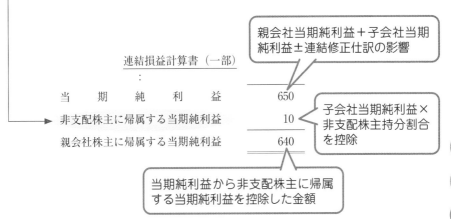

借　方　科　目	金　額	貸　方　科　目	金　額
非支配株主に帰属する当期純利益	10	非支配株主持分当期変動額	10

親会社株主に帰属する
当期純利益のマイナス

非支配株主持分（純資産）の増加
＝株主資本等変動計算書の科目

　連結損益計算書の表示は、連結損益計算書上で算定された当期純利益から非支配株主に帰属する当期純利益を控除した金額を親会社株主に帰属する当期純利益とします。

親会社当期純利益＋子会社当期
純利益±連結修正仕訳の影響

連結損益計算書（一部）
　　　　　　　　：

当　期　純　利　益	650
非支配株主に帰属する当期純利益	10
親会社株主に帰属する当期純利益	640

子会社当期純利益×
非支配株主持分割合
を控除

当期純利益から非支配株主に帰属
する当期純利益を控除した金額

さっくり
9日目

しっかり
13日目

じっくり
17日目

☆ **連結修正仕訳を行い、連結損益計算書（一部）を作ろう！！**

例16-6

問題　八百源が以前から子会社として支配している静岡商店の当期純利益は3,000円であった。なお、八百源の静岡商店に対する株式保有割合は80％であり、八百源の当期純利益は10,000円であった。また、上記以外のことは考慮しなくてよい。

【解答】

① 連結修正仕訳

借　方　科　目	金　額	貸　方　科　目	金　額
非支配株主に帰属する当期純利益	600	非支配株主持分当期変動額	600

② 連結損益計算書（一部）

連結損益計算書（一部）
:

当　　期　　純　　利　　益	13,000
非支配株主に帰属する当期純利益	600
親会社株主に帰属する当期純利益	12,400

【考え方】

①-1　子会社当期純利益3,000円×非支配株主持分割合20%
　　　＝ 600円

①-2　非支配株主に利益を分ける分だけ、非支配株主持分が増加
　　　⇒ 非支配株主持分は純資産項目
　　　⇒ 当期の修正仕訳なので「当期変動額」を付ける

②-1　連結損益計算書における当期純利益
　　　⇒ 親会社当期純利益10,000円＋子会社当期純利益3,000円
　　　＝ 13,000円

②-2　連結損益計算書における非支配株主に帰属する当期純利益
　　　⇒ 子会社当期純利益3,000円×非支配株主持分割合20%
　　　＝ 600円

②-3　連結損益計算書における親会社株主に帰属する当期純利益
　　　⇒ 当期純利益13,000円－非支配株主に帰属する当期純利益
　　　　600円 ＝ 12,400円

過去の復元じゃない
から「当期変動額」
になるのね

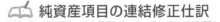

純資産項目の連結修正仕訳

ここが
ポイント！

| 開始仕訳（過去の復元仕訳） | ⇒ | 科目の後に「当期首残高」 |
| 当期の修正仕訳 | ⇒ | 科目の後に「当期変動額」 |

さっくり
9日目

しっかり
13日目

じっくり
17日目

6 子会社が配当をすると…

　子会社は親会社と非支配株主に対して剰余金の配当をします。例えば、親会社が80％の株式を保有している場合で、子会社が10,000円の剰余金の配当をすると、親会社には80％の8,000円が、非支配株主には20％の2,000円が配当されます。

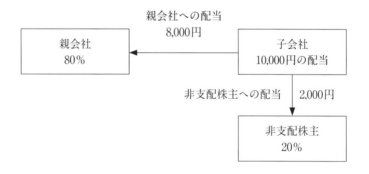

　このような剰余金の配当は、親会社に対する配当と非支配株主に対する配当で、連結での処理が異なります。

　子会社から親会社に対する配当は、企業集団内部の取引であるため、親会社での配当金の受取りの処理と子会社での配当金の支払いの処理を相殺します。

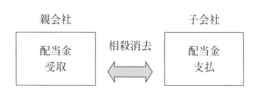

【連結修正仕訳（親会社に対する配当：相殺消去仕訳）】

借 方 科 目	金 額	貸 方 科 目	金 額
受 取 配 当 金	×××	配 当 金	×××

相殺消去

利益剰余金の株主資本等変動計算書上の科目

【子会社の親会社に対する配当金支払いの仕訳（子会社）】

借 方 科 目	金 額	貸 方 科 目	金 額
利 益 剰 余 金	×××	現 金 預 金	×××

【親会社の子会社からの配当金受取りの仕訳（親会社）】

借 方 科 目	金 額	貸 方 科 目	金 額
現 金 預 金	×××	受 取 配 当 金	×××

なお、利益剰余金は純資産項目なので株主資本等変動計算書の科目で仕訳します。利益剰余金は純資産項目の中でも株主資本なので、増減の内容を示す科目、「配当金」と仕訳します。

配当で利益剰余金が減ったから「配当金」と仕訳するのか

純資産項目でも株主資本は、増減の内容を詳しく示すように表示するんだったね

さっくり
9日目

しっかり
13日目

じっくり
17日目

また、子会社から非支配株主への配当は、子会社の資本のうち非支配株主の部分から行われたものなので、非支配株主持分を減少させます。連結では、利益剰余金が減ったのではなく、非支配株主持分が減ったと考えて仕訳します。

【連結修正仕訳（非支配株主に対する配当：非支配株主持分の減少）】

借　方　科　目	金　　額	貸　方　科　目	金　　額
非支配株主持分当期変動額	×××	配　　　当　　　金	×××

非支配株主持分（純資産）の減少
＝株主資本等変動計算書の科目

利益剰余金の株主資本
等変動計算書上の科目

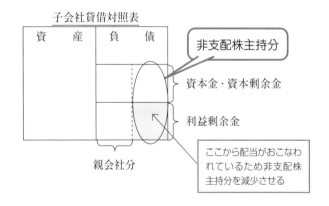

子会社貸借対照表

非支配株主持分

資本金・資本剰余金

利益剰余金

ここから配当がおこなわれているため非支配株主持分を減少させる

親会社分

重要　子会社の利益剰余金からの配当

親会社持分	親会社の「受取配当金」と相殺消去
非支配株主持分	「非支配株主持分」の減少

【連結修正仕訳】
親会社に対する仕訳と非支配株主に対する仕訳をまとめる

借　方　科　目	金　額	貸　方　科　目	金　額
受　取　配　当　金	×　×　×	配　　当　　金	×　×　×
非支配株主持分当期変動額	×　×　×		

親会社に対する配当金
↓
受取配当金と相殺消去

親会社に対する配当金＋
非支配株主に対する配当金
↓
全て消去

非支配株主に対する配当金
↓
非支配株主持分を消去

子会社が行った配当は、連結修正仕訳で全て消去されるから、連結財務諸表の「剰余金の配当」はすべて親会社が行った配当です

親会社が行った配当は、連結財務諸表でも「剰余金の配当」として処理されるよ

さっくり
9日目

しっかり
13日目

じっくり
17日目

☆ 連結修正仕訳をしてみよう！！

例16-7

問題　八百源が以前から子会社として支配している静岡商店が当期に1,500円の配当を行った。なお、八百源の静岡商店に対する株式保有割合は80％であり、剰余金の配当は利益剰余金から行われている。

【解答】

連結修正仕訳

借　方　科　目	金　額	貸　方　科　目	金　額
受　取　配　当　金	1,200	配　　当　　金	1,500
非支配株主持分当期変動額	300		

【考え方】

①-1　子会社が行った剰余金の配当はすべて消去

①-2　利益剰余金は純資産項目なので、株主資本等変動計算書の科目

② 親会社に対する配当は、受取配当金と相殺消去

　⇒ 配当1,500円×親会社保有割合80％ ＝ 1,200円

③-1　非支配株主に対する配当は非支配株主持分の減少として仕訳

　⇒ 配当1,500円×非支配株主保有割合20％ ＝ 300円

③-2　非支配株主持分は純資産項目なので株主資本等変動計算書の科目

確認テスト

問題

次の取引に関する各仕訳をしなさい。なお、各取引は関連していない。

① 当社は×1年3月31日に、熊本興業株式会社の発行済株式の80%を2,800,000円で取得し、子会社とした。×1年3月31日の熊本興業株式会社における資本金は2,000,000円、資本剰余金は500,000円、利益剰余金は700,000円であった。当社の連結財務諸表作成のための投資と資本の相殺消去仕訳を示しなさい。

② 当社の子会社である富山物産株式会社は、剰余金の配当50,000円を行った。なお、当社は富山物産株式会社の株式の70%を保有している。当社の連結財務諸表作成のための連結修正仕訳を示しなさい。

	借　方　科　目	金　額	貸　方　科　目	金　額
①				
②				

さっくり 9日目

しっかり 13日目

じっくり 17日目

解 答

	借 方 科 目	金 額	貸 方 科 目	金 額
①	資 本 金	2,000,000	子 会 社 株 式	2,800,000
	資 本 剰 余 金	500,000	非 支 配 株 主 持 分	640,000
	利 益 剰 余 金	700,000		
	の れ ん	240,000		
②	受 取 配 当 金	35,000	配 当 金	50,000
	非支配株主持分当期変動額	15,000		

解 説

① 支配を獲得した×1年3月31日の熊本興業株式会社の純資産は
3,200,000円であり、その80%を2,800,000円で取得したため、の
れんを240,000円計上します。また、熊本興業株式会社の20%は非
支配株主持分となります。

・のれん：2,800,000円−3,200,000円×80%＝240,000円

・非支配株主持分：3,200,000円×20%＝640,000円

② 子会社である富山物産株式会社が実施した親会社への剰余金の配
当は全て消去します。また、親会社に対する配当は受取配当金と相
殺消去し、非支配株主に対する配当は非支配株主持分の減少として
仕訳します。なお、利益剰余金と非支配株主持分は純資産項目であ
るため、株主資本等変動計算書の科目で仕訳します。

・受取配当金の相殺消去：配当50,000円×当社保有70%
　　　　　　　　　　　　＝35,000円
・非支配株主持分の減少高：配当50,000円×非支配株主持分30%
　　　　　　　　　　　　＝15,000円

第17章 連結財務諸表Ⅱ

学習進度目安

●第17章で学習すること

さっくり 10日間	しっかり 15日間	じっくり 20日間
10日目	13日目	18日目
	14日目	19日目

① **連結会社間取引の処理**

② **未実現利益の消去**

グループ間の取引は
なかったことにするのか～
面倒だな

1 連結会社間取引の処理

イントロダクション

本支店会計では、本店と支店との間の取引を消去して本支店合併財務諸表を作成しました。連結会計についても同様に、親会社と子会社との間で商品売買取引やお金の貸し借りがあった場合は、これらの取引は企業グループの中での取引なので、企業グループの成績とはいえません。そのため、そのような取引はなかったものとして修正していきます。

なかった事にして！

1 親会社と子会社との間の売上げと仕入れ

　親会社と子会社との間で行われた取引高およびその取引に伴って生じた債権・債務は相殺消去します。連結会社間での取引は、企業集団の観点から考えると内部取引であるため、これを相殺消去します。これにより、連結財務諸表には企業集団外部の企業との間で行われた外部取引および企業集団外部者に対する債権・債務が表示されます。

そのため、親会社と子会社との間で行われた売上げと仕入れおよびこれに伴って生じる売掛金や受取手形、買掛金や支払手形は相殺消去します。

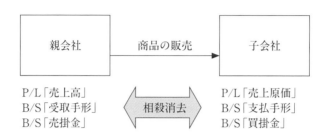

また、連結財務諸表では売上原価の内訳項目は「売上原価」として集約して表示されるため、連結修正仕訳で「当期商品仕入高」は「売上原価」とします。

【連結修正仕訳（売上げと仕入れの相殺消去）】

借　方　科　目	金　　額	貸　方　科　目	金　　額
売　　上　　高	×××	売　上　原　価	×××

仕入の消去＝当期商品仕入高
は連結上集約⇒売上原価

【連結修正仕訳（債権・債務の相殺消去）】

借　方　科　目	金　　額	貸　方　科　目	金　　額
支　払　手　形	×××	受　取　手　形	×××
買　　掛　　金	×××	売　　掛　　金	×××

親会社と子会社の取引は
なかったことに
なるんだね！

第17章

連結財務諸表Ⅱ

さっくり
10日目

しっかり
13日目

じっくり
18日目

☆ 連結修正仕訳をしてみよう！！

例17-1

問題 ① 八百源は当期に子会社である静岡商店に商品2,500円
を売上げた。
② 八百源の静岡商店に対する期末の売掛金は300円、受取
手形は200円であった。

内部取引は
相殺するよ！

【解答】

①

借　方　科　目	金　額	貸　方　科　目	金　額
売　　上　　高	2,500	売　上　原　価	2,500

②

借　方　科　目	金　額	貸　方　科　目	金　額
買　　掛　　金	300	売　　掛　　金	300
支　払　手　形	200	受　取　手　形	200

【考え方】

①-1 親会社（八百源）の売上げと子会社（静岡商店）の仕入れは
相殺消去

①-2 親会社の売上時の仕訳

借　方　科　目	金　額	貸　方　科　目	金　額
×　　×　　×	2,500	売　　上　　高	2,500

①-3　子会社の仕入時の仕訳

借　方　科　目	金　額	貸　方　科　目	金　額
仕　　　　　　入	2,500	×　　×　　×	2,500

①-4　①-2と①-3を相殺消去する仕訳が解答の仕訳
①-5　「仕入」は連結財務諸表では「売上原価」に集約されるので、
　　　連結修正仕訳は「売上原価」とする
②-1　親会社（八百源）の子会社（静岡商店）に対する期末の売掛
　　　金と受取手形は消去
②-2　親会社（八百源）の子会社（静岡商店）に対する売掛金と受
　　　取手形がある
　　　＝ 子会社（静岡商店）の親会社（八百源）に対する買掛金と
　　　　 支払手形が同じ金額だけあることになる
　　　⇒ 子会社（静岡商店）の親会社（八百源）に対する買掛金と
　　　　 支払手形は消去

親会社と子会社の取引がなかったことになるから、そこから発生した売掛金などの債権や買掛金などの債務もなかったことになるんだね

なかった事で！

そんな〜

さっくり
10日目

しっかり
13日目

じっくり
18日目

2　親会社と子会社との間の貸し借り

　親会社と子会社との間で行われた資金の貸し借りも企業集団の観点から考えると内部取引です。そのため、連結修正仕訳で貸付金と借入金を相殺消去します。さらに、この取引に伴って生じた受取利息と支払利息、未収収益や未払費用などの経過勘定項目も相殺消去します。

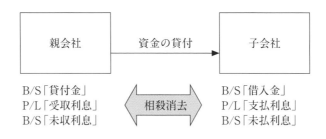

【連結修正仕訳（借入れと貸付けの相殺消去）】

借　方　科　目	金　額	貸　方　科　目	金　額
（長　期）借　入　金	×××	（長　期）貸　付　金	×××

【連結修正仕訳（利息・経過勘定の相殺消去）】

借　方　科　目	金　額	貸　方　科　目	金　額
受　取　利　息	×××	支　払　利　息	×××
未　払　利　息	×××	未　収　利　息	×××

☆　×1年度の連結修正仕訳をしてみよう！！

🔍 例17－2

問題　八百源は×1年7月1日に子会社である静岡商店に12,000円の貸し付けを行った。貸付条件は、貸付期間5年、年利率3％、利払日年2回毎年6月30日と12月31日である。なお、会計期間は4月1日～3月31日の1年間である。

【解答】

借　方　科　目	金　額	貸　方　科　目	金　額
長　期　借　入　金	12,000	長　期　貸　付　金	12,000
受　取　利　息	270	支　払　利　息	270
未　払　利　息	90	未　収　利　息	90

【考え方】

①-1　親会社の貸付けと子会社の借入れは相殺消去

①-2　貸付期間が5年 ⇒ 長期借入金・長期貸付金

①-3　親会社の受取利息と子会社の支払利息は相殺消去

①-4　$12,000円 \times 年利率3\% \times \dfrac{9ヶ月（7月1日～3月31日）}{12ヶ月}$

　　　 $= 270円$

①-5　親会社の未収利息と子会社の未払利息は相殺消去

①-6　$12,000円 \times 年利率3\% \times \dfrac{3ヶ月（1月1日～3月31日）}{12ヶ月}$

　　　 $= 90円$

第17章
連結財務諸表Ⅱ

さっくり
10日目

しっかり
13日目

じっくり
18日目

親会社と子会社との間の売掛金と買掛金を相殺消去した場合で、この消去された売掛金に貸倒引当金が設定されていたときには、連結修正仕訳で貸倒引当金を調整します。

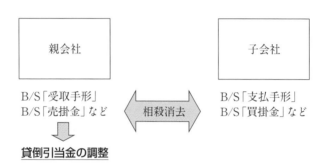

売掛金などが消去されると、連結では売掛金などがなかったことになるので、貸倒引当金も設定できないことになります。つまり、消去した売掛金などに対して設定していた貸倒引当金も消去します。

☆ 連結修正仕訳をしてみよう！！

Q 例17－3

問題　① ×1年度末において八百源は子会社である静岡商店に
対する売掛金10,000円があった。
② 八百源は、売掛金の期末残高に対して2％の貸倒引当金
を設定している。

貸倒れが
心配だ…

【解答】

①

借　方　科　目	金　　額	貸　方　科　目	金　　額
買　　掛　　金	10,000	売　　掛　　金	10,000

②

借　方　科　目	金　　額	貸　方　科　目	金　　額
貸　倒　引　当　金	200	貸　倒　引　当　金　繰　入	200

【考え方】

① 親会社の売掛金と子会社の買掛金は相殺消去

②-1　売掛金が消去
⇒ 売掛金に設定されている貸倒引当金および貸倒引当金繰
入も消去

②-2　10,000円×2％＝200円

さっくり
10日目

しっかり
13日目

じっくり
18日目

過去の連結修正仕訳で調整された貸倒引当金は、投資と資本の相殺消去と同じように開始仕訳で復元する必要があります。なお、過去に相殺消去した売掛金と買掛金は、当期末現在すでに残っていないので開始仕訳で復元する必要はありません。

【過去の連結修正仕訳（貸倒引当金の調整）】

借　方　科　目	金　　額	貸　方　科　目	金　　額
貸　倒　引　当　金	×××	貸　倒　引　当　金　繰　入	×××

復　元

【当期の連結修正仕訳（開始仕訳：貸倒引当金の調整の復元）】

借　方　科　目	金　　額	貸　方　科　目	金　　額
貸　倒　引　当　金	×××	利益剰余金当期首残高	×××

> 過去の損益項目
> ⇒利益剰余金当期首残高

　ここで、過去の「貸倒引当金繰入」を復元しますが、過去の「貸倒引当金繰入」は過去の費用であって、当期の費用ではありません。そのため、「貸倒引当金繰入」という科目を使うと当期の費用に影響を与えてしまうため、それを使うことはできません。そこで、過去の利益に影響を与えているという考え方から「利益剰余金」に影響を与えるように仕訳をします。また、利益剰余金は純資産項目でかつ、過去の金額に影響を与えるので「利益剰余金当期首残高」と仕訳します。

> 貸倒引当金繰入だけでなく、**過去の利益に影響を与える項目**があったら、すべて「**利益剰余金当期首残高**」として仕訳するよ

☆　連結修正仕訳をしてみよう！！

例17-4

問題　① ×2年度末において八百源は子会社である静岡商店に
　　　　対する売掛金15,000円があった。
　　　② 八百源は、売掛金の期末残高に対して2％の貸倒引当金
　　　　を設定している。なお、×1年度末に200円の貸倒引当
　　　　金が設定されていた。

ど～なってるんだ？

【解答】

①

借　方　科　目	金　　額	貸　方　科　目	金　　額
買　　掛　　金	15,000	売　　掛　　金	15,000

②

借　方　科　目	金　　額	貸　方　科　目	金　　額
貸　倒　引　当　金	300	利益剰余金当期首残高	200
		貸　倒　引　当　金　繰　入	100

第17章

連結財務諸表Ⅱ

【考え方】

① 親会社の売掛金と子会社の買掛金は相殺消去

②-1　売掛金が消去
　　　　⇒ 売掛金に設定されている貸倒引当金および貸倒引当金繰
　　　　　入も消去

さっくり
10日目

しっかり
13日目

じっくり
18日目

②-2　×1年度末に200円の貸倒引当金が設定されていた

　　　⇒ 過去の貸倒引当金繰入は当期の修正仕訳に使えない

　　　⇒ 過去の損益項目は「利益剰余金」で表す

　　　⇒ 利益剰余金は純資産項目なので「当期首残高」をつける

　　　⇒「利益剰余金当期首残高」で修正

借 方 科 目	金 額	貸 方 科 目	金 額
貸 倒 引 当 金	200	利益剰余金当期首残高	200

②-3　当期の貸倒引当金繰入は修正仕訳でそのまま修正

　　　⇒ 貸倒引当金繰入と貸倒引当金の相殺消去

　　　⇒ 貸倒見積額：15,000円×2% ＝ 300円

　　　⇒ 繰入額：300円－200円 ＝ 100円

借 方 科 目	金 額	貸 方 科 目	金 額
貸 倒 引 当 金	100	貸 倒 引 当 金 繰 入	100

②-4　解答の仕訳は②-2（前期分の開始仕訳）と②-3（当期分）を
　　　合算

前期分は開始仕訳だね

4 親会社と子会社との間の手形のやりとり

　親会社が子会社に商品を売上げたときに、子会社が親会社に対して約束手形を振出すことがあります。

　子会社が親会社に対して振出した手形を、親会社が銀行で割引をした場合、親会社の個別財務諸表上は手形の割引と考えます。

　しかし、手形の割引とは「第三者から受取った手形を満期日前に銀行で換金すること」です。そのため、企業グループで考えた場合、「第三者」から受取ったことにはならないので、手形の割引とは考えません。そこで、企業グループの観点からは、手形を担保としたお金の借入と考えます。

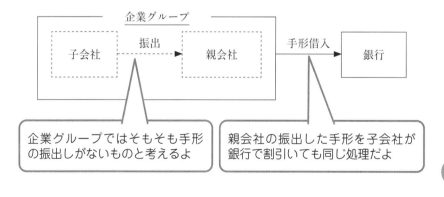

企業グループではそもそも手形の振出しがないものと考えるよ

親会社の振出した手形を子会社が銀行で割引いても同じ処理だよ

さっくり
10日目

しっかり
13日目

じっくり
18日目

【当期の連結修正仕訳（連結会社間で振出した手形の割引）】

借　方　科　目	金　　額	貸　方　科　目	金　　額
支　払　手　形	×××	短　期　借　入　金	×××

子会社が親会社に手形を振り出しているときに仕訳した支払手形を消去

お金を借りていると考えるので短期借入金で仕訳

【子会社が親会社に手形を振出したときの仕訳（子会社）】

借　方　科　目	金　　額	貸　方　科　目	金　　額
×　　×　　×	×××	支　払　手　形	×××

残るので消去

【親会社が子会社から手形を受取ったときの仕訳（親会社）】

借　方　科　目	金　　額	貸　方　科　目	金　　額
~~受　取　手　形~~	~~×××~~	×　　×　　×	×××

【親会社が銀行で手形を換金したときの仕訳（親会社）】

借　方　科　目	金　　額	貸　方　科　目	金　　額
現　金　預　金	×××	~~受　取　手　形~~	~~×××~~
手　形　売　却　損	×××		

手形が担保になるので、お金を返せなくなった時には手形の不渡りになるね

Kazu

☆ 連結修正仕訳をしてみよう！！

Q 例17−5

問題 当期に八百源は子会社である静岡商店振出の約束手形7,000円のうち5,000円を銀行で割引いた。なお、期末現在手形は決済されていない。なお、割引料については考慮しなくてよい。

【解答】

借 方 科 目	金 額	貸 方 科 目	金 額
支 払 手 形	7,000	受 取 手 形	2,000
		短 期 借 入 金	5,000

【考え方】

①-1 7,000円のうち5,000円を銀行で割引いた。なお、期末現在手形は決済されていない = 2,000円分は期末現在八百源にある
　　⇒ 親会社と子会社との間の債権債務は相殺消去
　　⇒ 静岡商店の支払手形と八百源の受取手形を相殺消去

①-2 静岡商店振出の約束手形5,000円を銀行で割引いた
　　⇒ 子会社（静岡商店）の支払手形を消去

①-3 静岡商店振出の約束手形5,000円を銀行で割引いた
　　⇒ 手形を担保とした借入と考える
　　⇒「短期借入金」で表す

第17章

連結財務諸表Ⅱ

さっくり
10日目

しっかり
13日目

じっくり
18日目

2 未実現利益の消去

イントロダクション

連結財務諸表は企業グループの成績表なので、たとえ親会社と子会社の間で商品売買などが行われても、その商品が企業グループの外に販売されない限りは、企業グループの成績とはいえません。さらに、その商品には販売側が上乗せした架空の利益が含まれているので消去する必要があります。

1 親会社が子会社に商品を売ると…

　親会社が子会社に商品を売った場合、親会社で利益（または損失）が計上されます。しかし、親会社の計上した利益（または損失）は企業グループ内で発生したものなので、企業グループの観点からは消去する必要があります。ただし、子会社に販売された商品がその後、さらに企業グループの外のお店に販売されていれば特に問題ありません。

つまり、子会社が販売済のときは、親会社の計上した利益（または損失）を消去する必要はありません。

　例えば、親会社が企業グループ外部の会社から200円で仕入れた商品を220円で子会社に販売し、その後子会社がその商品を企業グループ外部の会社に230円で販売する場合を考えてみましょう。

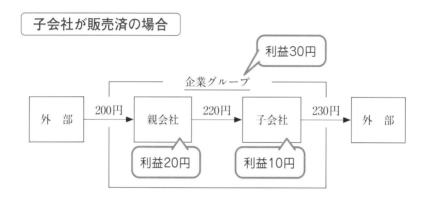

| 子会社が販売済の場合 |

　この場合、親会社の個別財務諸表で利益が20円、子会社の個別財務諸表で利益が10円計上されます。また企業グループで考えると、200円で仕入れた商品が230円で売れているので、30円の利益が計上されなくてはなりませんが、親会社と子会社の財務諸表を合算して作成する連結財務諸表には30円（親会社20円＋子会社10円）の利益が計上されることになるので、連結修正仕訳等を行う必要はありません。

　つまり、親会社の計上した利益（または損失）を消去する必要があるのは、親会社から子会社に売却された商品が子会社の在庫として残っている場合です。

さっくり
10日目

しっかり
14日目

じっくり
18日目

子会社で在庫となっている場合

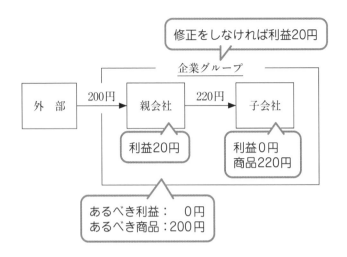

　この場合、親会社の個別財務諸表で利益が20円計上され、子会社の個別財務諸表で利益が0円、商品が220円計上されます。これを企業グループで考えると、200円で仕入れた商品がそのまま残っているので、連結財務諸表で利益が計上されてはいけません。しかし、親会社と子会社の財務諸表を合算して作成する連結財務諸表上、修正等を一切行わないと20円（親会社20円＋子会社0円）の利益が計上されてしまいます。そのため、連結財務諸表での利益が0円となるように修正をします。また、期末の商品も修正等を一切しないと親会社の上乗せした架空の利益が含まれた商品220円（20円は架空の利益分）が連結財務諸表に計上されてしまいます。しかし、それでは商品の過大計上になってしまうので、利益の修正と同時に期末の商品が親会社の仕入原価となるように修正をします。

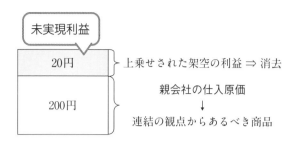

未実現利益

20円 — 上乗せされた架空の利益 ⇒ 消去

200円 — 親会社の仕入原価
↓
連結の観点からあるべき商品

　連結修正仕訳では、親会社により上乗せさせられた架空の利益である「**未実現利益**」を控除する必要があります。具体的には、売上原価の金額を増やすことにより費用を増やし、利益を減らします。また、同時に過大計上されている商品も減らします。

【連結修正仕訳（期末商品に係る未実現利益の消去）】

借　方　科　目	金　額	貸　方　科　目	金　額
売　上　原　価	×××	商　　　　　品	×××

未実現利益は売上原価で修正する（P/L面の修正）

未実現利益を商品から控除（B/S面の修正）

コトバ

未実現利益：親会社が加算した架空の利益で、連結財務諸表上は損益計算から控除しなければいけない利益

☆　連結修正仕訳をしてみよう！！

例17-6

問題　八百源（親会社）は静岡商店（子会社）に商品を販売している。静岡商店の期末商品には、八百源から仕入れた商品が8,000円含まれていた。なお、八百源の利益率は20％である。

【解答】

借　方　科　目	金　額	貸　方　科　目	金　額
売　上　原　価	1,600	商　　　　品	1,600

【考え方】

① 静岡商店の期末商品には、八百源から仕入れた商品が8,000円含まれていた

　⇒ 8,000円のうち未実現利益を消去

② 利益率20％

　⇒ 8,000円×20％ ＝ 1,600円が未実現利益

③ 売上原価を増やすことにより費用増加

　⇒ 利益減少（P/L面の修正）

④ 未実現利益の分だけ商品を減らす（B/S面の修正）

　ここまでは、親会社が子会社に商品を販売し、その商品が企業グループ外部に販売されず期末時点で子会社のもとにある場合を見てきました。この商品は翌期には期首商品となりますが、翌期末ではどのような連結修正仕訳を行うことになるでしょうか。ここでは、未実現利益を含んだ期首商品について、どのような処理を行うのかを学習します。

① まず、前期末の連結修正仕訳を開始仕訳により復元します。ここで、売上原価は翌期から考えると過去の損益項目なので「利益剰余金当期首残高」とします。

【連結修正仕訳（期末商品に係る未実現利益の消去）】

借　方　科　目	金　額	貸　方　科　目	金　額
売　上　原　価	×××	商　　　　　品	×××

復　元

【当期の連結修正仕訳（開始仕訳：未実現利益消去の復元）】

借　方　科　目	金　額	貸　方　科　目	金　額
利益剰余金当期首残高	×××	商　　　　　品	×××

過去の損益項目
⇒利益剰余金当期首残高

第17章

連結財務諸表Ⅱ

さっくり
10日目

しっかり
14日目

じっくり
18日目

② 次に、期首の商品はその期に企業グループの外部にすべて販売
されると考え、消去していた未実現利益をもとに戻します。つま
り、企業グループ（連結財務諸表）でも利益を計上してもいいと
いうことになります。具体的には、売上原価の金額を減らすこと
により費用を減らし、利益を増やします。また、同時に過大計上
されているといって消去した商品をもとに戻します。このように、
利益が計上されることを「**実現**」といいます。

【当期の連結修正仕訳（未実現利益の実現）】

借　方　科　目	金　　額	貸　方　科　目	金　　額
商　　　　　品	×××	売　上　原　価	×××

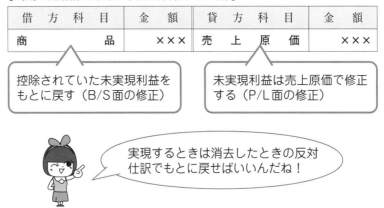

控除されていた未実現利益を
もとに戻す（B/S面の修正）

未実現利益は売上原価で修正
する（P/L面の修正）

実現するときは消去したときの反対
仕訳でもとに戻せばいいんだね！

このように、消去していた未実現利益は、企業グループの外部に商
品が販売されたときに実現すると考えます。実際の連結修正仕訳では
「復元」と「実現」の仕訳をまとめて行います。

【当期の連結修正仕訳（未実現利益の実現）】

借　方　科　目	金　　額	貸　方　科　目	金　　額
利益剰余金当期首残高	×××	売　上　原　価	×××

「商品」が相殺されたね！

☆ 連結修正仕訳をしてみよう！！

例17－7

問題　八百源（親会社）は静岡商店（子会社）に商品を販売している。静岡商店の前期末の商品には、八百源から仕入れた商品が8,000円含まれていた。なお、八百源の利益率は20％である。

【解答】

借　方　科　目	金　　額	貸　方　科　目	金　　額
利益剰余金当期首残高	1,600	売　上　原　価	1,600

【考え方】

① 静岡商店の前期末の商品には、八百源から仕入れた商品が8,000円含まれていた

⇒ 前期に未実現利益が消去されているので開始仕訳で復元

⇒ 前期の売上原価は過去の損益項目なので「利益剰余金当期首残高」で復元

② 利益率20％

⇒ 8,000円×20％ ＝ 1,600円が未実現利益

借　方　科　目	金　　額	貸　方　科　目	金　　額
利益剰余金当期首残高	1,600	商　　　　　　品	1,600

第17章
連結財務諸表Ⅱ

さっくり
10日目

しっかり
14日目

じっくり
18日目

③ 当期に期首の商品はすべて売れたと考えるので、未実現利益を実現させる

④ 売上原価を減らすことにより費用減少
　⇒ 利益増加 ⇒ 実現（P/L面の修正）

⑤ 前期末に消去された未実現利益の分だけ商品を元に戻す（B/S面の修正）

借　方　科　目	金　　額	貸　方　科　目	金　　額
商　　　　　　品	1,600	売　上　原　価	1,600

⑥ 解答の仕訳は上記②の復元仕訳と⑤の実現仕訳の合算

ダウン・ストリームとは……

また、この人か…
なんかややこしい事言うのかな…

📖 ダウン・ストリームって??

　ここまで、連結会社間の商品売買は親会社から子会社へ商品を販売する場合のみを見てきました。このように親会社から子会社へ商品を販売するパターンを「**ダウン・ストリーム**」といいます。しかし、子会社から親会社へ商品を販売することも当然考えられます。このパターンを「アップ・ストリーム」といいます。

実際の総合問題は…

　連結会計の総合問題では、親会社と子会社の間で商品売買を行っているケースが一般的です。この場合、通常、期末商品と期首商品の両方に未実現利益が含まれています。つまり、ここまでは期末商品に未実現利益が含まれている場合と期首商品に未実現利益が含まれている場合を分けて学習しましたが、実践的には1つの問題で両方の仕訳をすることになるでしょう。さらに親子会社間で売上げと仕入れが行われているので、①売上げと仕入れの相殺消去、②期首商品に係る未実現利益の実現、③期末商品に係る未実現利益の消去と3つの仕訳を準備する必要があります。

【売上げと仕入れの相殺消去】

借　方　科　目	金　　額	貸　方　科　目	金　　額
売　　上　　高	×××	売　上　原　価	×××

【期首商品に係る未実現利益の実現】

借　方　科　目	金　　額	貸　方　科　目	金　　額
利益剰余金当期首残高	×××	売　上　原　価	×××

【期末商品に係る未実現利益の消去】

借　方　科　目	金　　額	貸　方　科　目	金　　額
売　上　原　価	×××	商　　　　　品	×××

　さらに、掛けで取引しているのであれば、売掛金や買掛金の相殺消去仕訳も必要になりますし、その売掛金に貸倒引当金が設定されているのであれば、貸倒引当金の修正も必要になります。これらは問題に応じて柔軟に対応する必要があります。

第17章　連結財務諸表Ⅱ

さっくり 10日目

しっかり 14日目

じっくり 18日目

　商品以外にも、親会社と子会社との間で土地を売買する場合が考えられます。土地の売買でも、親会社が子会社に販売するときには、通常、一定の利益が加算されます。企業グループで考えると、商品と同じように未実現利益を消去する必要があります。具体的には、連結修正仕訳で親会社の個別財務諸表に計上した「土地売却益」を消去するとともに、未実現利益の分だけ過大評価されている子会社の土地を減らします。

【当期の連結修正仕訳（未実現利益の消去）】

借　方　科　目	金　　額	貸　方　科　目	金　　額
土　地　売　却　益	×××	土　　　　　　　地	×××

親会社が計上した利益の消去
（P/L面の修正）

過大計上された土地の減額
（B/S面の修正）

【親会社が子会社に土地を売却した時の仕訳（親会社）】

借　方　科　目	金　　額	貸　方　科　目	金　　額
現　金　預　金	×××	土　　　　　　地	×××
		土　地　売　却　益	×××

未実現利益なので消去

【子会社が親会社から土地を購入した時の仕訳（子会社）】

借　方　科　目	金　　額	貸　方　科　目	金　　額
土　　　　　地	×××	現　金　預　金	×××

過大評価されている分だけ減額

また通常、土地の売買は頻繁に行われることはないので、商品のように翌期に企業グループの外部に売却されると仮定することはできません。そのため、翌期の連結修正仕訳では、復元だけの仕訳をします。

【前期の連結修正仕訳（未実現利益の消去）】

借　方　科　目	金　額	貸　方　科　目	金　額
土　地　売　却　益	×××	土　　　　　地	×××

⬇ 復　元

【当期の連結修正仕訳（前期の復元）】

借　方　科　目	金　額	貸　方　科　目	金　額
利益剰余金当期首残高	×××	土　　　　　地	×××

過去の損益項目
⇒利益剰余金当期首残高

土地売却益は実際に外部に売却されたときに実現するのでアル！！

商品の場合は、実現する仕訳もセットだったよねー

変な人がいるよ！

見ちゃダメよ

さっくり
10日目

しっかり
14日目

じっくり
19日目

☆ 連結修正仕訳をしてみよう！！

例17－8

問題 当期に八百源（親会社）は10,000円の土地を12,000円で
静岡商店（子会社）に売却している。

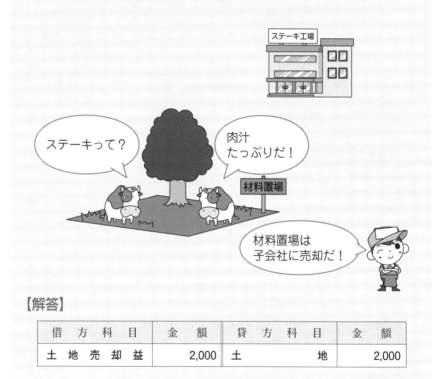

ステーキって？

肉汁
たっぷりだ！

ステーキ工場

材料置場

材料置場は
子会社に売却だ！

【解答】

借 方 科 目	金 額	貸 方 科 目	金 額
土 地 売 却 益	2,000	土 地	2,000

【考え方】

① 八百源（親会社）は10,000円の土地を12,000円で静岡商店（子会
社）に売却している
⇒2,000円（12,000円－10,000円）は未実現利益なので連結修正仕
訳で消去

② 親会社が計上した「土地売却益」を消去

③ 未実現利益の分だけ過大計上された子会社の土地を減額

☆ 連結修正仕訳をしてみよう！！

例17-9

問題　前期に八百源（親会社）は10,000円の土地を12,000円で
静岡商店（子会社）に売却している。

【解答】

借　方　科　目	金　額	貸　方　科　目	金　額
利益剰余金当期首残高	2,000	土　　　　　地	2,000

【考え方】

① 前期に八百源（親会社）は10,000円の土地を12,000円で静岡商店
（子会社）に売却している

　⇒ 前期の連結修正仕訳を復元

② 商品と異なり当期に販売されると考えないので、復元の仕訳のみ
を行う

③ 土地売却益（前期に計上した2,000円）は過去の損益項目なので
「利益剰余金当期首残高」で復元

第17章

連結財務諸表Ⅱ

さっくり
10日目

しっかり
14日目

じっくり
19日目

　ここまでは、親会社が子会社に商品等を販売するケースをみてきました。つまり、ダウン・ストリームのケースを前提としていましたが、反対に子会社が親会社に商品等を販売することもあります。ここからは、子会社が親会社に商品等を販売する場合、アップ・ストリームの会計処理を見ていきます。

　アップ・ストリームの場合は、子会社が利益を上乗せして商品等を販売しますが、連結修正仕訳でその利益は未実現利益として消去されます。ここで、アップ・ストリームの場合は利益を計上しているのが子会社なので、その消去された未実現利益のうち、非支配株主に帰属する部分は非支配株主に負担させる必要があります。ちなみに、ダウン・ストリームの場合は利益を計上しているのが親会社なので、それが未実現利益として消去されても、すべて親会社に負担させ、非支配株主に分ける必要はありません。

【ダウン・ストリーム】

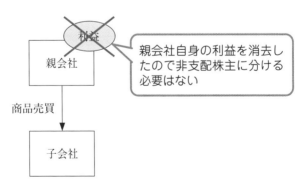

【アップ・ストリーム】

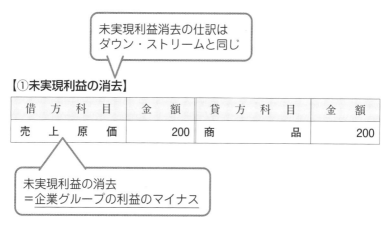

具体的には、①ダウン・ストリームの場合と同様に、期末商品の未実現利益を消去し、その後、②消去した未実現利益を持分割合に応じて非支配株主に負担させます。例えば、子会社が1,000円で仕入れた商品を1,200円で親会社に販売した場合は、以下のようになります（親会社の持分割合80％）。

未実現利益消去の仕訳は
ダウン・ストリームと同じ

【①未実現利益の消去】

借 方 科 目	金 額	貸 方 科 目	金 額
売 上 原 価	200	商 品	200

未実現利益の消去
＝企業グループの利益のマイナス

第17章

連結財務諸表Ⅱ

さっくり
10日目

しっかり
14日目

じっくり
19日目

LEC東京リーガルマインド　日商簿記2級 光速マスターNEO 商業簿記テキスト〈第6版〉　647

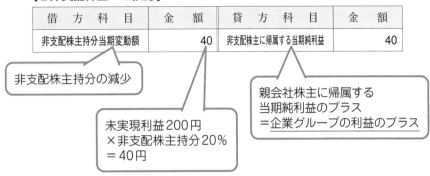

【②非支配株主への按分】

借　方　科　目	金　　額	貸　方　科　目	金　　額
非支配株主持分当期変動額	40	非支配株主に帰属する当期純利益	40

非支配株主持分の減少

未実現利益200円
×非支配株主持分20%
＝40円

親会社株主に帰属する
当期純利益のプラス
＝企業グループの利益のプラス

①の未実現利益の消去により、企業グループの利益を200円減らしますが、これでは企業グループの利益を減らし過ぎです。200円の未実現利益のうち、非支配株主の20%分である40円は企業グループ外部の非支配株主に負担させるべき部分になるので、②の非支配株主への按分仕訳により、減らし過ぎた企業グループの利益を40円分だけ戻します。これにより、『未実現利益の消去で減らした利益200円－非支配株主へ負担させる部分40円＝企業グループが負担する部分160円』となり、子会社の消去した未実現利益のうち、親会社持分160円（＝未実現利益の200円×親会社持分80%＝160円）を負担したことになります。

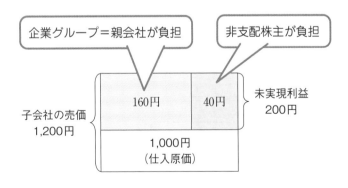

ダウン・ストリーム	親会社が未実現利益を計上 ↓ 消去する未実現利益は、全額親会社が負担 （非支配株主への按分は不要）
アップ・ストリーム	子会社が未実現利益を計上 ↓ 消去する未実現利益は、 親会社と非支配株主が持分割合に応じて負担 （非支配株主への按分が必要）

未実現利益の消去は、
ダウンでも、アップでも
やります

エリート小林

消去した未実現利益だけ減少
した利益を、誰が負担すべきか
が重要なのでアル！！

さっくり
10日目

しっかり
14日目

じっくり
19日目

☆ 連結修正仕訳をしてみよう！！

🔍 例17−10

問題 ① 静岡商店（子会社）は八百源（親会社）に商品を販売している。

② 八百源の当期末の商品には、静岡商店から仕入れた商品が8,000円分含まれていた。

③ 静岡商店の売上利益率は20％である。

④ 八百源は静岡商店の70％の株式を保有している。

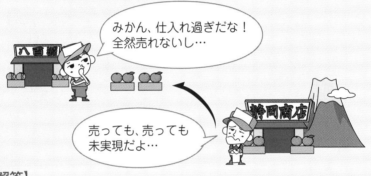

みかん、仕入れ過ぎだな！全然売れないし…

売っても、売っても未実現だよ…

【解答】

①

借　方　科　目	金　　額	貸　方　科　目	金　　額
売　上　原　価	1,600	商　　　　　品	1,600

②

借　方　科　目	金　　額	貸　方　科　目	金　　額
非支配株主持分当期変動額	480	非支配株主に帰属する当期純利益	480

僕達の利益が減っちゃったじゃないか！

さっさっと売って欲しいよな！

非支配株主

【考え方】

① ダウン・ストリームと同じ仕訳、同じ考え方

②-1　消去した未実現利益1,600円×非支配株主持分割合30%
　　　　＝ 480円

②-2　消去した未実現利益のうち非支配株主の分を按分
　　　⇒非支配株主に負担させる分は「非支配株主持分」を減少

②-3　減らし過ぎた企業グループの利益を戻す
　　　⇒「非支配株主に帰属する当期純利益」を貸方へ
　　　⇒ 親会社株主に帰属する当期純利益の増加
　　　　（企業グループの利益の増加）

さっくり
10日目

しっかり
14日目

じっくり
19日目

LEC東京リーガルマインド　日商簿記2級 光速マスターNEO 商業簿記テキスト〈第6版〉　651

企業グループの外部へ商品を販売したと考える翌期においては、科目を替えて復元仕訳をしました。具体的には、①純資産項目であれば、「株主資本等変動計算書の科目」で復元し、②過去の利益に影響を与える項目は「利益剰余金当期首残高」で復元します。非支配株主に負担させる仕訳も同じ考え方で復元仕訳をします。

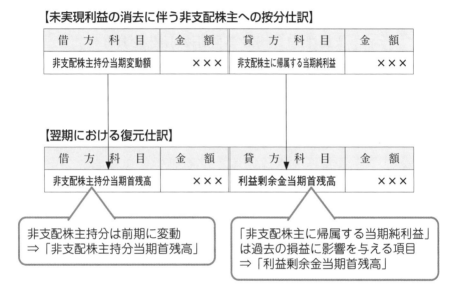

【未実現利益の消去に伴う非支配株主への按分仕訳】

借　方　科　目	金　　額	貸　方　科　目	金　　額
非支配株主持分当期変動額	×××	非支配株主に帰属する当期純利益	×××

【翌期における復元仕訳】

借　方　科　目	金　　額	貸　方　科　目	金　　額
非支配株主持分当期首残高	×××	利益剰余金当期首残高	×××

非支配株主持分は前期に変動
⇒「非支配株主持分当期首残高」

「非支配株主に帰属する当期純利益」
は過去の損益に影響を与える項目
⇒「利益剰余金当期首残高」

また、商品売買については、翌期に企業グループの外部へ商品が販売され、未実現利益が実現したと考えるので、連結修正仕訳としては①非支配株主持分に按分する復元仕訳（前ページ）と以下の②実現仕訳を行う必要があります。未実現利益が実現したことにより、子会社の利益が増えるので、増えた利益のうち非支配株主の分を非支配株主に分けてあげる必要があります。

【未実現利益の実現（ダウン・ストリームと同じ）】

借　方　科　目	金　　額	貸　方　科　目	金　　額
利益剰余金当期首残高	×××	売　上　原　価	×××

未実現利益の実現
＝企業グループの利益のプラス

【未実現利益の実現に伴う非支配株主への按分】

借　方　科　目	金　　額	貸　方　科　目	金　　額
非支配株主に帰属する当期純利益	×××	非支配株主持分当期変動額	×××

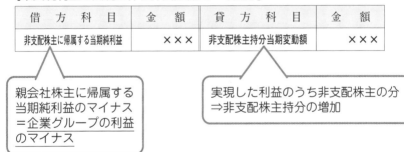

親会社株主に帰属する
当期純利益のマイナス
＝企業グループの利益
のマイナス

実現した利益のうち非支配株主の分
⇒非支配株主持分の増加

さっくり
10日目

しっかり
14日目

じっくり
19日目

商品に係る未実現利益（アップ・ストリーム）のまとめ

（1）期首商品に係る未実現利益の仕訳

【未実現利益に関する復元＋実現（ダウン・ストリームと同じ）】

借　方　科　目	金　額	貸　方　科　目	金　額
利益剰余金当期首残高	×××	売　上　原　価	×××

【非支配株主への按分に係る復元仕訳】

借　方　科　目	金　額	貸　方　科　目	金　額
非支配株主持分当期首残高	×××	利益剰余金当期首残高	×××

【非支配株主への按分に係る実現仕訳】

借　方　科　目	金　額	貸　方　科　目	金　額
非支配株主に帰属する当期純利益	×××	非支配株主持分当期変動額	×××

（2）期末商品に係る未実現利益の仕訳

【未実現利益消去（ダウン・ストリームと同じ）】

借　方　科　目	金　額	貸　方　科　目	金　額
売　上　原　価	×××	商　　　　　品	×××

【非支配株主への按分に係る仕訳】

借　方　科　目	金　額	貸　方　科　目	金　額
非支配株主持分当期変動額	×××	非支配株主に帰属する当期純利益	×××

☆　連結修正仕訳をしてみよう！！

🔍 例17－11

問題　① 静岡商店（子会社）は八百源（親会社）に商品を販売している。
　　　② 八百源の前期末の商品には、静岡商店から仕入れた商品が8,000円分含まれていた。
　　　③ 静岡商店の売上利益率は20％である。
　　　④ 八百源は静岡商店の70％の株式を保有している。

みかんが
売れたぜ！

やっとかよ！

【解答】

①

借　方　科　目	金　額	貸　方　科　目	金　額
利益剰余金当期首残高	1,600	売　上　原　価	1,600

②

借　方　科　目	金　額	貸　方　科　目	金　額
非支配株主持分当期首残高	480	利益剰余金当期首残高	480

第17章
連結財務諸表Ⅱ

さっくり
10日目

しっかり
14日目

じっくり
19日目

③

借　方　科　目	金　　額	貸　方　科　目	金　　額
非支配株主に帰属する当期純利益	480	非支配株主持分当期変動額	480

【考え方】

① ダウン・ストリームと同じ仕訳、同じ考え方

②-1　前期末（以下の仕訳）の復元仕訳⇒「非支配株主持分当期変動額」は「非支配株主持分当期首残高」に、「非支配株主に帰属する当期純利益」は「利益剰余金当期首残高」に替える。

②-2　消去した未実現利益1,600円×非支配株主持分割合30％
　　　＝ 480円

借　方　科　目	金　　額	貸　方　科　目	金　　額
非支配株主持分当期変動額	480	非支配株主に帰属する当期純利益	480

③ 当期に期首の商品はすべて売れたと考えるので、未実現利益の実現分を非支配株主に按分⇒ 前期末の反対仕訳により、非支配株主持分を増加させ、非支配株主に帰属する当期純利益を借方に仕訳し、企業グループの利益を減らす。

②は復元の仕訳で、③は実現の仕訳だね

微妙に科目が違うから、復元仕訳と実現仕訳の相殺はできないのか…

5 貸倒引当金や固定資産の売買に関するアップ・ストリーム…

　商品売買だけでなく、貸倒引当金の修正や固定資産の売買についても、アップ・ストリームの場合には、連結修正仕訳により変動した子会社の利益の一部を非支配株主に負担させていきます。

　具体的には、①ダウン・ストリームの仕訳に、②非支配株主に負担させる仕訳を追加します。どのパターンでも同じ発想で仕訳することができます。

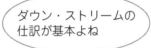

ダウン・ストリームの
仕訳が基本よね

ダウン・ストリームの仕訳に
按分仕訳を追加するんだね

第17章

連結財務諸表Ⅱ

さっくり
10日目

しっかり
14日目

じっくり
19日目

☆ 連結修正仕訳をしてみよう！！

例17-12

問題 ① 当期末において静岡商店は親会社である八百源に対する売掛金10,000円があった。
② 静岡商店は八百源に対する売掛金の期末残高に対して2％の貸倒引当金を設定している。
③ 八百源は静岡商店の70％の株式を保有している。

【解答】

①

借 方 科 目	金 額	貸 方 科 目	金 額
買 掛 金	10,000	売 掛 金	10,000

②

借 方 科 目	金 額	貸 方 科 目	金 額
貸 倒 引 当 金	200	貸 倒 引 当 金 繰 入	200

③

借 方 科 目	金 額	貸 方 科 目	金 額
非支配株主に帰属する当期純利益	60	非支配株主持分当期変動額	60

【考え方】

①、② ダウン・ストリームと同じ仕訳、同じ考え方

③-1　子会社の貸倒引当金繰入が減少

　　　　⇒ 子会社の費用が減少

　　　　⇒ 子会社の利益が増加

　　　　⇒ 非支配株主持分割合30%を按分

③-2　200円×非支配株主持分割合30% = 60円

非支配株主に帰属する
当期純利益は、損益項目
の反対側になるの
知ってた？

エリート小林

非支配株主に帰属する
当期純利益の反対側は、
非支配株主持分当期変動額
でアル！！

さっくり
10日目

しっかり
14日目

じっくり
19日目

☆ 連結修正仕訳をしてみよう！！

例17−13

問題 ① 当期末において静岡商店は親会社である八百源に対する売掛金15,000円があった。
② 静岡商店は、八百源に対する売掛金の期末残高に対して２％の貸倒引当金を設定している。なお、前期末に200円の貸倒引当金が設定されていた。
③ 八百源は静岡商店の70％の株式を保有している。

存在感うすめだもんね…

俺達も忘れられないようにしないとね！

非支配株主

【解答】

①

借 方 科 目	金 額	貸 方 科 目	金 額
買 掛 金	15,000	売 掛 金	15,000

②

借 方 科 目	金 額	貸 方 科 目	金 額
貸 倒 引 当 金	300	利益剰余金当期首残高	200
		貸 倒 引 当 金 繰 入	100

③

借 方 科 目	金 額	貸 方 科 目	金 額
利益剰余金当期首残高	60	非支配株主持分当期首残高	60
非支配株主に帰属する当期純利益	30	非支配株主持分当期変動額	30

【考え方】

①、② ダウン・ストリームと同じ仕訳、同じ考え方

③-1　前期末（以下の仕訳）の復元仕訳

　　　　⇒「非支配株主持分当期変動額」は「非支配株主持分当期首
　　　　　残高」に、「非支配株主に帰属する当期純利益」は「利益
　　　　　剰余金当期首残高」に替える

③-2　消去した貸倒引当金繰入200円×非支配株主持分30％

　　　　＝ 60円

借　方　科　目	金　　額	貸　方　科　目	金　　額
非支配株主に帰属する当期純利益	60	非支配株主持分当期変動額	60

③-3　当期の貸倒引当金繰入に関する非支配株主への按分

　　　　⇒ 子会社の貸倒引当金繰入が減少

　　　　⇒ 子会社の費用が減少

　　　　⇒ 子会社の利益が増加

　　　　⇒ 非支配株主持分割合30％を按分

③-4　100円×非支配株主持分割合30％＝ 30円

子会社の利益が動いたら、
非支配株主に分けるんだね

さっくり
10日目

しっかり
14日目

じっくり
19日目

☆ 連結修正仕訳をしてみよう！！

🔍 例17-14

問題 ① 当期に静岡商店（子会社）は10,000円の土地を12,000
円で八百源（親会社）に売却した。
② 八百源は静岡商店の70％の株式を保有している。

【解答】

①

借　方　科　目	金　額	貸　方　科　目	金　額
土　地　売　却　益	2,000	土　　　　　地	2,000

②

借　方　科　目	金　額	貸　方　科　目	金　額
非支配株主持分当期変動額	600	非支配株主に帰属する当期純利益	600

【考え方】

① ダウン・ストリームと同じ仕訳、同じ考え方

②-1 消去した未実現利益2,000円×非支配株主持分30％＝600円

②-2 消去した土地の未実現利益のうち非支配株主の分を按分
⇒ 非支配株主に負担させる分は「非支配株主持分」を減少

②-3 減らし過ぎた企業グループの利益を戻す
⇒「非支配株主に帰属する当期純利益」を貸方へ
⇒ 親会社株主に帰属する当期純利益の増加

☆ 連結修正仕訳をしてみよう！！

例17-15

問題　① 前期に静岡商店（子会社）は10,000円の土地を12,000
円で八百源（親会社）に売却した。
② 八百源は静岡商店の70％の株式を保有している。

土地は、翌期の売却を
前提としないため、実現
仕訳はしないのでアル！

仲間が減って
るなぁ…

【解答】

①

借　方　科　目	金　額	貸　方　科　目	金　額
利益剰余金当期首残高	2,000	土　　　　　地	2,000

②

借　方　科　目	金　額	貸　方　科　目	金　額
非支配株主持分当期首残高	600	利益剰余金当期首残高	600

第17章
連結財務諸表Ⅱ

さっくり
10日目

しっかり
14日目

じっくり
19日目

【考え方】

① ダウン・ストリームと同じ仕訳、同じ考え方

②-1　消去した未実現利益2,000円×非支配株主持分30% = 600円

②-2　前期末（以下の仕訳）の復元仕訳

　　　⇒「非支配株主持分当期変動額」は「非支配株主持分当期首残高」に、「非支配株主に帰属する当期純利益」は「利益剰余金当期首残高」に替える。

借　方　科　目	金　　額	貸　方　科　目	金　　額
非支配株主持分当期変動額	600	非支配株主に帰属する当期純利益	600

確認テスト

問題

当社の連結修正仕訳をしなさい。

当社は、仙台商事の発行済株式の80%を所有し、連結子会社としている。当期における当社から仙台商事への商品の売上高は50,000円であった。なお、当社の利益率は20%である。また、仙台商事が保有する当社から仕入れた商品は、期首商品8,000円、期末商品10,000円であった。

借 方 科 目	金 額	貸 方 科 目	金 額

第17章

連結財務諸表Ⅱ

さっくり
10日目

しっかり
14日目

じっくり
19日目

解 答

借　方　科　目	金　　額	貸　方　科　目	金　　額
売　　　上　　　高	50,000	売　上　原　価	50,000
利益剰余金当期首残高	1,600	売　上　原　価	1,600
売　上　原　価	2,000	商　　　　　品	2,000

解 説

① 　親子会社間の取引は企業グループ内部の取引なので、相殺消去します。そのため、親会社の売上げとそれに対する子会社の仕入れを連結修正仕訳で消去します。

② 　仙台商事は、親会社である当社から仕入れた商品を期首と期末において保有しているので、未実現利益を消去する必要があります。

期首商品未実現利益：8,000円×利益率20％＝1,600円

期末商品未実現利益：10,000円×利益率20％＝2,000円

また、期首商品に係る未実現利益実現の仕訳（解答2行目）は以下の復元仕訳と実現仕訳を合わせた仕訳です。

【復元（開始仕訳）】

借　方　科　目	金　額	貸　方　科　目	金　額
利益剰余金当期首残高	1,600	商　　　　　品	1,600

【実現】

借　方　科　目	金　額	貸　方　科　目	金　額
商　　　　　品	1,600	売　上　原　価	1,600

連結財務諸表Ⅲ

慎重にやらないと…

静岡に子会社あったのか…

子会社があると大変だね

エグゼクティブ松沢

1 連結精算表の作成

イントロダクション

連結財務諸表作成の最終段階です！親会社と子会社の財務諸表を合算し、連結修正仕訳を加減算して、連結財務諸表を作成するという一連の手続きを一覧表に記入していきます。このような作成までの流れが一目で分かる点で連結精算表は重要な表になります。早く正確に精算表を作成できるように何度も繰り返し練習しましょう。

連結修正仕訳は、帳簿に記入されず、連結精算表に記入されるのでアル！たぶん…

また、あの人か…

1 連結精算表の作成

　個別財務諸表を作成するときに精算表を作成したように、連結財務諸表を作成するときも、通常「連結精算表」を作成します。連結精算表は、親会社と子会社の個別財務諸表を合算し、そこに連結修正仕訳を加えて連結財務諸表を作成するという一連の過程を明らかにします。また、連結精算表も個別の精算表と同じように帳簿外で行われます。

連結精算表の損益計算書部分だけを示すと以下のようになります。
①一番左の科目欄には科目を記入し、順に②個別財務諸表欄には個別
財務諸表に書く金額、③連結修正仕訳欄には連結修正仕訳の金額を、
④連結財務諸表欄には②個別財務諸表欄の金額に③連結修正仕訳欄の
連結修正仕訳の金額を加減算した金額を記入します。例えば、諸収益
であれば個別財務諸表合計欄49,500円から連結修正仕訳欄900円を引
いた金額48,600円が連結財務諸表の金額になります。

連 結 精 算 表

科　目	個別財務諸表			連結修正仕訳		連結財務諸表
	P　社	S　社	合　計	借　方	貸　方	
損益計算書						
諸　収　益	34,000	15,500	49,500	900		48,600
諸　費　用	△20,000	△9,000	△29,000			△29,000
のれん償却額	──	──	──	600		△600
当期純利益	14,000	6,500	20,500	1,500		19,000
非支配株主帰属純利益	──	──	──	2,600		△2,600
親会社株主帰属純利益				4,100		16,400

親会社と子会社の個別
財務諸表の金額を記入

連結修正仕訳
を記入

個別財務諸表の合計金
額に連結修正仕訳の金
額を加減算して算定

次の例を解きながら、連結精算表の全体を見ていきましょう。
　なお、連結精算表は連結財務諸表と異なり企業内部で使用する一覧
表です。外部に公表されないので、ここで紹介した形式以外にも様々
な形式が考えられます。また、費用の金額の前に「△」が付されるの
ではなく、貸方項目を括弧書きにする場合などがあります。

第18章

連結財務諸表Ⅲ

さっくり
10日目

しっかり
15日目

じっくり
20日目

問題　以下の資料にもとづいて、連結精算表を完成させなさい。
なお、当期は×3年4月1日から×4年3月31日までの1
年間である。

① 八百源は×2年3月31日に静岡商店の発行済株式の
　60％を135,600円で取得し、連結子会社とした。

② ×1年度末における静岡商店の純資産は、資本金
　150,000円、資本剰余金30,000円、利益剰余金20,000
　円であった。

③ 静岡商店の×2年度の当期純利益は6,000円、剰余金の
　配当は1,000円であった。

④ のれんは発生年度の翌期より20年間にわたり定額法で
　償却する。

⑤ 当期の八百源および静岡商店の個別財務諸表について
　は連結精算表の個別財務諸表欄を参照すること。

⑥ 個別財務諸表欄および連結財務諸表欄の貸方項目には
　括弧を付すこと。

自転車部に
入ります

おう、
新入りか！

ま〜ちゃん

入部

【解答】

連 結 精 算 表

科　目	個別財務諸表			連結修正仕訳		連結財務諸表
	八百源	静岡商店	合　計	借　方	貸　方	
損益計算書						
諸　　収　　益	(34,000)	(15,500)	(49,500)	900		(48,600)
諸　　費　　用	20,000	9,000	29,000			29,000
の れ ん 償 却	――	――	――	780		780
当 期 純 利 益	(14,000)	(6,500)	(20,500)	1,680		(18,820)
非支配株主帰属純利益	――	――	――	2,600		2,600
親会社株主帰属純利益	――	――	――	4,280		(16,220)
株主資本等変動計算書						
資本金						
当 期 首 残 高	(300,000)	(150,000)	(450,000)	150,000		(300,000)
当 期 末 残 高	(300,000)	(150,000)	(450,000)	150,000		(300,000)
資本剰余金						
当 期 首 残 高	(100,000)	(30,000)	(130,000)	30,000		(100,000)
当 期 末 残 高	(100,000)	(30,000)	(130,000)	30,000		(100,000)
利益剰余金						
当 期 首 残 高	(90,000)	(25,000)	(115,000)	22,780		(92,220)
配　　当　　金	4,000	1,500	5,500		1,500	4,000
親会社株主帰属純利益	(14,000)	(6,500)	(20,500)	4,280		(16,220)
当 期 末 残 高	(100,000)	(30,000)	(130,000)	27,060	1,500	(104,440)
非支配株主持分						
当 期 首 残 高	――	――	――		82,000	(82,000)
当 期 変 動 額	――	――	――	600	2,600	(2,000)
当 期 末 残 高	――	――	――	600	84,600	(84,000)
貸借対照表						
諸　　資　　産	394,400	238,000	632,400			632,400
土　　　　　地	100,000	30,000	130,000			130,000
子 会 社 株 式	135,600	――	135,600		135,600	――
の　　れ　　ん	――	――	――	14,820	780	14,040
資 産 合 計	630,000	268,000	898,000	14,820	136,380	776,440
諸　　負　　債	(130,000)	(58,000)	(188,000)			(188,000)
資　　本　　金	(300,000)	(150,000)	(450,000)	150,000		(300,000)
資 本 剰 余 金	(100,000)	(30,000)	(130,000)	30,000		(100,000)
利 益 剰 余 金	(100,000)	(30,000)	(130,000)	27,060	1,500	(104,440)
非支配株主持分	――	――	――	600	84,600	(84,000)
負債・純資産合計	(630,000)	(268,000)	(898,000)	207,660	86,100	(776,440)

第18章
連結財務諸表Ⅲ

さっくり
10日目

しっかり
15日目

じっくり
20日目

【考え方】

①-1　開始仕訳（投資と資本の相殺消去）

　　　当期は×3年4月1日から×4年3月31日まで（×3年度）であるのに対し、八百源は×2年3月31日に静岡商店を子会社としている。そのため、当期の連結財務諸表を作成するにあたり静岡商店を子会社としたときに行われた投資と資本の相殺消去仕訳を開始仕訳として復元する必要がある。

【子会社として支配したときの投資と資本の相殺消去仕訳】

借　方　科　目	金　　額	貸　方　科　目	金　　額
資　　本　　金	150,000	子　会　社　株　式	135,600
資　本　剰　余　金	30,000	非　支　配　株　主　持　分	80,000
利　益　剰　余　金	20,000		
の　　れ　　ん	15,600		

（150,000円＋30,000円＋20,000円）×40％

135,600円－（150,000円＋30,000円＋20,000円）×60％＝15,600円

復　元

【当期の連結修正仕訳（開始仕訳：投資と資本の相殺消去仕訳の復元）】

借　方　科　目	金　　額	貸　方　科　目	金　　額
資本金当期首残高	150,000	子　会　社　株　式	135,600
資本剰余金当期首残高	30,000	非支配株主持分当期首残高	80,000
利益剰余金当期首残高	20,000		
の　　れ　　ん	15,600		

開始仕訳では純資産の項目を株主資本等変動計算書の科目（当期首残高）に替えるんだったね

①-2　開始仕訳（子会社の利益）

子会社である静岡商店は前期（×2年度）において6,000円の当期純利益を計上している。そのため、当期の連結財務諸表を作成するにあたり前期の連結手続で行われた子会社の当期純利益を非支配株主に按分する仕訳を開始仕訳として復元する必要がある。

【子会社の当期純利益の按分仕訳（前期の連結修正仕訳）】

借　方　科　目	金　　額	貸　方　科　目	金　　額
非支配株主に帰属する当期純利益	2,400	非支配株主持分当期変動額	2,400

子会社の当期純利益
6,000円×非支配株主
割合40％＝2,400円

復　元

【当期の連結修正仕訳（開始仕訳：子会社当期純利益の按分仕訳の復元）】

借　方　科　目	金　　額	貸　方　科　目	金　　額
利益剰余金当期首残高	2,400	非支配株主持分当期首残高	2,400

過去の損益項目は
「利益剰余金当期首残高」

純資産項目は「当期首残高」

①-3　開始仕訳（剰余金の配当）

子会社である静岡商店は前期（×2年度）において1,000円の剰余金の配当を行っている。そのため、当期の連結財務諸表を作成するにあたり前期の連結手続で行われた剰余金の配当の修正仕訳を開始仕訳として復元する必要がある。

第18章

連結財務諸表Ⅲ

さっくり
10日目

しっかり
15日目

じっくり
20日目

【子会社の剰余金の配当の修正仕訳（前期の連結修正仕訳）】

借　方　科　目	金　　額	貸　方　科　目	金　　額
受　取　配　当　金	600	配　　当　　金	1,000
非支配株主持分当期変動額	400		

・剰余金の配当1,000円
　×親会社株主割合60%
　＝600円
・剰余金の配当1,000円
　×非支配株主割合40%
　＝400円

復　元

【当期の連結修正仕訳（開始仕訳：子会社の剰余金の配当の修正仕訳の復元】

借　方　科　目	金　　額	貸　方　科　目	金　　額
利益剰余金当期首残高	600	利益剰余金当期首残高	1,000
非支配株主持分当期首残高	400		

配当金は過去の損益項目ではないけれど
利益剰余金に影響を与えるので開始仕訳
では「利益剰余金当期首残高」とする

①-4　開始仕訳（のれんの償却）

　　　　八百源が×2年3月31日に静岡商店を子会社としたときに投資と資本の相殺消去仕訳をして、のれんを計上している。のれんは、計上してから一定の期間にわたり償却を行うので、前期の決算手続きではのれんの償却が行われている。そのため、前期の決算手続きで行われたのれんの償却を復元する必要がある。

【のれんの償却（前期の連結修正仕訳）】

借　方　科　目	金　額	貸　方　科　目	金　額
の　れ　ん　償　却	780	の　　れ　　ん	780

15,600円÷20年＝780円　　　復　元

【当期の連結修正仕訳（開始仕訳：のれんの償却の復元）】

借　方　科　目	金　額	貸　方　科　目	金　額
利益剰余金当期首残高	780	の　　れ　　ん	780

ここまでの①-1〜①-4までの仕訳を合算すると、以下の仕訳となる。

【当期の開始仕訳】

借　方　科　目	金　額	貸　方　科　目	金　額
資本金当期首残高	150,000	子　会　社　株　式	135,600
資本剰余金当期首残高	30,000	非支配株主持分当期首残高	82,000
利益剰余金当期首残高	22,780		
の　　れ　　ん	14,820		

子会社があると大変だね

エグゼクティブ松沢

さっくり
10日目

しっかり
15日目

じっくり
20日目

この①-1〜①-4までの開始仕訳を以下のように連結精算表に反映させる。

科　目	個別財務諸表			連結修正仕訳		連結財務諸表
	八百源	静岡商店	合　計	借　方	貸　方	
株主資本等変動計算書						
資本金						
当期首残高	(300,000)	(150,000)	(450,000)	150,000		
当期末残高	(300,000)	(150,000)	(450,000)			
資本剰余金						
当期首残高	(100,000)	(30,000)	(130,000)	30,000		
当期末残高	(100,000)	(30,000)	(130,000)			
利益剰余金						
当期首残高	(90,000)	(25,000)	(115,000)	22,780		
配　当　金	4,000	1,500	5,500			
親会社株主帰属純利益	(14,000)	(6,500)	(20,500)			
当期末残高	(100,000)	(30,000)	(130,000)			
非支配株主持分						
当期首残高	——	——	——		82,000	
当期変動額	——	——	——			
当期末残高	——	——	——			
貸借対照表						
諸　資　産	394,400	238,000	632,400			
土　　　地	100,000	30,000	130,000			
子会社株式	135,600		135,600		135,600	——
の　れ　ん	——	——	——	14,820		
資　産　合　計	630,000	268,000	898,000			

②-1 当期の連結修正仕訳(子会社の当期純利益)

静岡商店が計上した当期純利益6,500円(個別財務諸表欄)は、非支配株主に按分する必要がある。

【子会社の当期純利益の按分仕訳】

借 方 科 目	金 額	貸 方 科 目	金 額
非支配株主に帰属する当期純利益	2,600	非支配株主持分当期変動額	2,600

静岡商店当期純利益6,500円×
非支配株主割合40%=2,600円

②-2 当期の連結修正仕訳(剰余金の配当)

静岡商店が行った剰余金の配当1,500円(個別財務諸表欄)を修正する必要がある。

【子会社の剰余金の配当の修正】

借 方 科 目	金 額	貸 方 科 目	金 額
受 取 配 当 金	900	配 当 金	1,500
非支配株主持分当期変動額	600		

・剰余金の配当1,500円×親会社株主割合60%=900円
・剰余金の配当1,500円×非支配株主割合40%=600円

②-3 当期の連結修正仕訳(のれんの償却)

投資と資本の相殺消去で計上したのれん15,600円を20年定額法で償却する。

【のれんの償却】

借 方 科 目	金 額	貸 方 科 目	金 額
の れ ん 償 却	780	の れ ん	780

15,600円÷20年=780円

第18章

連結財務諸表Ⅲ

さっくり
10日目

しっかり
15日目

じっくり
20日目

これらの②-1〜②-3までの当期の連結修正仕訳を以下のように連結精算表に反映させる。

科　目	個別財務諸表			連結修正仕訳		連結財務諸表
	八百源	静岡商店	合　計	借　方	貸　方	
損益計算書						
諸　収　益	(34,000)	(15,500)	(49,500)	900		
諸　費　用	20,000	9,000	29,000			
のれん償却	――	――	――	780		
当 期 純 利 益	(14,000)	(6,500)	(20,500)			
非支配株主帰属純利益	――	――	――	2,600		
親会社株主帰属純利益	――	――	――			
利益剰余金						
当期首残高	(90,000)	(25,000)	(115,000)	22,780		
配　当　金	4,000	1,500	5,500		1,500	
親会社株主帰属純利益	(14,000)	(6,500)	(20,500)			
当 期 末 残 高	(100,000)	(30,000)	(130,000)			
非支配株主持分						
当期首残高	――	――	――		82,000	
当 期 変 動 額	――	――	――	600	2,600	
当 期 末 残 高	――	――	――			
貸借対照表						
諸　資　産	394,400	238,000	632,400			
土　　　地	100,000	30,000	130,000			
子 会 社 株 式	135,600		135,600		135,600	――
の　れ　ん	――	――	――	14,820	780	
資 産 合 計	630,000	268,000	898,000			

③ 個別財務諸表欄の金額に連結修正仕訳欄の金額を加減算して、連結財務諸表欄の金額を求める。

また、各財務諸表間での数値の関係は以下のようになります。

連 結 精 算 表

科　目	個別財務諸表			連結修正仕訳		連結財務諸表
	八百源	静岡商店	合　計	借　方	貸　方	
損益計算書						
諸　　収　　益	(34,000)	(15,500)	(49,500)	900		(48,600)
諸　　費　　用	20,000	9,000	29,000			29,000
の れ ん 償 却	——	——	——	780		780
当 期 純 利 益	(14,000)	(6,500)	(20,500)	1,680		(18,820)
非支配株主帰属純利益	——	——	——	2,600		2,600
親会社株主帰属純利益	——	——	——	4,280		(16,220)
株主資本等変動計算書						
資本金						
当 期 首 残 高	(300,000)	(150,000)	(450,000)	150,000		(300,000)
当 期 末 残 高	(300,000)	(150,000)	(450,000)	150,000		(300,000)
資本剰余金						
当 期 首 残 高	(100,000)	(30,000)	(130,000)	30,000		(100,000)
当 期 末 残 高	(100,000)	(30,000)	(130,000)	30,000		(100,000)
利益剰余金						
当 期 首 残 高	(90,000)	(25,000)	(115,000)	22,780		(92,220)
配　　当　　金	4,000	1,500	5,500		1,500	4,000
親会社株主帰属純利益	(14,000)	(6,500)	(20,500)	4,280		(16,220)
当 期 末 残 高	(100,000)	(30,000)	(130,000)	27,060	1,500	(104,440)
非支配株主持分						
当 期 首 残 高	——	——	——		82,000	(82,000)
当 期 変 動 額	——	——	——	600	2,600	(2,000)
当 期 末 残 高	——	——	——	600	84,600	(84,000)
貸借対照表						
諸　　資　　産	394,400	238,000	632,400			632,400
土　　　　　地	100,000	30,000	130,000			130,000
子 会 社 株 式	135,600	——	135,600		135,600	——
の　れ　ん	——	——	——	14,820	780	14,040
資 産 合 計	630,000	268,000	898,000	14,820	136,380	776,440
諸　　負　　債	(130,000)	(58,000)	(188,000)			(188,000)
資　　本　　金	(300,000)	(150,000)	(450,000)	150,000		(300,000)
資 本 剰 余 金	(100,000)	(30,000)	(130,000)	30,000		(100,000)
利 益 剰 余 金	(100,000)	(30,000)	(130,000)	27,060	1,500	(104,440)
非支配株主持分	——	——	——	600	84,600	(84,000)
負債・純資産合計	(630,000)	(268,000)	(898,000)	207,660	86,100	(776,440)

確認テスト

問題

次の〔資料〕に基づき、×3年度（×3年4月1日～×4年3月31日）の連結精算表を作成しなさい。なお、法人税等および税金は考慮しないものとする。

〔資料Ⅰ〕 S社に関する事項等

1．P社は×3年3月31日にS社の発行済株式の60％を980,000円で取得し、連結子会社としている。

2．×3年3月31日のS社の純資産は以下のとおりである。

資 本 金	1,000,000円
資 本 剰 余 金	200,000円
利 益 剰 余 金	350,000円

3．×3年度のS社の当期純利益及び剰余金の配当は以下のとおりである。

当 期 純 利 益	60,000円
剰 余 金 の 配 当	14,000円

4．のれんは発生年度の翌期より10年で均等償却を行っている。

〔資料Ⅱ〕連結修正仕訳に関する事項等

　1．Ｐ社はＳ社に対して商品を販売しており、×３年度中における
　　Ｐ社のＳ社に対する売上高は450,000円である。

　2．当期末におけるＳ社の保有するＰ社からの仕入商品は82,000
　　円であり、そのうち20,500円は未実現利益であった。

　3．当期末におけるＰ社のＳ社に対する売掛金は120,000円であ
　　り、Ｐ社は売掛金に対して２％の貸倒引当金を設定している。

連結精算表 　　　　　　　　　　　　　　　　　　（単位：円）

科　目	個別財務諸表			連結修正仕訳		連結財務諸表
	P 社	S 社	合　計	借　方	貸　方	
損益計算書						
売　　上　　高	(2,350,000)	(1,410,000)	(3,760,000)			
売　上　原　価	1,997,500	1,198,500	3,196,000			
営　　業　　費	276,900	163,200	440,100			
貸倒引当金繰入額	9,600	4,300	13,900			
のれん償却額	－	－	－			
受　取　配　当　金	(44,000)	(16,000)	(60,000)			
当　期　純　利　益	(110,000)	(60,000)	(170,000)			
非支配株主帰属純利益						
親会社株主帰属純利益						
株主資本等変動計算書						
資本金						
当　期　首　残　高	(2,500,000)	(1,000,000)	(3,500,000)			
当　期　末　残　高	(2,500,000)	(1,000,000)	(3,500,000)			
資本剰余金						
当　期　首　残　高	(500,000)	(200,000)	(700,000)			
当　期　末　残　高	(500,000)	(200,000)	(700,000)			
利益剰余金						
当　期　首　残　高	(650,000)	(350,000)	(1,000,000)			
配　　当　　金	40,000	14,000	54,000			
当　期　純　利　益	(110,000)	(60,000)	(170,000)			
親会社株主帰属純利益	－	－	－			
当　期　末　残　高	(720,000)	(396,000)	(1,116,000)			
非支配株主持分						
当　期　首　残　高						
当　期　変　動　額	－	－	－			
当　期　末　残　高	－	－	－			

次ページへ続く

前ページより続く

連結精算表　　　　　　　　　　　　　　（単位：円）

科　目	個別財務諸表			連結修正仕訳		連結財務諸表
	P社	S社	合　計	借　方	貸　方	
貸借対照表						
諸　資　産	1,660,000	885,000	2,545,000			
売　掛　金	860,000	505,000	1,365,000			
商　　品	585,000	360,000	945,000			
S　社　株　式	980,000	－	980,000			
の　れ　ん	－	－	－			
資　産　合　計	4,085,000	1,750,000	5,835,000			
買　掛　金	(347,800)	(143,900)	(491,700)			
貸 倒 引 当 金	(17,200)	(10,100)	(27,300)			
資　本　金	(2,500,000)	(1,000,000)	(3,500,000)			
資 本 剰 余 金	(500,000)	(200,000)	(700,000)			
利 益 剰 余 金	(720,000)	(396,000)	(1,116,000)			
非 支 配 株 主 持 分	－	－	－			
負債・純資産合計	(4,085,000)	(1,750,000)	(5,835,000)			

第18章

連結財務諸表Ⅲ

さっくり 10日目

しっかり 15日目

じっくり 20日目

解答

連結精算表　　　　　　　　　　　　　（単位：円）

科　目	個別財務諸表			連結修正仕訳		連結財務諸表
	P 社	S 社	合　計	借　方	貸　方	
損益計算書						
売　上　高	(2,350,000)	(1,410,000)	(3,760,000)	450,000		(3,310,000)
売　上　原　価	1,997,500	1,198,500	3,196,000	20,500	450,000	2,766,500
営　業　費	276,900	163,200	440,100			440,100
貸倒引当金繰入額	9,600	4,300	13,900		2,400	11,500
の れ ん 償 却 額	−			5,000		5,000
受 取 配 当 金	(44,000)	(16,000)	(60,000)	8,400		(51,600)
当 期 純 利 益	(110,000)	(60,000)	(170,000)	483,900	452,400	(138,500)
非支配株主帰属純利益				24,000		24,000
親会社株主帰属純利益				507,900	452,400	(114,500)
株主資本等変動計算書						
資本金						
当 期 首 残 高	(2,500,000)	(1,000,000)	(3,500,000)	1,000,000		(2,500,000)
当 期 末 残 高	(2,500,000)	(1,000,000)	(3,500,000)	1,000,000		(2,500,000)
資本剰余金						
当 期 首 残 高	(500,000)	(200,000)	(700,000)	200,000		(500,000)
当 期 末 残 高	(500,000)	(200,000)	(700,000)	200,000		(500,000)
利益剰余金						
当 期 首 残 高	(650,000)	(350,000)	(1,000,000)	350,000		(650,000)
配　当　金	40,000	14,000	54,000		14,000	40,000
当 期 純 利 益	(110,000)	(60,000)	(170,000)	−	−	−
親会社株主帰属純利益	−	−	−	507,900	452,400	(114,500)
当 期 末 残 高	(720,000)	(396,000)	(1,116,000)	857,900	466,400	(724,500)
非支配株主持分						
当 期 首 残 高	−	−	−		620,000	(620,000)
当 期 変 動 額	−	−	−	5,600	24,000	(18,400)
当 期 末 残 高	−	−	−	5,600	644,000	(638,400)

次ページへ続く

前ページより続く

連結精算表 (単位：円)

科 目	個別財務諸表			連結修正仕訳		連結財務諸表
	P社	S社	合 計	借 方	貸 方	
貸借対照表						
諸 資 産	1,660,000	885,000	2,545,000			2,545,000
売 掛 金	860,000	505,000	1,365,000		120,000	1,245,000
商 品	585,000	360,000	945,000		20,500	924,500
S 社 株 式	980,000	－	980,000		980,000	－
の れ ん	－	－	－	50,000	5,000	45,000
資 産 合 計	4,085,000	1,750,000	5,835,000	50,000	1,125,500	4,759,500
買 掛 金	(347,800)	(143,900)	(491,700)	120,000		(371,700)
貸 倒 引 当 金	(17,200)	(10,100)	(27,300)	2,400		(24,900)
資 本 金	(2,500,000)	(1,000,000)	(3,500,000)	1,000,000		(2,500,000)
資 本 剰 余 金	(500,000)	(200,000)	(700,000)	200,000		(500,000)
利 益 剰 余 金	(720,000)	(396,000)	(1,116,000)	857,900	466,400	(724,500)
非 支 配 株 主 持 分	－	－	－	5,600	644,000	(638,400)
負債・純資産合計	(4,085,000)	(1,750,000)	(5,835,000)	2,185,900	1,110,400	(4,759,500)

解 説

1. 開始仕訳

　　支配獲得時の投資と資本の相殺消去は開始仕訳として引き継がれます。なお、開始仕訳において純資産の科目は、株主資本等変動計算書の科目で仕訳を行います。

借　方　科　目	金　　額	貸　方　科　目	金　　額
資本金当期首残高	1,000,000	S　社　株　式	980,000
資本剰余金当期首残高	200,000	非支配株主持分当期首残高	620,000
利益剰余金当期首残高	350,000		
の　　れ　　ん	50,000		

・支配獲得時S社資本1,550,000円（＝資本金1,000,000円＋資本剰余金200,000円＋利益剰余金350,000円）×非支配株主持分40％＝620,000円

・P社取得原価980,000円－支配獲得時S社資本1,550,000円（＝資本金1,000,000円＋資本剰余金200,000円＋利益剰余金350,000円）×P社持分60％＝のれん50,000円

2．当期純利益の按分

子会社の当期純利益のうち非支配株主に帰属する部分については非支配株主に按分します。

借　方　科　目	金　　額	貸　方　科　目	金　　額
非支配株主に帰属する当期純利益	24,000	非支配株主持分当期変動額	24,000

・×3年度S社当期純利益60,000円×非支配株主持分40％＝24,000円

3．のれんの償却

借　方　科　目	金　　額	貸　方　科　目	金　　額
の　れ　ん　償　却　額	5,000	の　　れ　　ん	5,000

・支配獲得時のれん50,000円÷10年＝5,000円

4．剰余金の配当

　　子会社剰余金の配当のうち、親会社に対する配当は企業グループ
　内の取引なので、受取配当金を消去します。また、非支配株主に対
　する配当は、非支配株主持分の減少として処理します。

借　方　科　目	金　　額	貸　方　科　目	金　　額
受　取　配　当　金	8,400	配　　当　　金	14,000
非支配株主持分当期変動額	5,600		

・×３年度Ｓ社配当14,000円×Ｐ社持分60％＝8,400円
・×３年度Ｓ社配当14,000円×非支配株主持分40％＝5,600円

5．売上と仕入の相殺消去

　　親子会社間の取引は、企業集団内部での取引になるため、親会社
　Ｐ社の売上と子会社Ｓ社の仕入を相殺消去します。なお、仕入の消
　去については、「当期商品仕入高」を消去するのではなく、連結財務
　諸表上は売上原価の内訳項目は科目が集約されるので「売上原価」
　の消去として仕訳を行います。

借　方　科　目	金　　額	貸　方　科　目	金　　額
売　　上　　高	450,000	売　上　原　価	450,000

第18章

連結財務諸表Ⅲ

さっくり
10日目

しっかり
15日目

じっくり
20日目

6．未実現利益の消去（期末商品）

　　子会社Ｓ社が期末に保有する親会社Ｐ社から仕入れた商品は、Ｐ
社が上乗せした未実現利益が計上されているので、消去します。

借　方　科　目	金　　額	貸　方　科　目	金　　額
売　上　原　価	20,500	商　　　　　品	20,500

7．債権債務の相殺消去

　　親子会社間の取引で発生した債権債務については相殺消去します。

借　方　科　目	金　　額	貸　方　科　目	金　　額
買　　掛　　金	120,000	売　　掛　　金	120,000

8．貸倒引当金の調整

　　債権債務の相殺消去により消去した売掛金に貸倒引当金が設定されているため、貸倒引当金の調整を行います。

借　方　科　目	金　　額	貸　方　科　目	金　　額
貸　倒　引　当　金	2,400	貸倒引当金繰入額	2,400

　・Ｐ社のＳ社に対する売掛金120,000円×2％＝2,400円

2級INDEX

691

わ

日商簿記2級 光速マスターNEO 商業簿記 テキスト〈第6版〉

2016年 2 月25日　第 1 版　第 1 刷発行
2022年 5 月30日　第 6 版　第 1 刷発行
　　　　　著　者●株式会社　東京リーガルマインド
　　　　　　　　　LEC総合研究所　　日商簿記試験部

　　　　　発行所●株式会社　　東京リーガルマインド
　　　　　　　　　〒164-0001　東京都中野区中野4-11-10
　　　　　　　　　　　　　　　アーバンネット中野ビル
　　　　　　　　　LECコールセンター　　0570-064-464
　　　　　　　　　　受付時間　平日9:30 ～ 20:00 / 土・祝10:00 ～ 19:00 / 日10:00 ～ 18:00
　　　　　　　　　　※このナビダイヤルは通話料お客様ご負担となります。
　　　　　　　　　書店様専用受注センター　　TEL 048-999-7581 / FAX 048-999-7591
　　　　　　　　　　受付時間　平日9:00 ～ 17:00 / 土・日・祝休み
　　　　　　　　　www.lec-jp.com/

　　　　　カバー・本文デザイン●株式会社エディポック
　　　　　カバー・本文イラスト●いさじ たけひろ
　　　　　印刷・製本●倉敷印刷株式会社

日商簿記

簿記とは　　すべてのビジネスパーソンに役立つ！！

簿記は世界で通用するビジネスの共通言語であり、ビジネスパーソンにとって必要不可欠な知識です。簿記を学習することで、企業活動や社会経済システムが分かり、企業のＩＲ情報や新聞の経済記事などを理解することができます。また、損益計算書や貸借対照表を読み取れるようになるため、企業の経営成績や財政状態を数字で分析するスキルが身に付き、ビジネスや投資活動に役立てることができます。さらに、簿記検定は会計系資格のベースであり、短期間で取得可能なことから、専門資格へのステップアップの第一歩となります。簿記検定の知識やノウハウを生かせる専門資格や活躍の場は多岐にわたり、キャリアアップの可能性がひろがります。日商簿記は、社内での昇給昇格や専門職への転職を希望する社会人、就職活動を控えた学生などにとって、履歴書にアピールポイントとして記載できる資格として、ビジネス社会で活躍するための強力な武器となる資格です。

日商簿記検定ガイド

日商簿記検定は、1級を除いた場合「上位何パーセント合格」といった競争試験ではなく、合格点をクリアしていれば、全員が合格となります。努力した分、確実に結果を得られる資格試験です。

受験資格　　学歴・年齢・性別・国籍に制限はありません。（どなたでも受験できます）

各級レベル

	3級		2級		1級
レベル	[簿記の基本] 商業簿記のみの学習ですが、小規模株式会社の経理実務を前提とし、現代のビジネス社会における新しい取引にも対応できる実践的な知識が身につきます。 （学習の目安：1.5～2.5ヶ月／約90時間）		[企業に求められる資格の一つ] 経営管理・財務担当者には必須の知識とされる財務諸表の数字を読み取れる力が身につき、経営内容を把握できるようになる。 （学習の目安：3～6ヶ月／約250時間）		[簿記の最高峰] 公認会計士、税理士などの国家資格への登竜門。極めて高度な商業簿記・会計学・工業簿記・原価計算を学び、会計基準・会社法・財務諸表等規則などの企業会計に関する法規を理解し、経営管理や経営分析ができます。 （学習の目安：6ヶ月以上／約550時間）
試験科目・試験時間	商業簿記／60分		商業簿記 工業簿記／90分		商業簿記・会計学／1時間30分 工業簿記・原価計算／1時間30分 （計3時間）
点数配分・合格点	100点／70点以上		商業簿記60点 工業簿記40点 [計100点]／2科目合計70点以上		各科目25点 [計100点]／4科目合計70点以上（ただし1科目でも10点に満たない場合は不合格）

実施試験日　　統一試験：2月・6月・11月の年3回（1級は6月・11月のみ）
ネット試験：随時（試験センターが定める日時）

 LEC日商簿記　受験生の立場になって真剣に考えました

合格への安心サポート!

2級・3級

安心 1 都合に合わせて学習が開始できる ～配信期間はお申込日からカウントします～

講座配信日を見直し、配信期間は申込日からカウントすることにしました。いつ学習を開始されても、2級210日間、3級150日間配信します。一律で配信終了日が決められている講座のように、申込日が遅いと学習期間が短くなってしまうというデメリットが解消されました。

安心 2 選べる講義 ～Web講義は一科目につき、二人の講師の講義が受講できる～

3級完全マスター講座のWeb講義は、講義時間の異なる二人の講師の講義が視聴できます。
2級完全マスター講座は、対象者・回数を変えた二つの講義が受講できます。予習と復習で講師を変えてみるなど、様々な使い方ができます。

安心 3 ネット方式が体験できる ～Web模試を販売中～

新たに開始された「ネット試験」。本番前にはネット方式も体験しておきたいもの。LECでは本試験と同様の環境が体験できるWeb模試を提供しています。受講期間中なら、何度でもトライアルできます。
3級Web模試　2,750円(税込)　/　2級Web模試　4,400円(税込)

1級

安心 1 「安心の学習期間」 ～次回の検定までWeb受講可能～

コースに含まれているすべての講座は目標検定の次の検定試験日の月末までWeb講義を配信します!お仕事などで「目標検定までに講義が受講できなかった」「次の検定で再度チャレンジしたい!」という方も安心。追加料金もなしで、安心して受講できます。
※教えてチューターも次回の検定までご利用できます。

安心 2 選べる講義 ～Webは一科目につき、2講師の講義で受講できる～

「1級パーフェクト講座」は、対象者の異なる2種類の講義を配信しています。
初めて1級を受験する方には「ベーシック講義」(全66回)、受験経験があり重要ポイントを中心に確認したい方には「アドバンス講義」(全40回)がおススメです。
Web講義なら、別途受講料不要で、2つの講義が視聴できます。
2種類の講義は、使い方次第で多くのメリットが生まれます。
■対象講座：「1級パーフェクト講座」

LEC Webサイト ▷▷▷ **www.lec-jp.com/**

情報盛りだくさん！

 資格を選ぶときも、
講座を選ぶときも、
最新情報でサポートします！

最新情報
各試験の試験日程や法改正情報、対策講座、模擬試験の最新情報を日々更新しています。

資料請求
講座案内など無料でお届けいたします。

受講・受験相談
メールでのご質問を随時受付けております。

よくある質問
LECのシステムから、資格試験についてまで、よくある質問をまとめました。疑問を今すぐ解決したいなら、まずチェック！

書籍・問題集（LEC書籍部）
LECが出版している書籍・問題集・レジュメをこちらで紹介しています。

充実の動画コンテンツ！

 ガイダンスや講演会動画、
講義の無料試聴まで
Webで今すぐCheck！

動画視聴OK
パンフレットやWebサイトを見てもわかりづらいところを動画で説明。いつでもすぐに問題解決！

Web無料試聴
講座の第1回目を動画で無料試聴！気になる講義内容をすぐに確認できます。

LEC全国学校案内

*講座のお問合せ、受講相談は最寄りのLEC各校へ

LEC本校

■ 北海道・東北

札　幌本校 ☎011(210)5002
〒060-0004 北海道札幌市中央区北4条西5-1　アスティ45ビル

仙　台本校 ☎022(380)7001
〒980-0022 宮城県仙台市青葉区五橋1-1-10　第二河北ビル

■ 関東

渋谷駅前本校 ☎03(3464)5001
〒150-0043 東京都渋谷区道玄坂2-6-17　渋東シネタワー

池　袋本校 ☎03(3984)5001
〒171-0022 東京都豊島区南池袋1-25-11　第15野萩ビル

水道橋本校 ☎03(3265)5001
〒101-0061 東京都千代田区神田三崎町2-2-15　Daiwa三崎町ビル

新宿エルタワー本校 ☎03(5325)6001
〒163-1518 東京都新宿区西新宿1-6-1　新宿エルタワー

早稲田本校 ☎03(5155)5501
〒162-0045 東京都新宿区馬場下町62　三朝庵ビル

中　野本校 ☎03(5913)6005
〒164-0001 東京都中野区中野4-11-10　アーバンネット中野ビル

立　川本校 ☎042(524)5001
〒190-0012 東京都立川市曙町1-14-13　立川MKビル

町　田本校 ☎042(709)0581
〒194-0013 東京都町田市原町田4-5-8　町田イーストビル

横　浜本校 ☎045(311)5001
〒220-0004 神奈川県横浜市西区北幸2-4-3　北幸GM21ビル

千　葉本校 ☎043(222)5009
〒260-0015 千葉県千葉市中央区富士見2-3-1　塚本大千葉ビル

大　宮本校 ☎048(740)5501
〒330-0802 埼玉県さいたま市大宮区宮町1-24　大宮GSビル

■ 東海

名古屋駅前本校 ☎052(586)5001
〒450-0002 愛知県名古屋市中村区名駅4-6-23　第三堀内ビル

静　岡本校 ☎054(255)5001
〒420-0857 静岡県静岡市葵区御幸町3-21　ペガサート

■ 北陸

富　山本校 ☎076(443)5810
〒930-0002 富山県富山市新富町2-4-25　カーニープレイス富山

■ 関西

梅田駅前本校 ☎06(6374)5001
〒530-0013 大阪府大阪市北区茶屋町1-27　ABC-MART梅田ビル

難波駅前本校 ☎06(6646)6911
〒542-0076 大阪府大阪市中央区難波4-7-14　難波フロントビル

京都駅前本校 ☎075(353)9531
〒600-8216 京都府京都市下京区東洞院通七条下ル2丁目
東塩小路町680-2　木村食品ビル

京　都本校 ☎075(353)2531
〒600-8413　京都府京都市下京区烏丸通仏光寺下ル
大政所町680-1 第八長谷ビル

神　戸本校 ☎078(325)0511
〒650-0021 兵庫県神戸市中央区三宮町1-1-2　三宮セントラルビル

■ 中国・四国

岡　山本校 ☎086(227)5001
〒700-0901 岡山県岡山市北区本町10-22　本町ビル

広　島本校 ☎082(511)7001
〒730-0011 広島県広島市中区基町11-13　合人社広島紙屋町アネクス

山　口本校 ☎083(921)8911
〒753-0814 山口県山口市吉敷下東 3-4-7　リアライズⅢ

高　松本校 ☎087(851)3411
〒760-0023 香川県高松市寿町2-4-20　高松センタービル

松　山本校 ☎089(961)1333
〒790-0003 愛媛県松山市三番町7-13-13　ミツネビルディング

■ 九州・沖縄

福　岡本校 ☎092(715)5001
〒810-0001 福岡県福岡市中央区天神4-4-11　天神ショッパーズ
福岡

那　覇本校 ☎098(867)5001
〒902-0067 沖縄県那覇市安里2-9-10　丸姫産業第2ビル

■ EYE関西

EYE 大阪本校 ☎06(7222)3655
〒530-0013　大阪府大阪市北区茶屋町1-27　ABC-MART梅田ビル

EYE 京都本校 ☎075(353)2531
〒600-8413　京都府京都市下京区烏丸通仏光寺下ル
大政所町680-1 第八長谷ビル

【LEC公式サイト】www.lec-jp.com/

QRコードから
かんたんアクセス！

LEC提携校

＊提携校はLECとは別の経営母体が運営をしております。
＊提携校は実施講座およびサービスにおいてLECと異なる部分がございます。

■ 北海道・東北

北見駅前校【提携校】　　　　☎0157(22)6666
〒090-0041　北海道北見市北1条西1-8-1　一燈ビル　志学会内

八戸中央校【提携校】　　　　☎0178(47)5011
〒031-0035　青森県八戸市寺横町13　第1朋友ビル　新教育センター内

弘前校【提携校】　　　　☎0172(55)8831
〒036-8093　青森県弘前市城東中央1-5-2
まなびの森　弘前城東予備校内

秋田校【提携校】　　　　☎018(863)9341
〒010-0964　秋田県秋田市八橋鯲沼町1-60
株式会社アキタシステムマネジメント内

■ 関東

水戸見川校【提携校】　　　　☎029(297)6611
〒310-0912　茨城県水戸市見川2-3092-3

所沢校【提携校】　　　　☎050(6865)6996
〒359-0037　埼玉県所沢市くすのき台3-18-4　所沢K・Sビル
合同会社LPエデュケーション内

東京駅八重洲口校【提携校】　　　　☎03(3527)9304
〒103-0027　東京都中央区日本橋3-7-7　日本橋アーバンビル
グランデスク内

日本橋校【提携校】　　　　☎03(6661)1188
〒103-0025　東京都中央区日本橋茅場町2-5-6　日本橋大江戸ビル
株式会社大江戸コンサルタント内

新宿三丁目駅前校【提携校】　　　　☎03(3527)9304
〒160-0022　東京都新宿区新宿2-6-4　KNビル　グランデスク内

■ 東海

沼津校【提携校】　　　　☎055(928)4621
〒410-0048　静岡県沼津市新宿町3-15　萩原ビル
M-netパソコンスクール沼津校内

■ 北陸

新潟校【提携校】　　　　☎025(240)7781
〒950-0901　新潟県新潟市中央区弁天3-2-20　弁天501ビル
株式会社大江戸コンサルタント内

金沢校【提携校】　　　　☎076(237)3925
〒920-8217　石川県金沢市近岡町845-1　株式会社アイ・アイ・ピー金沢内

福井南校【提携校】　　　　☎0776(35)8230
〒918-8114　福井県福井市羽水2-701　株式会社ヒューマン・デザイン内

■ 関西

和歌山駅前校【提携校】　　　　☎073(402)2888
〒640-8342　和歌山県和歌山市友田町2-145
KEG教育センタービル　株式会社KEGキャリア・アカデミー内

■ 中国・四国

松江殿町校【提携校】　　　　☎0852(31)1661
〒690-0887　島根県松江市殿町517　アルファステイツ殿町
山路イングリッシュスクール内

岩国駅前校【提携校】　　　　☎0827(23)7424
〒740-0018　山口県岩国市麻里布町1-3-3　岡村ビル　英光学院内

新居浜駅前校【提携校】　　　　☎0897(32)5356
〒792-0812　愛媛県新居浜市坂井町2-3-8　パルティフジ新居浜駅前店内

■ 九州・沖縄

佐世保駅前校【提携校】　　　　☎0956(22)8623
〒857-0862　長崎県佐世保市白南風町5-15　智翔館内

日野校【提携校】　　　　☎0956(48)2239
〒858-0925　長崎県佐世保市椎木町336-1　智翔館日野校内

長崎駅前校【提携校】　　　　☎095(895)5917
〒850-0057　長崎県長崎市大黒町10-10　KoKoRoビル
minatoコワーキングスペース内

沖縄プラザハウス校【提携校】　　　　☎098(989)5909
〒904-0023　沖縄県沖縄市久保田3-1-11
プラザハウス　フェアモール　有限会社スキップヒューマンワーク内

※上記は2022年4月1日現在のものです。

書籍の訂正情報の確認方法と
お問合せ方法のご案内

このたびは、弊社発行書籍をご購入いただき、誠にありがとうございます。
万が一誤りと思われる箇所がございましたら、以下の方法にてご確認ください。

1 訂正情報の確認方法

発行後に判明した訂正情報を順次掲載しております。
下記サイトよりご確認ください。

www.lec-jp.com/system/correct/

2 お問合せ方法

上記サイトに掲載がない場合は、下記サイトの入力フォームより
お問合せください。

http://lec.jp/system/soudan/web.html

フォームのご入力にあたりましては、「Web教材・サービスのご利用について」の
最下部の「ご質問内容」に下記事項をご記載ください。

> ・対象書籍名(○○年版、第○版の記載がある書籍は併せてご記載ください)
> ・ご指摘箇所(具体的にページ数の記載をお願いします)

お問合せ期限は、次の改訂版の発行日までとさせていただきます。
また、改訂版を発行しない書籍は、販売終了日までとさせていただきます。

※インターネットをご利用になれない場合は、下記①〜⑤を記載の上、ご郵送にてお問合せください。
①書籍名、②発行年月日、③お名前、④お客様のご連絡先(郵便番号、ご住所、電話番号、FAX番号)、⑤ご指摘箇所
　送付先:〒164-0001 東京都中野区中野4-11-10 アーバンネット中野ビル
　　　　　東京リーガルマインド出版部 訂正情報係

・正誤のお問合せ以外の書籍の内容に関する質問は受け付けておりません。
　また、書籍の内容に関する解説、受験指導等は一切行っておりませんので、あらかじ
　めご了承ください。
・お電話でのお問合せは受け付けておりません。

講座・資料のお問合せ・お申込み

LECコールセンター ☎ 0570-064-464

受付時間:平日9:30〜20:00/土・祝10:00〜19:00/日10:00〜18:00

※このナビダイヤルの通話料はお客様のご負担となります。
※このナビダイヤルは講座のお申込みや資料のご請求に関するお問合せ専用ですので、書籍の正誤に関する
　ご質問をいただいた場合、上記「②正誤のお問合せ方法」のフォームをご案内させていただきます。